危機からの脱出 I

W・エドワーズ・デミング

成沢俊子＋漆嶋稔［訳］

日経BP

NIKKEI BP CLASSICS

/ 1. Chain Reaction: Quality, Productivity, Lower Costs, Capture the Market / 2. Principles for Transformation of Western Management / 3. Diseases and Obstacles / 4. When? How Long? / 5. Questions to Help Managers ... lity and the Consu... lity and Produc... nizations

OUT OF THE CRISIS,
Reissued Edition
by **W. Edwards Deming**

Japanese translation published
by arrangement with The MIT Press
through The English Agency (Japan)

W・エドワーズ・デミング　　AP／アフロ

第Ⅰ巻　目次

第Ⅱ巻　目次

危機からの脱出　I

はじめに

本書の目的は、米国のマネジメントのあり方を変革することだ。米国式マネジメントの変革は再建ではなく、修正でもない。根底から作り変えた、全く新しい構造を求めるものだ。あるいは、「突然変異」という言葉で表現できるかもしれないが、無秩序で自然発生的な現象という意味ではない。変革（トランスフォーメーション）は、一貫性を持ったゴールに向かってぶれずに努力してこそ成し遂げられる。本書の狙いは、その方向を示すことだ。当然、政府の産業界への関与の仕方にも変革が求められることをまず認識しなければならない。

将来に向けた計画と問題の予見は、マネジメントの仕事なのだ。マネジメントがこれに失敗したせいで、人の工数、モノ、マシンタイムのムダを引き起こす。すべてのムダが相俟って売り手の製造原価を引き上げ、買い手が支払うべき価格を引き上げてきた。そんなムダに消費者がいつも喜んで対価を支払うとは限らない。その必然的な結果として、市場を失うことになる。市場を失えば失業が生まれる。マネジメントの実績は、事業継続の可能性、投資が無駄にならない可能性、製品やサービスの改善を通してどれだけ未来の雇用を守り、配当を確保できるかといった潜在力によって評価されるべきで、四半期毎の配当によって評価されるべきではない。

社員をごっそり解雇して、既存の失業者にさらに積み増すようなことは、もはや社会的に許されない。企業が市場を失ったから失業が増えたというが、それは必然でも、不可避でもない。人為的に引き起こされたものだ。

米国産業界の病と、その病が引き起こしている失業の根本的な原因は、トップマネジメントによる「マネージ」の失敗にある。売れるものがなければ、何も買えない。

通常、企業の失敗の原因とされるのは、新事業立ち上げのコストであるとか、想定外のコスト超過、過剰在庫の評価損、競争激化などだが、本当の原因はひとえにマネジメントの拙さにある。

マネジメントがなすべきことは何か？　マネジメントには明らかに新しい仕事がある。まずは今求められている変革をどこで、いかにして、学ぶかだ。

実のところ、品質と生産性を向上させて企業競争力を高めるためになすべきことは、マネジメントが経験を頼りに学べるものではない。

全員が最善を尽くすことでは、答えにならない。まず必要なのは、人々がなすべきことを知ることだ。「根本的な変革」が求められている。そのための第一歩は、どうしたら変われるかを学ぶことだ。即ち、第2章で説明する14原則を理解し、使うこと、第3章で述べる病を克服することである。

変革を希求するマネジメントには、新たな学びと新たな理念に長期的に深く関与していくことが求められる。臆病で意志の弱い人、目先の成果のみを求める人はいずれ失望に至るほかない。

大きな問題から小さな問題まで、個々の問題をいくら解決したところで米国産業の衰退を止められない。コンピュータや先進機器や産業用ロボットの利用をいくら拡大しても衰退は止まらない。最新設備を大急ぎで大量に導入して利益を得ようとする試みは、幻想を振り撒いただけで終わる。統計的手法を生産現場の従業員に一気に教え込むのも、QCサークルを無闇にあちこちでやらせるのも答えではない。こうした活動はいずれも個々にはいくらか効果があり、延命には少しは効くだろうが、米国産業の衰退を止めるには至らない。衰退を止め、再び世界をリードするチャンスを与えることができるのは、米国式マネジメントと産業界への政府の関与の仕方を変革することだけだ。

マネジメントの仕事は企業の繁栄と不可分である。米国産業界の慣習のようになっているマネジメントの流動性（ある企業のマネジメントの一員としてしばらく働いた後、別の企業に移ること）はもはや許されない。未来に向けて明確な方針を打ち出すのがマネジメントの責務であるからには、「自分はこの会社を離れることはない、これからも多くの雇用を提供し続ける」と明言すべきだ。また、マネジメントは、製品やサービスの設計、原材料・部品の調達、生産で生じる問題、プロセス・コントロールといった事柄に加え、現場で働く人々が良い仕事をする上での障害物についても理解しておかなければならない。その障害物が、人が生来持っているはずの権利、即ちワークマンシップの誇りを持って働く権利を、人々から奪っている。

米国では生産性をテーマにした各種のカンファレンスが毎日のように開かれている。議論の大半は生産性を測定する装置や測定器に関することである。ナシュア・コーポレーションのウィリアム・E・コンウェイ社長は、「生産性の測定は事故統計のようなものだ。測定して問題があることは理解できるが、事故そのものについては何も語らない」と指摘している。本書は生産性の測定ではなく、生産性の改善を目指す。

本書は製造業とサービス業を区別しない。サービス業には教育や郵政事業などの行政サービスも含まれる。製造業やサービス業をはじめ、いずれの産業もすべて本書が示す同じ原則を活かすことができる。

変革を実現するためには、マネジメントの誰もがサイエンスに関する基本的な知識を備えるべきだ。特に「ばらつき」の本質、およびオペレーショナル・デフィニション（個々の仕事の進め方を明確に定義すること）に関する知識は欠かせない。本書では多くの例を引きながら2つの種類の「ばらつき」を説く。即ち、共通要因から来る「ばらつき」と特殊要因から来る「ばらつき」だ。なぜこの2つの要因が見極めにくいのかを解き明かしていく。加えて、仕事の定義そのものが損失を生み、否応なく低いモラールを招来していることを人はなぜ理解できないのかについても、幾多の例を用いて詳説する。

本書の読者は既に気づいているはずだ。米国式マネジメントが現下の経済新時代に合わなくなっているのに、各種規制当局も司法省の反トラスト局も正しい対策を取っていない。そのせいで産業の衰退に拍車がかかり、米国人は不幸になる一方だ。敵対的買収やLBO（レバレッジド・バイアウト、買収対象企業の資産を担保にした買収）は米国システムにおける死に至る病だ。買収への恐怖は四半期毎の配当を迫る投資家の声と相俟って、企業の目的の一貫性を打ち砕く。魅力ある製品やサービスを提供することで事業を続けていくという目的も、一貫性を失えばパフォーマンスが悪化して失業が増えるだけだ。この事態に証券取引委員会は企業買収に対して何か手を打っているというのか。

既存事業の規模拡大だけを追求すればするほど、先々の苦しみが増すのは明らかだ。この先何十年もそれを続けるつもりだろうか。

「バイ・アメリカン」のような関税や法律による保護を頼みとするのは、競争力弱体化の奨励にほかならない。

だが、この危機的状況に際し、何も動きがないと読者を落胆させたままにするつもりはない。実際、第2章の14原則に取り組むマネジメントは少なくないが、米国産業界を苦しめている病を脱しきれない企業も多い。それでも、すでに大きな成果が出ている。また、過去数年間の(筆者の)セミナーの内容に基づいて、米国式マネジメントの変革に関するコースを開講したビジネススクールもいくつか出現している。

謝辞

偉大な先輩の多くから指導を受けて働くという貴重な機会を与えられたことを光栄に思い、深く感謝を申し上げる。特にベル電話研究所のウォルター・A・シューハート、ハロルド・F・ドッジ、ジョージ・エドワーズの各氏には格別なるご高配を賜ったが、いずれもすでに鬼籍に入られた。実践を通して学ぶ間に、並外れて優れた同僚から受けた助力もまことに有り難かった。モリス・H・ハンセン、フィリップ・M・ハウザー、フレデリック・フランクリン・スティーブン、サミュエル・スタウファー、レスリー・E・サイモン将軍、ユージン・L・グラント、ホルブルック・ワーキング、フランツ・J・カルマン、P・C・マハラノビスに感謝を捧げる。

　本書に述べる知見には多くの親切な友人からの協力があった。ロイド・S・ネルソン、ウィリアム・W・シェルケンバッハ、マイロン・トライバス、ロナルド・P・モーエン、ウィリアム・A・ゴロムスキー、キャロライン・A・エミ、ルイス・K・ケーツ、ナンシー・R・マン、ブライアン・M・ジョイナー、マービン・ミュラー、イーズ・ナーフライー、ジェームズ・K・バッケン、エドワード・M・ベイカー、ヒーロー・ハッケボードの各氏である。具体的に研究を引用させてもらった方々については、本文に氏名を記して感謝に代えたい。本文を読みやすくしてくれたのはケイト・マッキューンである。

ウィリアム・G・ハンター教授とウィスコンシン大学の学生諸君には本文の査読のみならず、難しい部分をわかりやすくするための特別な支援を頂戴した。

この分野の知識が年々深く広くなってきたのは、私のセミナーに参加してくれた何百人もの人々の力によるものだ。

注意深い読者は、普通なら「監督」（スーパービジョン）と表現するところに、本書が「リーダーシップ」という言葉を当てていることにお気づきと思う。生き残りたいなら、これまでの「監督」（スーパービジョン）を「リーダーシップ」で置き換えることが欠かせないからだ。このような見方ができるようになったのは、友人であるゼネラル・モーターズ（GM）のジェームズ・B・フィッツパトリックのおかげである。

秘書セシリア・S・キリアンによる献身的な仕事ぶりと称賛すべき忍耐力がなければ、本書が世に出ることはなかった。彼女は統計の仕事でもう32年間も私を積極的に支え続けてくれている。私が飛行機の中で次々と走り書きしたメモを基に彼女がセミナーのテキストをまとめ上げ、それがこうして本書に結実して読んでいただけることになった。感謝の言葉が見つからない。

第1章

改善の連鎖反応——品質↓生産性↓コスト低減↓市場の獲得

NIKKEI BP CLASSICS / OUT OF THE CRISIS I / W. Edwards Deming/ **1. Chain Reaction: Quality, Productivity, Lower Costs, Capture the Market** / 2. Principles for Transformation of Western Management / 3. Diseases and Obstacles / 4. When? How Long? / 5. Questions to Help Managers / 6. Quality and the Consumer / 7. Quality and Productivity in Service Organizations // NIKKEI BP CLASSICS / OUT OF THE CRISIS II / W. Edwards Deming // 8. Some New Principles of Training and Leadership / 9. Operational Definitions, Conformance, Performance / 10. Standards and Regulations / 11. Common Causes and Special Causes of Improvement. Stable System / 12. More Examples of Improvement Downstream / 13. Some Disappointments in Great Ideas / 14. Two Reports to Management / 15. Plan for Minimum Average Total Cost for Test of Incoming Materials and Final Product / 16. Organization for Improvement of Quality and Productivity / 17. Some Illustrations for

知識もないのに、言葉を重ねて
神の経綸を暗くするとは。

『旧約聖書』ヨブ記38・2＝新共同訳『聖書』
（日本聖書協会）

本章の狙い

本章の狙いは、工場で始終トラブルが起こるのはなぜかを解き明かし、そうした悪い状態で安定しているからには、その「システム」が問題の源を内包しているのであって、その原因を取り除いて品質を良くするのはマネジメントの責任だと説くことだ。次章では、さらに多くの例を取り上げる。

それはある種の民間伝承に過ぎない

米国では、品質と生産量は両立しないという一種の「民間伝承」がいまも信じられている。即ち、この二兎を同時に追うことはできないというのだ。工場長は上司に向かって、「どちらを優先するか決めてください」としばしば言う。工場長が品質を優先すれば、生産量は目標未達になりがちだ。逆に、生産量を優先すれば、品質は往々にして損なわれる。工場長の経験だけでは、品質の意味と改善の仕方がわからないからだ。[*1]

あるとき、「品質が良くなると生産性も向上するのはなぜか？」という私の問いかけに対し、ワーカー22人（全員が労働組合の職場委員）とのミーティングで簡潔明瞭な答えを得た。

「手直しが減る」

これ以上、正しい答えはない。同じ文脈で、次のように答える人も多かった。

「材料や部品のムダが減る」

生産現場で働く人々にとっての品質とは、自分自身を満足させる仕事ぶりや製品の出来栄えであり、それが自身にワークマンシップの誇りをもたらす。

品質改善とは、工数やマシンタイムのムダを、より良い製品やより良いサービスに転化させることだ。その結果、改善の連鎖反応が起きる。即ち、コスト低減、競争力向上、働く喜びの高まり、そして雇用拡大である。

品質と生産性の関係についてのこの明解な見方は、友人の津田義和博士（立教大学）がサンフランシスコ滞在中に送ってくれた１９８０年３月23日付の手紙にも書かれていた。手紙から引用する。

私はこの1年、北半球の23カ国を回ってさまざまな産業の工場を訪問し、多くの産業人と意見を交わしました。

今日の欧米人は、（品質そのものを良くすることよりむしろ）品質コストや品質監査の仕組みのほうに関心があるようです。しかし、日本のわれわれは、あなたが提唱された方法を用いて品質を良くすることにいまなお強い関心を持ち続けています。…（中略）…品質を良くすれば、生産性も良くなる。そう、あなたが1950年におっしゃった通りなのです。

津田博士によれば、「欧米産業界は、これ以上改善を続けても目に見える経済的利益は得られそうにないというレベルまで改善したら、それで満足してしまう」という。ある人が質問した。

「顧客を失わないという条件の下で、どこまで品質を下げられるか？」

この物言いは心得違いの塊だ。米国のマネジメントに蔓延する勘違いの典型例である。これに対し、日本のマネジメントは英断をもって正しい道を行き、目先の数字にこだわることなくプロセスそのものを改善していく。そうだからこそ、生産性を上げてコストを減らし、市場を獲得できるのだ。

日本の目覚め

1948年から1949年にかけて、日本のマネジメントの中に、品質向上が生産性向上に自ずと繋がると気づいた人たちがいた。そのことを私は何人もの日本人技術者の業績から察した。当時、マッカーサー将軍の下で働いていたGHQのスタッフの中にベル研究所の複数のエンジニアがいて、彼らから提供された品質管理の文献を日本人技術者たちは研究していた。この文献にはウォルター・A・シューハート著『工業製品の経済的品質管理』(白崎文雄訳、日本規格協会)も含まれていた。

このときの文献研究が端緒となり、後に日本の産業界は大きな成果を手にすることになるのだが、その結果は実に刺激的だった。即ち、シューハートの文献に記された手法と論理によって予言された通り、「ばらつき」が減少するのに伴い、生産性も確かに向上することを実証したのである。

1950年夏、1人の外国人専門家(筆者のデミング博士)が訪日した結果、次のような改善の連鎖が日本の産業界に「生き方として」深く刻み込まれていった。[*2] 1950年7月以降、この改善の連鎖はマネジメントの人々との会議のたびに黒板に描かれたものだ。次ページの図1も同様だ。

他の国とは違い、日本の生産現場で働いていた人たちはこの改善の連鎖反応を理解しており、欠陥や不具合のある製品が顧客の手に渡れば、市場を失い、失業に至る恐れもあることを承知していた。

1950年以降、日本のマネジメントがこの「改善の連鎖反応」を実感するようになり、やがて日本の誰もが品質という共通目標を持つに至った。

当時の日本には利益の分け前をよこせと迫る資金の貸し手や株主はいなかった。おかげでこの取り組みがマネジメントと生産労働者を結ぶ固い絆となった。日本では、これまでのところ敵対的買収やLBOは起きていない。マネジメントが株価をあまり気にしないのだ。自分が保有する自社株の株価収益率よりも、むしろ事業目標の継続性・一貫性を選ぶ（第2章の原則1

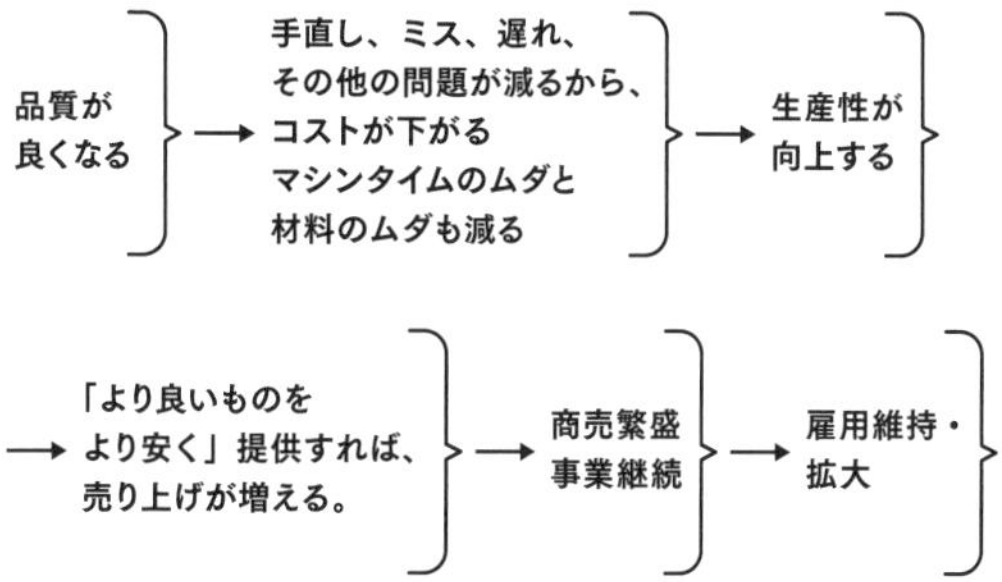

品質が良くなる → **手直し、ミス、遅れ、その他の問題が減るから、コストが下がる マシンタイムのムダと材料のムダも減る** → **生産性が向上する**

→ **「より良いものをより安く」提供すれば、売り上げが増える。** → **商売繁盛 事業継続** → **雇用維持・拡大**

図1　1つのシステムとして見た生産

品質改善は、原材料が納入されてから顧客の手元に届くまでの生産ライン全体に加え、将来の製品・サービスの設計をもその範囲に含む概念だ。この図が最初に使用されたのは、1950年8月、箱根芦ノ湖畔「山のホテル」で開催された「経営者のための品質管理講習会1日コース」のときである。サービス産業であれば図のA、B、C、Dを情報源や上流から来るワークと考えてもよい。例えば（百貨店の）後払いの商品仕入れ、仕入れ額の計算、納入業者への支払い、商品引き当て、商品入出庫、伝票転記、出庫指示などである。

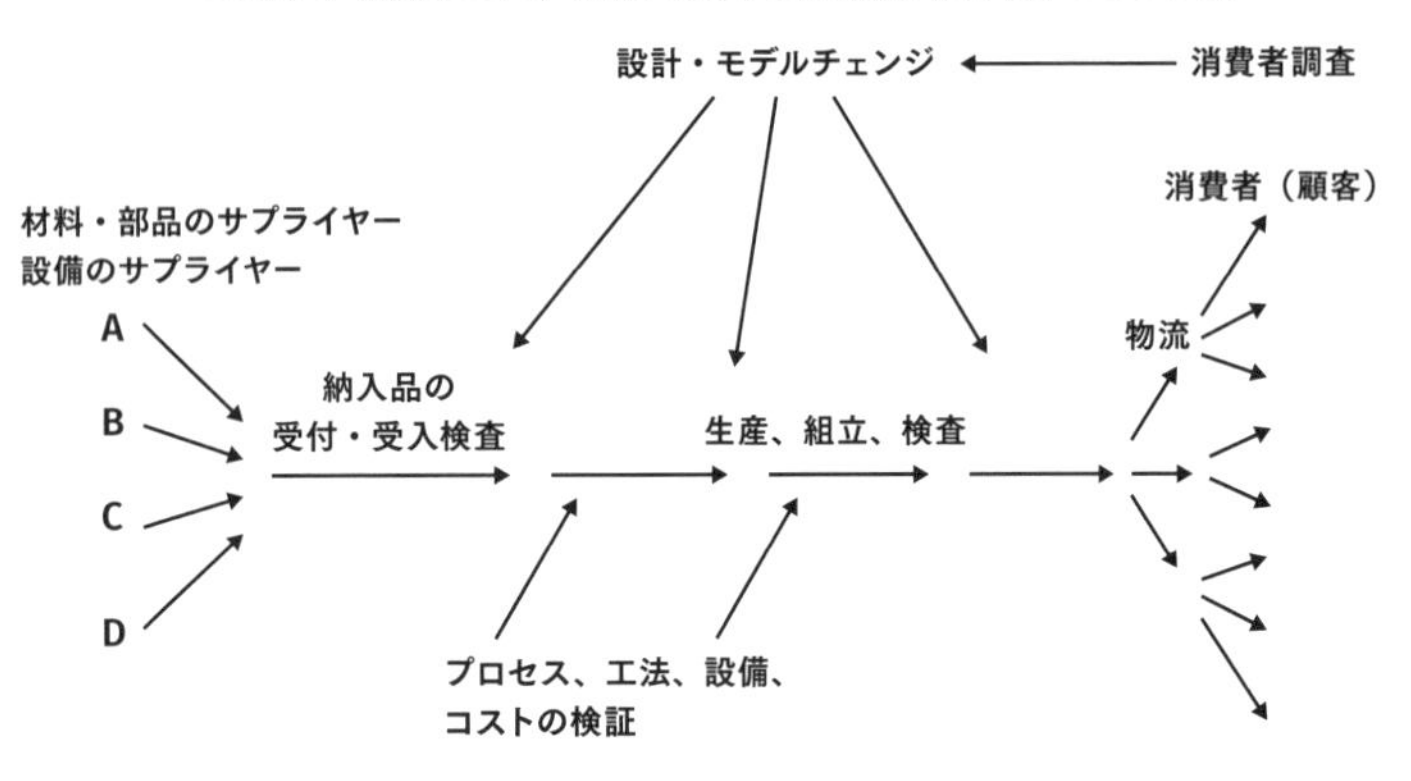

を参照)。(後述する霍見芳浩博士とロバート・M・カウス氏の論文からの引用)

モノとプロセスと情報の流れ図(図1)

議論するだけで品質が良くなることはない。実践が不可欠である。図1の流れ図が日本の変革の出発点になった。日本で初めての本格的な品質改善の講義に臨んだ私は、この図を黒板に書きながら、人々に次のように語りかけた。

「材料・部品や設備は左側から来る。いま話したように、まずは納入されてくる材料や部品の品質を良くしなければならない。皆さんは、ベンダー(販売業者)をパートナーとして遇し、彼らと力を合わせて信頼と誠実さに基づく長期的パートナーシップを築き、納入品の品質向上にぜひとも励んでいただきたい。そうすれば必ずやコストも下がる。

消費者は、生産ライン全体の中で最も重要な部分だ。品質は、現在と将来の消費者ニーズに狙いを定めるべきだ。

品質向上は意志から始まる。意志とはマネジメントの決意だ。マネジメントの意志がエンジニアや他の人々によって翻案され、実行プランとなり、要件が固まり、試験を行い、生産の変革へと至る」

本書に示すマネジメントの諸原則を、先に示した改善の連鎖（22ページ）と図1の流れ図、統計手法とともに、私は何百人ものエンジニアに教えた。これが日本の産業界の改革を始動させ、その後も長く継承された（第18章補遺も参照）。

ここに新しい経済の時代が始まったのだ。

マネジメント自ら、どのステージにおいても品質を良くするのは自分たちの責任だと学んだ。エンジニアも自ら担うべき責務を学び、併せてシンプルだがパワフルな統計手法を勉強した。これによって、「ばらつき」の特殊要因（特定可能な特殊要因）の存在を検出することができるようになり、同時にプロセス自体を良くする（共通要因を取り除く）ことが不可欠との理解に至った（原則5、112ページ）。

日本の品質改善は瞬く間に全社的、国家的規模の動きとなった。

- 全社的規模――すべての工場、マネジメント、エンジニア、生産現場の人々、サプライヤー、関係者のすべて
- 全国的規模
- 製造業とサービス業のあらゆる業務を包摂――調達、製品・サービスの設計・モデ

ルチェンジ、生産技術、生産、消費者調査など

国家は貧乏に甘んじるべきか？

実際、1950年の日本は債務超過だった。日本は当時もいまも天然資源に乏しい（原油、石炭、鉄鉱石、銅、マンガンばかりか、木材さえも足りない）。加えて、日本は「安かろう、悪かろう」の粗悪な消費財で悪名高かった。だが、日本が食糧や機械設備を得るためには、なんとしても製品輸出で外貨を稼がなければならない。この戦いに勝つには、品質で勝負するしかなかった。

今後、消費者は生産ライン（図1）における最も重要な部分になると私は説き、それが当時の日本のマネジメントにとっての大きな挑戦となった。

日本のように、十分な労働力と良いマネジメントが存在する国であれば、その能力と市場に相応しい製品を生産できるはずであり、貧乏に甘んじる必要はない。天然資源の豊かさは繁栄の必要条件ではない。国富は、天然資源よりもその国の人々やマネジメントおよび政府に左右される。問題は、「良いマネジメント」をいかにして見つけるかだ。現在の米国式マネジメントを友好国にそのまま輸出するのは誤りだと考える。

最底辺の発展途上国はどこか？

何百万人もの失業者の中に技能と知識を眠らせたままにしておいて、さらに酷いことには、どの産業でも、どの階層でも大勢の従業員の技能と知識を活かしもせず、あるいは誤った使い方をしているのだから、今日の米国は世界で最底辺の発展途上国と言えよう。

行政サービスについて

大半の行政サービスでは、獲得すべき市場は存在しない。その代わり、行政機関は法や規則で規定されたサービスをできるだけ無駄なく提供しなければならない。行政機関が狙うべきは、他と一線を画す優れたサービスだ。行政サービスを継続的に改善すれば、米国の公共サービスは素晴らしいと評価されるようになり、行政サービス部門の雇用維持につながるだろうし（高い評価を得れば予算がつく）、産業界の雇用拡大の支援もできるようになるはずだ。

シンプルな例

経験から得られた数字を見れば、品質を良くすると、どのようなことが起きるかわかる。小学生にもわかるに違いない。

ある工場でのことだ。その監督者は特定の生産ラインで問題が起きているのを知っていた。しかし、この監督者が説明できたのは、「現場の作業員（24人）は何度もミスを犯した。彼らがミスを犯さなければ、問題は起きなかったはずだ」ということだけだった。

まず検査からデータを貫って、過去6週間の日次の不良率をプロットした（図2）。このプロット（ランチャート）を見ると、平均値を跨いで上下するランダムな「ばらつき」がずっと続いているとわかる。ここからミス発生のレベルと日次の「ばらつき」を予測できる。これはどういうことか？　つまり、そこには不良品を生産する1つの安定したシステムが存在するとい

図2　オペレーショナル・デフィニション（手順と基準）を定める前と後の日次の不良率

作業手順があって初めて正しい作業のやり方はどういうもので、不適切な作業とは何かがわかる。従前の不良率は11パーセント、手順を定めた後は5パーセントになった。本例についてデービッド・S・チェンバーズとの共同作業の機会を与えられたことに感謝する。

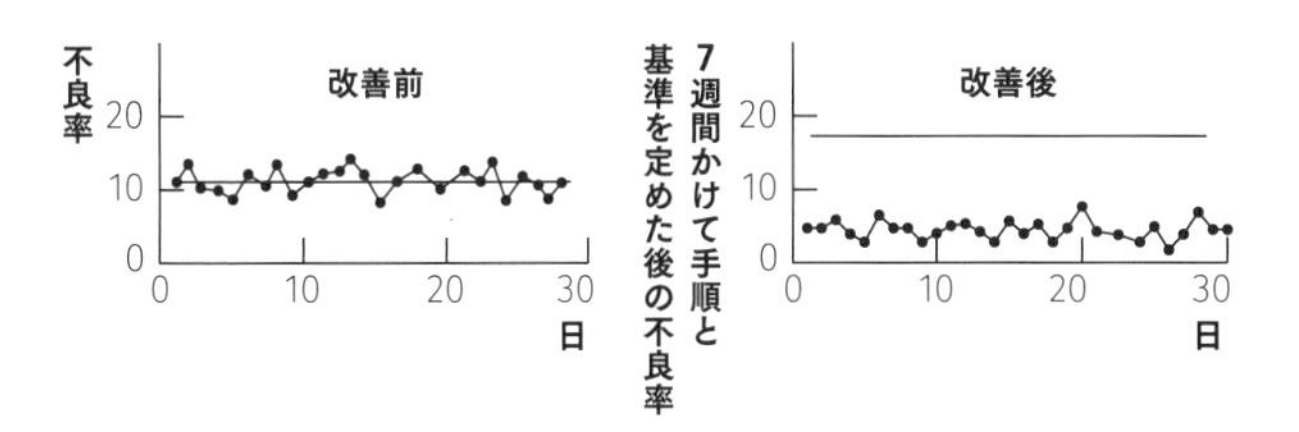

うことだ（第11章）。意味のある改善をしたいなら、このシステムそのものに正面から取り組む必要がある。それはマネジメントの責任だ。作業員がもっとしっかり働くようにと心の中で願ったり、あるいは直接指示したり懇願したりしても、まったく意味がない。

シンプルな改善である。以前にも、マネジメントがその気になればできたはずだ。しかし、やらなかった。外から来たコンサルタントが品質改善の経験に基づいて指摘したのは、「この作業をやっている人も、それを検査する人も、正しい作業の仕方がどういうもので、不適切な作業は何かということを、よく理解していない」ということだった。この職場のマネジャーと監督者2人は不承不承その可能性を受け容れ、この問題に取り組み始める。7週間の試行錯誤を経て、オペレーショナル・デフィニション（このケースでは作業手順と基準）を定め、限界見本（良品と不良品の現物をそのまま使って良・不良を見極める助けをする一種

表　改善に伴う生産性向上の例

	改善前 （不良率11%）	改善後 （不良率5%）
総コスト	100	100
良品生産に費やしたコスト	89	95
不良品生産に費やしたコスト	11	5

のジョブ・エイド）をつくって全員から見える場所に掲示した。図2の右側のチャートと右表に示す通り、新たに得られたデータによって、不良率が11％から5％に減った。

得られた成果

品質向上
良品生産量6％増
生産能力6％増
良品1個当たりのコスト減
利益増
顧客が以前よりハッピーになった
全員が以前よりハッピーになった

成果はすぐに出た（7週間）。かかった費用はゼロ、同じ人員、同じ作業負荷のままだ。新たに設備を入れることもなかった。

これはシステム自体に変更を加えたことで達成された生産性向上の例である。即ち、仕事のやり方と基準（オペレーショナル・デフィニション）を定めるという改善であり、マネジメントの関与によってなされ、人々が「もっと頑張って働く」のではなく、「より賢く働く」のを助けるものだった。

目に見えない別の要因も十分考えられる。監督者は生産量の目標達成ばかりを常に迫られていたから、自分に割り当てられた「数のノルマ」に合わせるべく、拙い仕事ぶりを敢えて容認していた可能性がある。作業員と検査員はそれまでもずっと「正しい作業」と「不適切な作業」とは何かを悩んでいたのに、監督者が量を急いで検査を歪めるせいで、作業員と検査員を混乱させていたのかもしれない。

次のステップは、5％の不良をゼロにすることだ。だが、どうやって？　このステップでもやはり、まず実績をよく見ることが肝要だ。日々の不良率は新たな平均値5％を中心に安定した「ばらつき」を示している。意味のある改善をしたいなら、ここでもやはりシステムを変える必要がある。以下に着眼点を提案したい。

作業がやりにくい部品や材料はないか？
思うように動かない機械設備はないか？

「正しい作業」と「不適切な作業」の定義の中に、至らぬ部分があるのではないか?
作業員ごとに不良率をランチャートの形で2週間記録してみるのも一案だ。その結果、作業員の1人か2人が他の作業員と比べて管理状態から外れていることが判明するかもしれない。もしそうであれば、トレーニング次第で良くなるのか、あるいは他の作業に配置転換すべきなのかを判断するために、試験を通して検証すべきだ(第8章)。

納入されてくる原材料や部品もよく調べてほしい。原材料や部品のせいで不良が生じているのではないか? 設備のメンテナンスに問題はないか?

当時、この生産ラインにいたのは24人。最初の改善を始める前のことである。検査員は手元を通り過ぎていく完成品の中から1箱を取って検査し、その結果を記録した後、再び別の箱を取って検査する。私はこの様子を見て、その検査員に尋ねた。

「検査票に記入した後、その検査票をどう扱うのですか?」

「このあたりに重ねておくだけです。検査票の山が高くなり過ぎたら、下から半分を捨てます」

「では、下から半分を捨てる代わりに、上から半分を貰ってもいいですか?」

「もちろんです！」

われわれは上から半分を貫い、それが直近6週間分の検査結果の情報を与えてくれた。図2の「改善前」のチャートを描けたのはそのおかげだ。

また別の例：コスト削減

1981年3月、ナシュア・コーポレーションのウィリアム・E・コンウェイ社長兼CEOがリオデジャネイロで行った講演から引用する。

当社で最初に大成功したのは、1980年3月のことだった。ノーカーボン紙生産において品質向上とコスト削減を同時に達成できた。

ノーカーボン紙は高速で巻き取られていくロール紙の上にさまざまな化学物質を含む液体を塗布して出来上がる。コーティングが適切であれば、数カ月後に顧客がその紙を使うときに安定した印字品質に満足してくれる。コーティングヘッドは3000平方フィート（約279㎡）当たり、乾燥重量約3・6ポンド（約1・6kg）のコート剤をコーティングする。このときのスピードは、直線距離換算で分速約

110フィート（約335m／分）だ。ロール紙の幅は6〜8フィート（約183〜244cm）である。

検査技能員が紙のサンプルを採取して印字の鮮明度を判定する試験を行う。この試験は、コーター（コーティングの機械）から出てきたときと、エージング炉を通した後の両方をサンプルとして用いる。エージングとは顧客が実際に使う状態を仮想的につくり出すために行うものだ。この試験で印字の鮮明度が許容範囲を超えた場合、コーティングの作業員はコーティング量が適切な量になるよう、コーターを調整しなければならない。丁度良い設定値を探るために頻繁に作業を中断するのが常態になっており、この中断のせいで余計なコストが随分かかっていた。

エンジニアはコーティング量の平均値が高過ぎることを知っていたが、コーティング不足となるリスクを負わずにコーティング剤の消費量を減らす方法は知らなかった。70万ドルもの新型コーティングヘッドの導入を検討してはいた。70万ドルかかるのはさておき、設置には時間がかかるし、新型ヘッドはコーティングの均一性や経済性の面で既存設備とさほど変わらないかもしれないというリスクもあった。

1979年8月、工場長は助けを求めた。すると、コーティングヘッドに何も手を加えなくても、コーティング量を乾燥重量換算平均約3・6ポンド（約1・6㎏）プラスマイナス0・4ポンド（約0・2㎏）という極めて良好な「統計的に管理された状態」に、実際に到達できた。

ランチャートを描いて管理限界を外れた点に着目し、「ばらつき」のさまざまな原因を取り除いていった結果、コーティング量を減らしながら、安定した良好な品質を維持できた。1980年4月までに、このコーターは3000平方フィート（約279㎡）当たりのコーティング量を、平均約2・8ポンド（約1・3㎏）まで減らして稼動することができるようになった。変動の幅は2・4〜3・2ポンド（約1・1〜1・5㎏）である。従来比で0・8ポンド（約0・4㎏）の節約になった（3・6マイナス2・8）。現在の生産高とコストで金額換算すれば、年80万ドルのコスト節減に相当する。

この現場の人々が、第Ⅱ巻155ページの「直近の失敗を埋め合わせるため最善を尽くしてマシンを調整せよ」という「ルール2」あるいは「ルール3」に従おうとして、良かれと思ってやっていたことが、コーティングの「ばらつき」をかえって増幅させていたのであり、めざしていたものとは真逆だったという点に注目していただきたい。

プロセス自体を良くするイノベーションに至る

コンウェイ社長による講演の続きは、さらに興味深いものだった。統計的管理が技術革新への道を切り拓いたのだ。統計的管理がなければ、このプロセスは不安定なカオス状態が続き、どのような改善活動をしようがノイズがその努力の効果を覆い隠してしまっただろう。幸い、統計的管理をうまく適用したおかげで、エンジニアと化学者がイノベイティブになり、創造性を発揮できるようになった。ここに彼らは解明可能な「1つのプロセス」を持ったのである。エンジニアはコーティング剤の組成を変更し、どこまでコーティング剤を減らせるかに挑んだ。10分の1ポンド減らしただけでも、コーティングのコストを年間10万ドル節約できる。

また、エンジニアがコーティングヘッドを改良したことで、コーティングの均一性がどんどん良くなった。この間もコーティングは統計的に管理された状態をずっと維持し、「ばらつき」を抑えながら、かつてないほど少ないレベルの量でコーティングを続けていた。

低品質は高コスト

ナシュア社とは別の、ある工場でのことだ。不良品の大量発生に悩まされているというので、マネジャーに尋ねた。

「この生産ラインには、前工程がつくった不良の手直し要員は何人いますか?」

マネジャーは黒板に人数を書き出した。

「ここに3人、あそこに4人など——合計すれば、生産ラインの全作業員の21%になります」

不良品はタダではない。これを作ることで給料を貰っている人がいる。換言すれば、生産コストと手直しコストが同じとすると、全作業員の42%(21%+21%)は不良品の生産と手直しのために働いていることになる。

マネジャーが事の重大性に気づき、不良品の生産とその手直しにたっぷり給料を払っていると知るや、プロセスを良くする方法を忽ち見つけ出し、生産ラインで働く人々が新しい作業手順を覚えられるように仕向けた。手直しのコストはわずか2カ月で激減した。

次のステップ 改善に終わりはない。不良は限りなくゼロに近づけていかなければならない。手直しコストは品質の悪さから生じるコストの一部に過ぎない。「不良が不良を招く」に止まらない。生産ライン全体の生産性も低下させる。不良を多くつくってしまうと、そのうちいくつかは工場の外へ流出し、顧客の手元まで届いてしまう。不良品に不満を覚えた顧客は友人に愚痴をこぼす。不満を抱く顧客が世間に伝える悪評の影響は計り知れない。逆もまた然り。

製品に満足した顧客はその素晴らしさを世間に伝え、事業に貢献してくれる（257ページを参照）。

ＧＥ社の品質管理部長Ａ・Ｖ・ファイゲンバウム博士によれば、今日顧客が購入する大半の米国製品の製造コストの15〜40％は、無駄につくり込まれたものだという。[*3] 即ち、ムダな工数、ムダなマシンタイム、負荷変動に対応するため生産能力を必要以上に高めに持っておくムダといったものが、コストの中に埋め込まれているという意味だ。これでは、米国製品の多くが国内外で売れ行き不振なのも不思議ではない。

以前、鉄道の仕事に携わったとき、大型修理工場の整備士が、部品を手に入れるために作業時間の４分の３を並んで待っていた。

第2章で詳述するが、最低価格で入札した者が受注を獲得するしくみや、人々からワークマンシップの誇りを奪うマネジメントのやり方といった米国社会に共通の悪弊から来るコストに思いを巡らせば、先のファイゲンバウム博士のムダなコストの推定に、もっと大きなムダがあると付け加えたくなるに違いない。

ハンドリング・ダメージ（荷扱いや搬送中の破損）があると、工場内のあちこちで実に困ったことが起こる。損失が製造コストの５％から８％に上ることもあるほどだ。工場の外の物流でのロスはさらに酷い。もっといけないのは、在庫の劣化によるロスである。小売業者に聞けば、すぐに教えてくれるはずだ。受入のプラットフォームで、受入から棚に運ぶまでの間に、棚でものが眠っている間に、店頭で顧客が珍しがって手に取る際に、一体どれほどの損失が生じていることか。

設備やツールの新規導入は解ではない

ここまで、既存設備を効果的に動かすことを学べば、品質と生産性が大幅に向上するという例を見てきた。

新聞の論説や寄稿は、米国における生産性の立ち遅れは、新鋭設備や各種ツール、ロボットなどの最新式自動化機器の導入が遅れているからだという。そのような提言は、生産の問題を理解していない人々には読み物として興味深く、書き物としてはさらに楽しいかもしれない。大手製造業で働く友人からの手紙にあった次の一節は、実情を理解するのに役立つだろう。

この計画（新型機械の設計と導入）は惨めな結果となった。素晴らしい新型機械は、テストでは意図した通りに機能した。だが、工場で実際に当社の作業員に運転させてみると、さまざまな故障や停止のせいでまともに動かない時間のほうが長いくらいで、全体のコストを下げるどころか、逆に上げてしまった。実は、予測故障率とメンテナンス全般について誰も事前に検討していなかったのである。その結果、頻繁に止まるだけでなく、予備部品も常に足りないか、まったくないという状態だ。加えて、代替生産ラインも用意されていなかった。

オフィスや工場の自動化機器や自動記録装置も解にはならない。そのような先進的機器を呼び物とした展示会には何千もの人が詰めかけ、生産性の立ち遅れを簡単に取り戻す方法を見つけようとする。できるだけハードウェアに頼りたいのだ。もちろん、機器によっては費用相応の生産性向上が期待できるものもある。だが、新鋭設備やツールや素敵なアイデアの複合効果は相対的には小さい。第2章と第3章に示すように、この生産性の立ち遅れを克服するのはマネジメントの責務だ。ハードウェアやツールの導入で得られる効果は、マネジメントによって達成される大きな生産性向上には及ぶべくもない。

私が銀行員なら新規設備導入資金の融資はまず認めない。ただし、融資を申し込む企業が統計的に説明してくれたら話は別だ。つまり、その企業が既存の設備を合理的にフル稼働させ、

第2章の14原則、第3章の「死に至る病」の克服と「障害物」の除去に取り組んでいることを統計学的に説明してくれたら融資の相談に応じましょう。

サービス産業

ついに品質改善が製品や食料（現代統計理論の発祥は農業分野だった）の生産を超えて、サービス産業に到達する時代になった。ホテル、レストラン、貨物輸送や旅客輸送、卸売業や小売業、病院、医療サービス、老人介護施設、おそらく米郵便公社も品質に取り組むことになるはずだ。

実際、大規模なサービス事業における品質と生産性の向上の好事例の一つに、米国の国勢調査がある。10年ごとの国勢調査だけでなく、『労働力月例報告』のような、人と産業に関する毎月または毎四半期の定期的報告も含む。

第7章ではサービス産業における業務改善の例をいくつか挙げる。ウィリアム・J・ラッコが執筆した部分は、銀行における事務ミス削減の手法と結果を説明している。ジョン・F・ハードが担当した部分は、電力会社の燃料調達、発電、送配電など各部門の業務改善を解説している。我が国で最も重要な産業の一つだ。彼の指導を受けている米国の大手電力会社は、マネジメントと送電工事の作業員からトラック運転手に至るまで、誰の負担も増えず、以前よりもムダなく働けるようになって相当な利益を上げ、サービスが良くなってコストも減ったという（第7章にウィリアム・G・ハンターが寄せてくれた事例と見解を参照）。

日本のサービス産業は1950年から生産性の向上に積極的に取り組んでいる。例えば、日本国有鉄道（現JR）、日本電信電話公社（現NTT）、日本専売公社（現JT）などだ。

日本ではサービス企業もデミング賞を受賞している。

1979年、ゼネコンの竹中工務店が同賞を受賞した。同社は顧客（オフィス、病院、工場、ホテル、鉄道会社、地下鉄など）のニーズを研究し、コンピュータを活用して製図段階の手直し件数とコストを削減した。土壌、岩石、地球の動き、機械装置の研究を元に建築工法の継続的改善をも実現している。1982年には鹿島建設、1983年には清水建設も同じく受賞している。1984年には世界的に見ても最大手の電力会社であり、大阪をはじめ関西圏に電力を供給する関西電力も同賞を受賞した。

生産性を測定しても、生産性は向上しない

米国では、生産性に関するカンファレンスが毎日1回は開かれている。1日に2回以上あるのも珍しくない。実際、生産性に関する定例カンファレンスがあり、大統領も全国生産性委員会を設立した。こうしたカンファレンスの目的は生産性を測定することである。もちろん、米国の生産性を測定し、有意義な時系列比較や各国比較を行うことは大切だ。

だが、残念ながら、生産性に関するデータは生産性の向上に資するものではない。生産性の測定データは事故統計データに似ている。つまり、家庭内、道路上、職場内の事故の発生件数はわかるが、事故発生率を減らす方法を教えてくれることはない。

遺憾ながら、多くの企業や組織で品質保証といえば大量の数字であり、不良の種類がいくつあるとか、前月生産された不良品の件数を種類ごとに層別した情報、その月次推移、年次推移といったものと認識されている。こうした数字はマネジメントにこれまでの事態の推移を伝えるが、改善への道程を示してくれることはない。

1982年1月、アトランタで開催された銀行管理協会主催のカンファレンスで、すべての銀行が生産性を評価する部署を新設するよう勧告を受けた。米国内には銀行が1万4000行ある。カンファレンスの主催者は新たに1万4000人分の雇用を生み出そうとでもしていたのか。だが、現実問題として生産性を評価しても、生産性は向上しない。

一方、個々の活動がいずれも組織の目的に適い、同じ方向を向いて一貫しているか、コストの源泉は何かを調べる生産性のきちんとした研究なら、マネジメントにとって非常に役立つものになり得る。この点については、マーヴィン・E・マンデル博士が『サービス組織と政府機関における生産性の評価と向上』（1975年、アジア生産性機構、3～4ページ）で次のようにはっきり指摘している。

結果や成果について申し上げたいことは、めざす姿を考えずに成果や結果に対してあれこれ言っても意味がないということだ。

それはなぜかを理解していただくために、実例をいくつか説明しよう。

例えば、偉大な発明家トーマス・エジソンは米連邦議会に対し、投票手続きを改善するために「押しボタン式投票システム」を提案したことがあるという。エジソンは上下両院議長を前にこの装置を実演してみせた。まず、下院、上院それぞれの議員の椅子のひじ掛けに3つのボタンを取り付ける。「賛成」が緑、「反対」は赤、「棄権」は白だ。この押しボタン式投票を採用すれば、議員がしかるべきボタンを押すと賛成・反対の票数と合計が忽ちディスプレイに表示される。エジソンは両院議長に、誇らしげに確約した。

「この装置を使用すれば、1人ずつ名前を読み上げ、順次投票させる呼名（こめい）における間違いがなくなり、投票に要する時間を大幅に短縮できます。ですから、ぜひそうなさるべきです」

だが、両院議長はもう結構とばかりにエジソンの話をさえぎり、「そのシステムは両議会の議事進行を改善するどころか、まったく不要かつ望ましくないもので、連邦議会の整然たる運営を大混乱に陥れる」と言い放ち、エジソンは愕然としたという。

エジソンの見地からは改善であるものが、連邦議会の見地からは改善ではない何かだった。呼名投票での進行の遅れは議会における慎重な審議プロセスの不可分な一部であり、そういうやり方を議会がかつて選択したからこうなっているのだ。エジソンの「成果（投票システム）」によって票決は速くなるだろうが、それは連邦議会の目的には合致しなかった。

民間企業の例も挙げよう。ある大手造船会社が進水式に関する計画と実施を担当するグループの生産性改善に取り組んでいた。当初は招待状送付を機械化するといったことをやって、それなりに活動を推進してきた。ところが、「進水式を開催すること（結果）」と「進水式の目的」を混同しているのではないかという疑念が出てきた。

進水式の目的はベンダーとの関係やこの分野の政府高官との関係を良くすること

だ。「結果（進水式）」がこの「目的」のために始められたのは確かで、当初はうまくいっていた。だが、開催頻度が年に1回からほぼ毎月となるにつれ、本来の目的に沿わなくなってしまった。進水式は退屈、義理で出席するものになっていた。

そこで、進水式の計画と実施の「方法」の無駄を省くのではなく、むしろ進水式の中身を変えて少人数の関係者だけに絞り込み、船の所有者と所有者の来賓、ホストたる造船会社側の必要人員限定とした。これによって、進水式関連グループの社員20人を他の業務に回すことができた。他にも、会場設営の臨時雇いの節減や、船台の占有時間のロスの低減など、かなり大きな節約になった。本来の「目的」である社外の人々との関係も良くなった。

第2章 欧米型マネジメントを変革するための14原則

NIKKEI BP CLASSICS / OUT OF THE CRISIS I / W. Edwards Deming/ 1. Chain Reaction: Quality, Productivity, Lower Costs, Capture the Market / **2. Principles for Transformation of Western Management** / 3. Diseases and Obstacles / 4. When? How Long? / 5. Questions to Help Managers / 6. Quality and the Consumer / 7. Quality and Productivity in Service Organizations // NIKKEI BP CLASSICS / OUT OF THE CRISIS II / W. Edwards Deming // 8. Some New Principles of Training and Leadership / 9. Operational Definitions, Conformance, Performance / 10. Standards and Regulations / 11. Common Causes and Special Causes of Improvement. Stable System / 12. More Examples of Improvement Downstream / 13. Some Disappointments in Great Ideas / 14. Two Reports to Management / 15. Plan for Minimum Average Total Cost for Test of Incoming Materials and Final Product / 16. Organization for Improvement of Quality and Productivity / 17. Some Illustrations for Improvement of Living /

忍耐を知らぬから、それほど貧しいのか。

シェイクスピア作『オセロ』第2幕第3場、
イアーゴがロドリゴにかけた言葉

本章の狙いと概説

本章の狙い

欧米産業の凋落を食い止め、再興するには、マネジメントのあり方自体が変わらなければならない。本章と次章の目的は為すべき変革の中身を説くことだ。まずは自らが危機にあると知り、行動を起こさなければならない。これがマネジメントの責務である。

また、本章と次章が一種のクライテリア（評価基準）を提示すると言ってもよい。これによって、社内の誰もがマネジメントの仕事ぶりを評価できるようになる。1人ひとりが原理原則を理解していれば、「我が社のマネジメントは良くやっているか？」という問いにいつでも答えられる。労働組合の指導者も同じ質問をしたいはずだ。彼らもまたこのクライテリアを用いてマネジメントの良し悪しを判断できる。変革を起こせるのは人間だけであり、ハードウェア（コンピュータ、装置、自動化、新鋭設備など）ではない。品質を良くする方法は、金では買えない。

最善の努力だけでは足りない

「全員に最善を尽くさせます」（これは間違い）

マネジメントの階層にいる人とのミーティングで、私が「そこで、品質と生産性を共に良くするために、皆さん方はどうしたいですか？」と問うと、こういう答えが返ってくる。

最善を尽くすことが不可欠なのは確かだ。だが、原理原則の導きもなしに、人々に「ああせい、こうせい」と押し付けた挙句、「最善を尽くせ」と強いれば、かえって大損害になりかねない。為すべきことを知らぬまま、全員が「最善を尽くして」至ったカオスを想像すればお分かりいただけると思う。

努力には整合性が必要

①やるべきことを全員が理解しており、②誰もが最善を尽くしたと仮定しよう。しかし、結果

は知識と努力の無駄遣いに終わったということがしばしばある。全体最適にはほど遠い。良いチームワークがあって、しかるべき知識を備えた良いリーダーが活動に整合性を与えてこそ、良い結果を出せる。これに代わるものはない。

マネジメント理論は存在する

いまでは、品質と生産性を良くして競争力を高めるということは、マネジメント理論となった。マネジメントは教えるものではないという時代は過去のものだ。いまのビジネススクールの学生は公開されたカリキュラムを見定めるのに一種の尺度を持っている。このビジネススクールは、「今日の問題」のためのカリキュラムを示そうとしているのか、それとも時代遅れを自ら晒しているだけか？　陳腐化は意図せずとも知らぬ間に忍び込んでくる。油断できない。

理論を伴わずに経験のみに基づいてマネジメントを教えようとしても、品質を良くして競争力を高めるのに何をすべきか、どうやるのかを教えられない。過去の経験だけで指導者になったとして、米国の産業界がこのような苦境に立たされているのはなぜか、と問いたい人もいるだろう。経験が教えるものもあるだろうが、理論から来る問いにどう答えるのか。手持ちの理論が精緻である必要はない。しかし、それは単なる勘か、原則を並べただけではないのか。

後になって間違いだったとわかっても、もう手遅れだ。
マネジメントが次の問いに真剣に向き合うなら、統合的な全体計画が必要だと思い至るだろう。*1

①いまから5年後、あなたはどこに立っていたいか?
②どうすればそのゴールに到達できるか? いかなる手段で到達するか?

必要なのは、マネジメントが長く確実に人々を巻き込み、自ら深く関与していくことである(右記①、②ともにウィリアム・A・ゴロムスキーの言葉)。

目標達成の手段がなければ、希望はいつまで経っても希望のままだ(次節に登場するロイド・S・ネルソンの言葉)。本章の「14原則」と、次章の「死に至る病」と「障害物」の除去がその実現手段を提供する。

ロイド・S・ネルソン博士の質問と意見に基づくガイド(ネルソン博士はナシュア社の統計的手法担当役員)

①事業計画、調達、製造、研究、販売、人事、経理、法務など、どの分野のどんな仕事でも、マネジメントの中心的課題は「ばらつき」の意味をよりよく理解し、「ばらつき」に内在する情報をうまく引き出すことだ。

②理に適った改善計画がないのに、生産性、売上高、品質など、その他何でもいいのだが、仮にあなたが「来年は5%改善できる」と言うなら、なぜ昨年それをやらなかったのか？

③組織の如何を問わず、マネジメントに必要な最重要の数字が何であるかは分からないし、知ることもできないと心得よ（第3章を参照）。

④統計的に管理された状態にあるのに、不良が見つかったら対策を取るなどといった後手後手の対応をしていたのでは何の効き目もない。かえって困りごとを増やすだけだ。統計的に管理された状態にあるときになすべきことは、プロセスそのものを良くすることだ。それは「ばらつき」を減らすか、基準を変えるか、またはその両方によって実現される。上流に遡って製品を根源から研究すれば、改善に凄いレバレッジ（梃子）を与えるはずだ。

読者は、本書の随所にネルソン博士と同様の主張が登場するのに気づくだろう。

短期的利益はマネジメントのパフォーマンスを測る指標ではない

短期的利益をマネジメントのパフォーマンスの確たる指標と見てはいけない。メンテナンスを先送りしたり、研究費を減らしたりすれば、誰でも配当を払える。必要な経費を削って他の会社を買収し、短期的に利益を増やすこともできるかもしれない。

配当や決算書の利益は、企業トップと財務担当マネジャーの仕事ぶりの評価尺度ではあるが、市井の人の生活の物質的な側面に何一つ貢献せず、一企業の競争力強化にも、米国産業の競争力強化にも資するところがまるでない。人の暮らしを良くするのは決算書の利益ではなく、品質と生産性の向上なのである。品質を良くして生産性を上げれば、その分野がどこであれ、少なくとも人々の暮らしの物質的な側面に貢献できる。

配当で生活している人は、現在の配当の多寡だけでなく、3年後、5年後、10年後も配当が支払われるかどうかにも目配りすべきだ。マネジメントは有意義な投資を行って将来の利益を確保すること、再投資に回しつつ配当していく責任がある。

サポートするだけでは足りない。自ら行動せよ。

トップマネジメントが品質と生産性の向上に生涯を捧げるだけではまだ足りない。マネジメントは、自身が何に身を捧げるのか、つまり、なすべきことが何であるかを理解しなければならない。この責任を他人に委ねることはできない。人々をサポートするだけでは足りないのだ。自ら行動する必要がある。

「……それから、貴殿が来ないのであれば、誰も送り込んでこないよう願いたい」

この言葉はナシュア・コーポレーションのウィリアム・E・コンウェイ社長兼CEOから某社副社長に当てた返信の中にあった。その副社長はナシュア社を見学させて貰えないかと頼んできたのだ。

換言すれば、コンウェイ社長は「学びのために当社を視察したいというなら、それはトップマネジメントの本来の仕事なのだ。貴殿が自分の仕事をする時間がないなら、私が貴殿のために割ける時間はない」と伝えたのである。

「コミュニティのための品質プログラム」というものがあって、州知事の祝辞で始まり、旗を振って太鼓を敲いたり、品質向上のバッジを配ったり、何もかもが盛大な称賛に包まれるものと相場が決まっているが、それはすべて幻想であり、罠だ。

間違った方法

一般に、品質と生産性の向上は社員を締め上げ、ツールや最新設備を「インストール」することによって可能になると考えられているらしい。近頃は「従業員が全速力で働きたくなる方法」を解説する本まである。馬に鞭を当てれば、もっと速く走るだろうが、一時、速くなるだけだ。

上院の委員会から、品質と生産性の重要性を強調し、コンテストを開催するという手紙が多くの企業宛てに出された。参加企業は、以下の基準で評価される。

設備
自動化とロボット化
良質な情報
利益分配とその他の報奨制度
トレーニング
職務充実・働き甲斐
QCサークル
ワード・プロセッシング
提案制度
ZD活動（ゼロ・ディフェクトをめざす諸活動）

事実は小説よりも奇なり。上院の委員会からと聞いて、もっとまともな内容を期待していたのに、なんとも残念だ。だが、上院議員らも彼らなりに最善を尽くそうとしていただけなのかもしれない。

ワード・プロセッシング？　アイデアを生み出すワードプロセッサー？　男性か女性か、単数か複数か、先行語に一致する代名詞を当ててくれるワードプロセッサー？

上院のコンテストという新作映画のようなものの目的は工場で働く人々を震え上がらせ、不良品が流出して買い手に届いてしまったら、自分たちがどうなるか、と指摘して、怯えさせることだ。第1章で明らかになった通り、どの工場の人間も不良が流出したら何が起きるかを知っている。しかし、そこで働く彼らは「システム」によって不良をつくるよう強いられていると言ってもいい。自分の仕事が「悪い品質だった」と判明しても、その「システム」に内在する悪さがそうさせているのだ。それなのに、彼らにはなすすべがなく、助けもない。

MBWA（management by walking around、歩き回ることによるマネジメント。ネルソン博士から教えてもらった言葉）は、これまで役に立った例がない。経営者や管理者が現場を歩き回ったところで、そもそも何を訊いたらいいのかの考えがなく、良い答えが返ってくるまでその場に留まり、対話を続けることも大抵はしないからだ。

マネジメントのための14原則(要約)

この原則の原点

14原則は米国産業界の変革の基本だ。さまざまな大小の問題を解決するだけでは十分ではない。この14原則を我が物として行動を起こすなら、マネジメントが本気でその会社に留まり(他社へ転職したりせず)、その事業を続けていく決意だということ、投資家と雇用を共に守ることをめざしているというシグナルになる。そのような「一つのシステム」が「マネジメントが学ぶための基盤」をつくる。日本には、その「システム」があったのだ。1950年にそれが「マネジメントのための学びの基盤」を形成し、その後も長く続いた(第1章と第18章参照)。

14原則はどこでも活かせる。大きな組織でも小さな組織でも、製造業のみならずサービス業でも活用できる。1つの会社の中の1つの部門だけでも構わないのである。

①より良い製品・サービスの実現に向けて、目的の一貫性を創出せよ。必ずや競争に伍していける存在となり、事業を継続し、雇用を守り、さらに雇用を拡大せんとする高い志を持て。

②この新たな考え方を自らのものとせよ。われわれは経済新時代に生きている。欧米のマネジメントは挑戦に目覚め、自らの責務を学び、変化に向かってリーダーシップを発揮しなければならない。

③品質確保のために検査に頼るのを止めよ。最初から品質をつくり込むことによって、大量生産型の「まとめてつくって、まとめて検査する」という検査の必要性をなくせ。

④一番安い値段を付けた者が勝つという商習慣を終わらせよ。値段ではなく、トータルコストの最小化を狙え。「品目ごとにシングルサプライヤー」をめざして進め。サプライヤーとの間に誠実と信頼を旨とする長期的な関係を構築せよ。

⑤生産やサービスのシステムを継続的にどこまでも改善することを通して品質と生産性を高めよ。そうすれば着実にコストは下がる。

⑥当該仕事についてのトレーニングをきちんと実施せよ。

⑦リーダーシップの何たるかを学び、発揚せよ（原則12と第8章も参照）。「監督」がめざすべ

きは、部下たちが機械やツールをうまく使ってより良い仕事ができるように助けることだ。製造現場の人々の「監督」も、マネジメント層の「監督」も、いずれも機能不全に陥っている。オーバーホールが必要だ。

⑧恐怖を駆逐せよ。そうすれば、誰もが会社のためになる働きができるようになる（第3章を参照）。

⑨部門の壁を打ち破れ。製品やサービスが生産段階で直面する問題、使われるときに直面する問題を予見するためには、研究・設計・販売・生産の人々が1つのチームとして力を合わせて働かなければならない。

⑩「不良ゼロをめざせ」とか「一段上のレベルの生産性を達成せよ」と社員らに求めるスローガンや激励を廃止せよ。こうしたお題目は対決的な人間関係をもたらすだけだ。品質が悪く生産性が低いのはなぜか。原因のほとんどは「システム」に帰すべきものだ。つまり、個々の社員の能力の及ばぬところに真の原因があるということだ。

⑪[a]工場における出来高の標準（生産ノルマ）を廃止し、正しいリーダーシップで置き換えよ。

⑪[b]目標管理型のマネジメントを止めよ。数字によるマネジメントも定量的ゴールもなし

だ。リーダーシップで置き換えよ。

⑫[a]現場で働く人々からワークマンシップの誇りを奪っている障害物を取り除け。監督者の責任は、数字だけのマネジメントから品質を良くすることへと変わらなければならない。

⑫[b]マネジメントの階層にいる人々と技術者からワークマンシップの誇りを奪っている障害物を取り除け。これは特に、年次評価、人事考課、目標管理の廃止を意味する（第3章を参照）。

⑬教育と、「自分の仕事は自分で改善する」というセルフ・インプルーブメントの一貫性ある活発なプログラムをつくり、人を育てよ。

⑭社員1人ひとりがこの変革の実現に貢献できるようにせよ。変革は誰にとっても「自分の仕事」であるべきだ。

原則1　より良い製品・サービスの実現に向けて、目的の一貫性を創出せよ

ここには、2つの問題がある。①今日の問題と、②明日の問題、即ち事業継続を希求する企業にとっての問題だ。

今日の問題とは、本日送り出す製品の品質を維持すること、すぐに売れる分より多くなり過ぎないように出来高を調整すること、予算、雇用、利益、売上高、サービス、渉外、フォーキャストといったことだ。絡み合う今日の諸問題に縛られたままやっていくのは簡単だ。そのままそこで、徐々に効率化を進めていけばいい。例えばオフィスに機械化された設備を入れて、効率を上げましょうという具合に。

明日の問題で何よりも先に求められるのは、会社が生き残り、雇用を守るために競争力を向上させるという一貫した目的とそれへの献身である。取締役会と社長が目先の利益に献身するのか、それとも、一貫性のある目的の創出に献身するのかによって、長期的には大きな違いが出る。10年後、20年後、30年後も企業が存続することに比べたら、翌四半期の配当にどれほ

どの重要性があるだろう。一貫性のある目的を打ち立てるとは、以下の責任を引き受けることである。

ⓐ製品やサービスにイノベーションを起こせ

長期的プランニングにリソースを割り当てよ。将来に向けたプランには、次の点をよく検討することが欠かせない。

- 新しい製品やサービスは人々の暮らしの物質的な面の豊かさに寄与するか。市場性はあるか
- 新たな材料や新たな部品が要るか。その概算コストはどのくらいか。
- 製法はどういうものか、現有設備の改造で対応可能か否か。
- 新たに必要となる技能はあるか。その技能の量はどのくらいか。
- どのような訓練が必要か。再訓練すべき人はいるか。
- 監督者に新たに求められる技能はどのようなものか。そのための訓練は要るか。
- 生産コストはいくらか

●マーケティングのコストはどのくらいか。どのようなサービスプランが必要か。サービスのコストはどれほどか。
●顧客が使用する際に実現されるべきパフォーマンス（製品の機能性能や、サービス諸元）はいかなるものか。
●その製品やサービスを使う人は、何に対してどう満足するのか。

イノベーションの条件の1つは、未来があるという信念だ。イノベーションは未来を生きるための土台であり、トップマネジメントが品質と生産性に対して揺るぎないコミットメントを明言せずして花開くことはない。この方針が組織の最上位から展開されてこないと、ミドルマネジメントも他の社員も自分たちが最善の努力をしたところで、本当に会社のためになるのか危ういと感じる。

b研究と教育にリソースを割け

c製品やサービスの「設計の改善」をどこまでも弛まず続けよ。この責務に終わりはない。

消費者は生産ラインの最も重要な部分である。

「製品を無駄なく着実に生産する」あるいは「サービスをいつも効率的に提供する」のは当然だが、それだけで会社はうまくやっていける、競争に勝てると考えるのは間違いだ。見当違いの製品やサービスを世に送り出せば、効率化を促す統計的手法や他のツールを使って全社員が全力で働いていたとしても、会社は坂を転げ落ち、事業からの撤退を余儀なくされる可能性がある。可能性のみならず、実際にそういうことはよくあるのだ。

あなたの顧客も、サプライヤーも、あなたの部下も皆、あなたが発する一貫性のある目的の表明を求めている。つまり、より良い暮らしに資する、市場性のある製品やサービスの提供によってこの事業を続けていくというあなたの意志を聞きたいのだ。

トップマネジメントは、「品質と生産性の向上に寄与するという、誰にとっても大切な仕事を失わせてなるものか。そのためにわれわれはいかに行動するか」という決意を公に宣言すべきである。

原則2　この新たな考え方を自らのものとなせ

われわれは経済新時代に生きている。この新たな時代は日本が作り出したものだ。一方、死に至る病が米国流のマネジメントをひどく苦しめている（第3章参照）。米国産業の競争力強化を妨げている障害物は、政府規制や反トラストの動きによってつくり出されていると言ってもよいが、この障害物は断固除去されなければならない。国の政策ならそもそも米国民の幸福を支えるべきなのであり、国民を抑圧するなど論外だ。政府がそうした本来の機能を果たせるよう、政策や制度を刷新しなければならない。

これまでは一般に許されてきたひどいクオリティの水準を、われわれはもはや容認してはならない。間違い、欠陥、その仕事の要件に合致しない材料・仕掛品・製品、その仕事の何たるかを知らないのに怖くて質問すらできない社員たち、ハンドリング・ダメージ、時代遅れのOJT、不適切で効き目のない監督の仕方、会社に根ざすことのないマネジメント、経営者や管理職のジョブ・ホッピング（次々と転職を重ねること）、運転手が現れないからと遅延ならまだしも運休にまで至るバスや電車といった具合に、挙げれば切りがない。

腐敗や蛮行は人生のコストを増やすだけではない。心理学者が主張する通り、雑な仕事と、人生への、職場への、不満に繋がる。

１９５０年から１９６８年まで米国流マネジメントは、何者にも脅かされず、独走を続けた。なにしろ当時は米国製品が市場をほぼ独占していた。世界中の誰もが米国製品を買える恩恵に浴してラッキーだと思っていたのである。

だが、１９６８年までには、競争力の闘いをもはや無視できなくなっていた。日本で起きたことは、米国でもやろうと思えばできたのに、実際には起きなかった。「われわれは正しいことをやってきたはずだ」と思考停止状態に陥っていたのである。いまもそうだ。これは不可避的な結末ではない。

生活コストは、同じ金額で買える製品やサービスの価値（量や質）に反比例する（同じ値段で量や質が下がれば実質的な値上がりとなり、質・量の低下に反比例してコストは増大する）。遅延や間違いはコストを増大させる。遅延を見越して代案を求めればお金がかかる。いつもきっちり機能を果たす単独案の方が経済的に優れているのは明らかだ。例えば、筆者が実際に体験した日本での旅程を見てみよう。

17時25分（佐賀県）多久駅出発

19時23分（福岡県）博多駅到着、乗り換え
19時24分（福岡県）博多駅出発［大阪行き、時速２１０㎞］

乗り換え時間わずか1分で大丈夫なのかと思うだろうが、心配ご無用。１分どころか、30秒でも問題ないはずだ。代替案は不要だった。

因みに、１９８３年11月に友人のボブ・キング（ＧＯＡＬ社取締役）が日本滞在中に受け取った旅程表には「訪問先の企業へは、以下の電車で移動します」と書かれていた。

9時03分発　　8時58分発や9時発の電車に乗らぬよう注意されたし。
9時57分着

それ以上の説明は必要なかった。

次に示すのは私信からの引用だ。サービス業におけるムダを分かりやすく描いている。請求書を訂正させたにせよ、不良品のノートを良品に交換してもらったにせよ、その売上に対する利益はふいになり、「次に買うときは別の文具店から買おう」という悪い印象を顧客に残した

に違いない。

文具店に1・5インチのリングノート1箱（24冊）を注文した。だが、12冊しか届かなかった。文具店に苦情を入れると、不足分の12冊が届いた。そこで中身を調べてみたら、リングが開いたまま閉じない欠陥ノートが1冊見つかった。私には無用のものだ。24冊注文して半分遅れた上に1冊は不良品だったのだから、その分値引きしてもらえるはずだと思った。ところが、私がそう告げると、文具店は「注文を取った若い女性が不慣れな新人だったもので」という言い訳とともに、値引きなしの全額を請求してきた。

あるビールメーカーの人に話していたら、缶には問題がないと言う。缶のサプライヤーは不良缶が見つかったらいくらでも無償で良品と交換してくれるから問題はないと彼は言うのだ。彼は不良缶にお金を払いたくないし、生産を一旦止めて不良缶を取り出し良品と入れ替えるコストも払いたいと思ったことはない。そのビールメーカーの顧客にしても、そんなものにお金を払う人がいると考えたことはない。しかし、そのままでよいのか。

米国大手のある化学メーカーを訪問したときのことだ。セキュリティ・チェックを通り抜けてオフィスと工場へ至る。すると、訪問者の1人が次のことに気づいた。①警備員から渡された通行証に記載された氏名が間違っており、②日付も間違っている。こんな間違いがあったのに、その通行証は立派に機能していたのだから、おかしなことだ。

変革が求められている。14原則を我が物となし、第3章で詳説する「死に至る病」と「障害物」をなんとしても取り除こうではないか。

原則3　大量生産型の検査に頼るのを止めよ

品質が良くなるはずだと考えて全数検査を定型作業に組み込むのは、意図的に不良をつくるプランニングと同じようなものだ。要するに「当該プロセスは決められた要件に適うだけの能力がない（のだから、全数検査をするしかない）」と認めているのである。

品質を良くするために検査しているつもりだろうが、検査をするときには既に手遅れなのだから、現実には大した効果は得られない。おまけにコストがかかる。製品がサプライヤーの工場を出るときには既に遅い。その時点では、品質について、もう何もできない。品質向上は検査から来るのではなく、製造プロセスそのものを良くすることによって実現される。検査、廃棄処分、グレード落ち、手直しは、当該プロセスの悪いところを直す「矯正」ではない。

手直しはコストを上げる。手直しの作業が好きな人はいない。不良と判れば流れから外され、手直しを待つ不良品の山の上にさらに積まれるばかり。当然、後工程は部品が来なければとても困る。そこで、非常によくあることだが、後工程からの矢の催促に抗しきれず、全く手直しをせずにそのまま使ってしまう。

ここで留意すべきは、「間違いや失敗は不可避であっても許容されない」という例外的な環境が存在することだ。例えば、複雑なＩＣ（集積回路）製造はその一例だろう。つくった後で良・不良を選別するしかない。銀行や保険会社における計算や他の事務処理も同様だ。業務全体の流れの中で、トータルコストを最小にする最適な時点を見つけ出し、そこで検査を行うことが肝要だ（これについては第15章で扱う）。

ⓐ検査が品質を良くすることはないし、検査が品質を保証することもない。検査をするときにはもう遅い。良品であれ不良品であれ、その品質は製品の中に既につくり込まれている。ベル研のハロルド・Ｆ・ドッジが指摘した通り、「検査で品質をつくり込むことは

できない」のだ。

[b]先に述べた稀な例外を除けば、「まとめてつくって、まとめて検査する」という大量生産型の検査は信用してはならないものであり、コストが高くつき、品質を良くする効果も小さい。良品と不良品を確実に分別できるものでもない。

[c]検査の仕事を統計的管理に移行しない限り、検査員が互いに合意することはない。自分自身の判断すら揺れることがある。検査用の機材には安いものも高いものもあるが、いずれにせよメンテナンスと知識の習得が必要だ（第8章、第11章、第15章の例を参照）。定型ルーティンの検査は、飽きと疲労から来る集中力低下によって信頼性が低下する。自分がつくった不良の定量データを突きつけられたときによく口にする言い訳は、「検査で使っている装置は信用できませんよ」というものだ。自動的に検査して記録を取ってくれる装置であっても、常時監視する必要がある。

[d]これとは対照的に、統計的に管理された状態を実現し維持するために少量の抜き取り検査を行って管理図にプロットしていくのは、ルーティンワークとは一線を画すプロフェッショナルな仕事になり得る。ベンダーの検査員と納入先の検査員は、協力して検査装置や検査のやり方を比較し、同じ言葉で話せるように、互いに学び合う時間を持つべき

だ。

「検査員を4人増員せよ」といったやり方は品質問題への対策として広く容認されているが、さらなる問題発生へと通じる道であるのは明らかだ。

検査員　ここでは、ある重要な部品を5人の検査員が検査し、署名します。つまり、規則通りに進むと5つの署名が並ぶわけです。私が何をしているかですか？

私が最初の検査員なら、検査して検査記録票に署名します。最初の検査員でないときは、検査記録票に署名した最初の検査員が当該部品を検査したはずと考えて、次の記録欄に署名するだけです。

ちなみに、複数の人員で200%の検査（全数検査を2回行う）をやるのも珍しいことではないが、100%の全数検査より信頼性が低くなる。これは単純な話で、どの検査員も他の検査員を頼ろうとするからだ。責任を分割すれば誰も責任を取らなくなる（第8章を参照）。

友人のデービッド・S・チェンバーズが「校正作業を常に11回行う印刷会社があ

る」と教えてくれた。その会社のマネジャーがなぜチェンバーズに助けを求めたと思うかと問われたら、「印刷ミスのせいで、顧客からの苦情に苦しんでいたのでしょう」と読者の皆さんは想像するだろう。実際には、11人の校正者はそれぞれ他の10人が真面目に校正しているはずだと思い、まともに仕事をしている校正者が1人もいなかったのだ。

よくある進め方、もっと賢い進め方

州政府の市民サービスを担当する、ある部門でのことだ。そこでは自動車の車両名義人の登録業務を担当している。当該グループの監督者がこの仕事で発生するミスを説明してくれた。所有者氏名の書き間違い、住所の間違い、シリアルナンバー（車両の個体識別コード）や車種の書き間違い。他にもさまざまある。こうしたミスは件数だけを見ればわずかだが、確実に余計なコストを生んでいる。その監督者によれば、「間違いを訂正せよ」と戻ってくる書類は7件に1件しかない。それでもこの訂正作業は州政府に毎年100万ドルものコスト負担を強いているという。

その監督者が調べたところ、車両名義人登録のタイプ作業中に素速くミスを見つけ出すソフトウェアが1万ドルで購入できると分かった。間違いが生じたら、その場で直ちに訂正できる。素晴らしい。実際そうあるべきだ。このソフトを一度購入すれば間違いの発生を防ぐことができる。年に100万ドルのムダを節減できるなら、購入価格の1万ドルは充分回収できるとその監督者は考えた。

しかし、筆者の考えでは、もっと賢い進め方がある。まず、様式を分かりやすく、書きやすいものに変える。併せてタイピストを訓練していく。どのような間違いが、どのように発生しているか、間違いがあるとどうなるかをタイピストに理解してもらうためだ。そのソフトはもう要らないのではと思うくらいの水準にタイピストが到達したところで、ソフトを購入する。そして、その後もずっと改善を続ける。こうすれば賢明な投資になるはずだ。得られる成果は、「われわれの仕事の質は非常に高い」という誇りである。

間違いの例をもう1つ

Q　仕入れた部品や原材料の品質に責任を負うべきは誰か？

A　品質管理部である。仕入れた部品や原材料を検査し、不良品を検査部門の内に確実に封じ込めて流出しないよう努めるのが品質管理部の責任だ。

これは正しいと感じるかもしれないが、間違っている。納入品の品質そのものを良くするよう努めるべきなのである。検査への依存をルーティンとなす（定型業務にしてしまう）悪弊については第3章で詳しく述べる。

所見

トータルコストを最小化するために一部の品目に対し全数検査を行ったほうがいい場合があるのは事実だ（第15章を参照）。

歩留まりが悪い場合も同じだ。まとめてつくってまとめて検査するＩＣ部品のように、必須の工程として全数検査を製造プロセスの中に組み込むこともある。

原則４　一番安い値段を付けた者が勝つという商習慣を終わらせよ

われわれには競争力を高める以外に道はない。したがって、品質・サービス・価格を、「価格一辺倒の競争力強化」に委ねたままにしておくことはもうできない。製品やサービスの均一性と信頼性について「現在の要求水準に適っているのだから、いいではないか」と考えるのも、これからは許されない。[*2]

購入する材料や部品の品質を測定しないと、その価格に意味はない。[*3]品質を正しく測定しないと最低価格を提示する者に流れつくほかなく、必然的ともいうべきか、品質は良くない。そのせいで結局はトータルコストが高くなってしまう。米国の産業界、政府、軍需・民需ともに、最低価格で入札した者が落札するというルールに慣れ切っている。

ツールや設備を購入する際に考えるべきは、そのライフサイクル全体にわたって、1時間当たりの正味費用（または年間正味費用）を最小にすることだ。そのためには、いまの最安値だけを気にするのではなく、長期的な思考が求められる。重要なツールや機器について、1台ごとに、初期費用、メンテナンス費、耐用寿命といったデータが必要だ。既に持っているデータもあるだろう。手元になくてもそういうデータはどこかにあるはずだから、集めるべきだ。現在使用中のツールや設備に関しては、改めてこの種の情報を集めなくても、通常の業務の中で自然にきっちり集めておくようにしたい。そうなっていないのなら、「今日の課題」を解決するための重要プロジェクトとしてそれに取り組むべきだ。

今日に至るまで、バイヤー（購買担当者）の仕事は、もっと安くならないかと常に目配りを怠らず、より安い値段を提示してくれる新たなベンダー（販売業者）を見つけ出すことだ。そうなれば、同じものを売っている他のベンダーは新たな「低価格」に合わせるしかない。

バイヤーに落ち度はない。これは20年来の彼の仕事なのだ。自分の仕事をきっちりやっているだけなのに、誰が彼を責められよう。責められるべきは、もはや時代遅れの前例踏襲をいまだ堅持するマネジメントである。

何を買うにしても、品質とサービスの質を気にかけないまま、どこまでも低価格を追求するのをよしとする方針は、良いベンダー、良いサービスの駆逐につながりかねない。

最低価格を提示したベンダーから買うというルールにのみ従う人間は、ペテンにかかるのがふさわしい。

地域の交通当局は合法的略奪者の1つの例と言っていい。最低価格を提示した業者から調達するという彼らの方針が泥棒を招き入れているからだ。実は、米国の地域交通当局も連邦都市公共交通局によってこの方針を強いられている（法令に基づく方針）。受注を獲得できるのは、最低価格を入札した業者だけなのである。

公共交通において、価格最優先で調達した設備の不具合のせいで被る不都合はさほど多くはないが、そのせいで米国の公共交通の発展が一世代遅れたと言えるかもしれない。

公共交通だけではない。私の認識では、政府はときに人口学や社会学、科学的研究開発に関しても、最低価格の提示者と契約する場合がある。

「一番安く管理図を教えます」という広告を見つける人もいるだろう。だが、そのようなお金目当ての者の教えに近づこうとする者は、やはりペテンに引っかかるのがふさわしい。

次の言語道断な例は実物からの引用だ。ある政府機関が専門家の支援を求めるのに、一番安い価格を提示した者と契約しますと告知している。

監督者向け品質管理マネジメント講座の実施と評価を提供できる方を募集します……実際の発注は価格次第です。

リビエ大学学長シスター・ジャンヌ・ペローは、部下の事務局長の言葉を筆者に何度も語った。「設備や建物を最低価格で調達するなどという余裕は、われわれにはないのです。われわれは注意深くあるべきです」

購買の管理者は新たな仕事にこそ励め

経済学者は、市場競争は誰に対しても最良の取引をもたらすと教える。だが、これは既に過去の話になっているのかもしれない。その昔、パン屋には自分のお客さんがいた。仕立屋にも、チーズ屋にも自分のお客さんがいた。他のさまざまな商売も同様だ。そういう時代には賢明な買い物をするのも非常に簡単だったことだろう。

いまはそうではない。値札を読むのは相変わらず簡単でも、品質の理解にはしかるべき知識と訓練が要る。

購買部門は、購入時のコストからトータルコストの最小化へ焦点を変更しなければならない。要するに、購買はもっと勉強すべきということだ。納入品の仕様が機能性能のすべてを教えてくれるのではないことも理解しなければならない。納入された材料や部品が製造の中でどのような問題に遭遇するか、購買の人々は分かっているだろうか（第3章の「仕様に合致すれば十分であるという前提」を参照）。

個々に見ればすべて良品である原材料やコンポーネントが、製造で組み上げてみたら、あるいは完成品になったらうまく機能しないということが起こる。それゆえ、原材料やコンポーネントの中から1つ選び、サンプルとして目印でもつけて、複雑なアセンブリ（組立品）として完成するまで生産プロセスの全体を通り抜けさせ、さらには最終的に顧客の手元に届くまで、フォローすることが必要なのだ。過去にボストンの大きな建物で実際にあったことだが、使用されていたガラスにもスチールの窓枠にも何ら悪いところはなく、仕様にも合致していたのに、どうしたことか、施工時に両者を組み合わせると、機能を果たせなかった。窓ガラスがスチールの枠から外れ、地面に落下したのである。

また別のあるとき、セミナーの参加者の中に調達担当の人がいて、「われわれは完璧な品質のものだけを受け入れるようにしているから、調達には何の問題もありません」と断言した（「だから、それが問題なのだ」と私は心中で苦笑した）。翌日、その人の会社の工場のうちの1つを訪問した。そこで1人の監督者がある部品を2個見せながら説明してくれた。この2つの部品は同じ部品番号だが、別々のサプライヤー2社から納入されている。いずれも外観は同じ、仕様にも合致している。ところが、両者はかなり違っていた。一方はそのまま使えるが、もう一方は修正しないと使えない。しかも修正コストが高いため、工場に大損害を与えているというのだ。

彼の説明はこうだ。一方のサプライヤーは自分たちが供給するブロックが何に使われるのかを理解していたが、もう一方のサプライヤーは何に使うかを理解しておらず、仕様に合致させることしか頭にない。

情けない話だが、こうした困り事は概ね次の2つの見解（諦めの言葉）のいずれか、あるいは両方に慰めを見出して落着するらしい（慰めを超えて何かに挑もうという様子は見えない）。

「これは、当事業ではいつでも生じる種類の問題である」

または、

「われわれの競合各社も、同じ種類の問題を抱えている」

競合他社が存在しないとしたら、こんな慰めに安住することなく何かをやろうとする人はいるものだろうか？（もちろんいる。次に示すのは、ほぼ寡占状態なのに品質向上に真面目に取り組んでいる工場長の話である）

米国の最優良企業の1社でのことだ。その会社の工場の1つで工場長が「良いベンダーを守るために、目下のところ私は自分の時間の大半を使っていまして……」と私に嘆く。これは典型的な問題だが、こうした問題はかくして生まれ、広がっていく。ベンダーの中には、もう何年も不良ゼロを続けている会社がある。価格も適正だ。そのようなところへ、本社の購買部門がいままで付き合いのなかった新しいベンダーに仕事を出そうと提案してきた。もっと安い価格を提示しているから、と言うのだ。新たなベンダーが提案してきた部品は何種類かあり、電話システムの中継器に組み込まれる。この工場長の会社は電話会社だ。もしかしたら、1台の不良中継器を交換するのに道路の舗装を剥がして掘り返し、何千ドルもコストをかける破目に陥る可能性があった。工場長は自社とシステム全体の両方を共に守ろうとしている。そのためには、この電話会社の事業の何たるかを知る「不良ゼロのベンダー」との取引をなんとしても継続したい。だから、そのベンダーを守るための議論なら、何時間でも時間を使わなければならないとのことだった。

サプライヤー（仕入先）を1社に絞り、長期的関係を築くことの優位性

ベストな経済性をめざすなら、買い手とサプライヤーの間に長期的な関係を築くことが欠かせない。顧客との間に短期的なビジネスしか望めないとなれば、一体どうしてサプライヤーが革新的になり、製造プロセスを良くして生産性を上げるなどということが可能だろうか。

実務上の利点もある。仕入先2社がいずれも良品を納入していたとしても、必ず違いが生じる。製造現場の人なら誰でも知っていることだが、あるベンダーのものから別のベンダーのものに切り替えるときには、大抵時間のロスが発生する。ロスは15分かもしれない。大型プレ

ス機なら8時間、設備によっては数週間かかることもある。サプライヤー2社がいずれも良品を納品している場合であってもそうなのだ。ある工場の作業員は「両方とも良品だが、同じではない」と力説した。別の工場の作業員から聞いたのは「この部品は2カ所のソースから来るのですが、両方とも優れています。しかし、われわれのニーズに合致するのは片方だけです」ということだ。

1社から納品されるものだけを見ても、ロットごとに「ばらつく」。しかもその「ばらつき」は存外大きい。製造で何らかの調整が必要になるには十分なほど「ばらついて」いるのが常だ。仕入先2社から来るなら、ロットごとの「ばらつき」がもっと多くのトラブルを引き起こすと考えるのは理に適っている。

ある会社の現場で聞いた話を紹介しよう。(同じ仕入先から)ST材(高強度、成型性付与のステンレス鋼)が入ってくるたびに点欠陥による既知のトラブルが噴き出す。しかも、毎回新たな「未知の問題群」を連れてくる。われわれはそれも克服しなければならない。それが2社から来るとなれば、自分たちの知識・能力でどうにかできる範囲を超えてしまう。

さらに、サプライヤーの数とその製造拠点・出荷拠点の数を減らせば、経理や事務の仕事がもっと単純になるはずだ。こうした「単純化」を過小評価してはならない。

良い顧客はサプライヤーへの期待も高い。(自分たちと同様に)賢明で、一貫した目的をもって将来を予見し、備えようとするサプライヤーなのだから、シングルサプライヤーを決める選考においても、いずれのサプライヤーも正しい競争をして勝ち残ろうとするはずだと考える。

しかし、なによりサプライヤー自身がどの品目でもシングルサプライヤーに選ばれるよう、鋭意努力しなければならない。

ベンダーは何らかの事情で当該事業から撤退することがある。事故か何かで一時的に供給が止まるだけかもしれないし、完全撤退かもしれない。いずれにせよ、そうした不測の事態に備えるために、セカンドサプライヤーを持っておくべきだと考える。だがそれは、「結局は高くつく」方針なのである。

仕入先を2社抱えるより1社のほうが小さな投資で済み、在庫の総量も減らせる(ナシュア・コーポレーションのチャールズ・E・クラフの言葉)。

日本のマネジメントは1950年に(欧米企業に比べて)有利なスタートを切ったと言える。納入品の品質がとても悪かったから、改善への強いニーズがあった。なんとしても危機を脱したいと願う当時の彼らには、サプライヤーとの間に誠実さと信頼に基づく長期的な関係を構築すべきとの助言が強く胸に響いたはずだ。皮肉なことに、危機にあったことが幸いした。

納期と品質が当てにならない、心もとないと判断すれば、複数のベンダーを使おうと考える顧客も出てくる。複数のベンダーのうち1社が自社の期待に適えばしめたものだという考えなのだ。

友人のバーバラ・ククレヴィッツは、カリフォルニア州サンノゼの経営コンサルタントだ。私の考えに共感すると言って、こんな話をしてくれた。

彼女はあるベンダーに尋ねた。

「お客様に『納品が遅れます』と予めお知らせするのは良い考えではない、と言われるのですね？」

相手は答えた。

「その通り。良くないです。お客様を怒らせてしまいますから」

彼女は重ねて尋ねた。

「そうしますと、お客様は何も知らないまま、実際には納期遅れで納品されることになります。そうなると、何が起きますか？」

「やはり凄く怒るでしょうね」

「なぜお客様に前もってお伝えしないのですか。そうすればお客様も遅れに対処する準備ができるでしょう」

「いずれにしても怒られてしまうのですから、2回怒られるより1回のほうがいいでしょう」

私が知るメーカーで、どんなものであれ1つの品目に複数のサプライヤーを抱えるメリットを活かしてうまくやっていくだけの知識と人材を持っている会社は1つもない。

私のクライアントの某社購買部門の人が見せてくれた3年間の活動の成果を以下に紹介する。


複数ベンダーの品目は、3年間で20分の1まで減った（可能な最少値に近いと思われる）。

1年前、この比率は16分の1だった。

2年前、この比率は12分の1だった。

3年前、この比率は2分の1だった。


この会社では今後3年から4年の間に使われる重要部品の92％が、シングルベンダーとして選ばれたサプライヤーと自社の設計部門・購買・製造・販売から成るチームによって目下開発中である。価格は追々決まっていく。原価に関する情報も共有され、全員が共通の目標に向かって働いている。すべてが97ページの「今日」に合致する。

こうした提言を取り入れ、実行しようと励む企業は、広範な影響を及ぼすだろう。サプライヤーはその会社だけでなく、他社にも部品や材料を供給している。徐々にすべての顧客に、より良い品質のものを、より無駄なく、納入するようになっていく。その結果、誰もが恩恵を受けることになる。

この提案がさまざまな形をとって広く具体化していくのを見るのはうれしい。次に示すのは、GMのポンティアック事業部の記事からの引用だ（ウォール・ストリート・ジャーナル紙1983年5月6日付第2面）。

GM、鉄鋼メーカーとの長期的な協調路線へ転向か

アマル・ナグ　本紙記者

［デトロイト発］ゼネラル・モーターズ（GM）は鉄鋼調達に新たな入札制度を導入したものの、うまくいかなかったようだ。長期的な価格と納入条件について鉄鋼各社との個

別の交渉を検討中とされる。

昨年、盛んに報道されたサプライヤーのコストカットと効率化を狙った動きの一環で、同社は鉄鋼メーカーに毎年入札を実施してサプライヤーを決めると通告、各社に応札を求めた。米国最大の自動車メーカー（GM）は、鉄鋼業界の最大顧客だ。…（中略）…

鉄鋼調達の過半を数社に絞り込むことによって、量産効果とその他の企業間協力を通して鉄鋼メーカーの生産コストを削減できるとGMは見込む。それが納入価格の値下げにつながると…（中略）…

GMのためのコストカットに協力する見返りとして、複数年契約で鉄鋼メーカーに酬いるよう、GMは期待されている。

実際、会社の中には、現在でもサプライヤーを1社に限定するという提言を採用しているようなものだと考えている人もいるだろう。仕入先が6社あったとしても、発注時にその都度6社のなかから1社を選び、そのときの所要量の全量を1社だけに発注しているからだ。

コモディティとサービス

コモディティやサービスの調達もシングルサプライヤー化をめざすべきだ（ここでのコモディティは、原材料、専用部品、設備以外のものをさす。副資材や事務用品など）。同じコモディティを複数のソースから調達するにしても、値段はそれぞれ違う。だが、在庫量と合理的な納期で指定日に納品できる能力の両方を検討することは、買い手にとって重要だ。

また、典型的なサービスの調達である運送便に関して、トラックかトレーラーか、当該物品の積み降ろしに適したタイプか、清潔か、きちんと修理しているかといったことも大切だ。荷扱いが難しいものがあるとき、良い卸売業者なら納入品の荷降ろしと棚入れを手伝う応援要員を送り込んでくるものだ。このように、コモディティもシングルサプライヤーにしたほうがいい場合があるのだ。同じように、拠点ごとに出荷便の物流業者を1社に絞り込むほうがいい場合もある。

ある調達マネジャーは、この選択（輸送業者を1社に絞る）のおかげで、もっと安い輸送業者を探し回ったあげく、ひどいサービスで無責任な業者に行き着いて大災害といったストレスがなくなり、楽になったという。節約した時間を有意義に使っているそうだ。

しかし、彼女が懸念していた通り、「われわれはもっと安い輸送業者を探す方法を知っているぞ」と文句を言ってくる顧客もいた。

実際、ほぼすべてのものに対して、探そうと思えば誰でも「もっと安い値段のもの」を見つけ出せる。自分の車にいま取り付けているタイヤにしても、もっと安く買えた人はいただろう。だが、低価格を追求する人が、その価格で手に入れたものは何であったのか？「より劣った品質」である。「安かろう、悪かろう」ということだ。何かにつけて価格交渉に持ち込む人は、そのために費やす時間をよくよく考えたほうがいい。継続的な改善に対し自分の責任を全うしようとする人は、長い目で見ればシングルサプライヤーと力を合わせて仕事をするほうが有利である。

ベンダーが複数の拠点を持っている場合

ベンダーが2カ所の出荷地（ここではベンダーの工場が2カ所あるという意味）を使っていると、2つのベンダーから仕入れるのと同じ問題が生じるという自身の観察を教えてくれたフォードのジェームズ・K・バッケンに感謝したい。以下の問答は、私がある工場を訪問したとき、工場長と交わした対話の記録からの引用だ。

「同じベンダーが2カ所から出荷してくると、どんな具合ですか?」

「2社のベンダーから来るのと同じです」

出荷地(製造拠点)が2カ所あるベンダーが工場を2つ持つ顧客に納品するなら、顧客の工場別に出荷地(製造拠点)を決めて、両者を切り替えたり混ぜたりしないようにするほうがよい。

サプライヤーの選定

大半の企業では、仕入先を「認定」するマニュアルが整備されている。軍用規格MIL-STD-9858Aはその一例だ。しかし残念なことに「認定」を受けていない審査官(審査する資格も能力もない人々)がチームを組んでサプライヤーを訪問し、点数を付けている(だから、こういうやり方はあまり役に立たない)。

もっと良い進め方を提案しよう。まずはそうしたマニュアルや審査官チームを廃止する。そしてサプライヤーを競わせ、優れた者をシングルサプライヤーとして選ぶ。この競争は価格競争ではない。正しい土俵で競い合ってもらう。ここにも認定基準はあるのだが、意味のある、実質的なものだ。サプライヤーのマネジメントが14原則、特に原則5に沿ってどれほど深く、活発に参画しているか、プロセスそのものを継続的に改善し続けているか、第3章に述べる病の除去にどれくらい真剣に努めているか、ということを、サプライヤー自身に事実をもって提示してもらうのだ。1つの会社の中の一部門の評価に適したクライテリア（基準）は、サプライヤーの選定にも同じように適用できる（第3章の「5・いま目に見える数字だけを使って会社を動かす（お金を数える）」を参照）。

サプライヤー選定の基本情報に次の2つを加えるのもいい。

①予算化された研究開発費はいくらか

②製品開発に関する過去の記録

（GMのノーバート・ケラーによる）

会議室での約束には気をつけよ。（ロナルド・P・モーエン）

あるセミナー参加者から聞いた話

われわれはサプライヤーとして、お客様が求めるサービスに対してどう対応しているかによって評価していただきたい。お客様は修理用部品を15年間持つとか、こういう基準で製品検査をせよとか、納期厳守といったことを求めます。そうした要請に対応できているか否か。また、お客様の工場でアセンブリ（顧客の製品）に組み込まれた状態でわれわれの製品をテストする場に参加させてもらわなければなりません。お客様もその段階に至って、初めて不具合の有無がわかることがあるのですから。

1回限りの調達は、継続的に調達する材料や部品とは違う

1回限りの調達と、継続的に調達する材料や部品との違いを購買のバイヤーが知っておくことは重要だ。1回限りの調達というのは、例えば、グランドピアノ、オフィスやホテルの家具や什器、特殊な冷蔵庫向けの小型モーター200台などだ。グランドピアノや小型モーター200台のような1回限りの調達は、バイヤーの過去の経験を参考にメーカーの評判に基づいて選定を進めることになる。

買い手とサプライヤーの間には、相互信頼と共助が必要

企業が他社から何かを買うとき、単にモノだけを買っているのではない。モノよりはるかに重要なものを買っている。即ち、技術と能力である。サプライヤーに求められるこうした技術要件と能力要件は、実際にモノをつくるずっと以前に確立されていなければならない。納品を待つ顧客は単にモノを待っているのではなく、自分が買ったものを学ぶために待っている。そうした考えを持つ顧客なら、単なるモノを超えて自分が得たものを自身の中に取り込めるはずだ。

コンポーネントが急速に変化している産業がある。小型部品も大型部品もだ。1つの例が音声・データの通信、回線交換、伝送である。そのコンポーネントは問題を起こすか、うまく機能するかのいずれかだが、うまく機能したところで6カ月も経てば別のコンポーネントに取って代わられる。

サブアセンブリとアセンブリの設計にとって特に大きな問題だ。設計変更が高くつくだけでなく、設計変更が事実上不可能になることもある。あらゆる製品で同じことが起きている。

その一方で、個別の部品の中には長期にわたってほぼ同じ、つまり変わらない部品もある。この種の部品は、大抵は1000個単位で納品される。これらについては、買い手とベンダーが協力すれば、価格を引き下げながら継続的に品質を改善していくことができる。

再び言おう。その部品の品質は、ベンダーの工場を出る前に既につくり込まれている（真の品質向上は、ベンダーの製造プロセス自体を良くすることを通してのみ実現される）。

従来：エンジニアが部品やサブアセンブリのデザインを考える。
購買部門の人が個々の部品の契約を結ぶ。

買い手の企業グループ内の企業に流れる契約もあれば、外部のベンダーに行く契約もある。

製造で問題が起きたり、アセンブリ（組み上がった状態の製品あるいは仕掛品）で不具合が生じたりすると設計変更に繋がる。設計変更はコスト増に繋がるが、これまでは伝統的に「そういうものだ。仕方がない」と考えられてきた。

今日：
例1　チームで仕事をする。

そのチームは、当該部品や当該コンポーネントのシングルサプライヤーとして選ばれたベンダーの専門家と、買い手側の製品設計エンジニア、プロセスエンジニア、製造、販売のメンバー、その他必要な知見を持つ人々で構成される。
このチームの仕事は長いリードタイムを要するが、それはきちんとした良い仕事をするために時間をかける必要があるからだ。
結果：時が経つに連れ、品質が徐々に良くなり、コストも徐々に下がっていく。

例2 ファクシミリ印刷紙開発チーム

選定された製紙メーカーからチームに参加したのは、化学者、原材料バイヤー（木材パルプ、石灰、酸化アルミニウム、酸化チタンなど）、生産のマネジャー。
買い手側からチームに参加したのは、研究開発の部門長兼シニアサイエンティスト、その部下の化学者、生産の部門長、マーケティングの部門長。

次の一文は、日本においては長期的な関係性に基づいてニーズに敏感に対応してくれる信頼に足るサプライヤーは、価格以上に重視されることを示していると言ってもよい。

米国企業が指摘する最終的な論点は、日本特有の流通システムを通り抜ける間に多段階に上乗せされていく売価の増分を積算すると非常に大きく、輸入港で引き渡された時点でどれほど価格優位性があろうと、その価格優位性を帳消しにしてしまうというものだ。

これに対し日本人は、「問題は日本における顧客とサプライヤー間の、長期的視点に立脚する関係の延長として考えれば、ご理解いただけると思う」と応じる。日本において買い手はサプライヤーに対して、信頼できる商売相手であること、買い手のニーズを理解して迅速に対応すること、信頼性の高いアフターサービスを提供することを期待する。両者の関係はこうした買い手側の期待とサプライヤー側の現実の対応に強く依存している。それが結果的に、求められる品質の範囲内で最低コストを追求すべきといった経済性の観点からの検討を排除することに繋がっているのだ。即ち、顧客とサプライヤーの固い絆は強力な海外企業のシャットアウトを意図したものではないのにも関わらず、このシステムの中で（外国企業が）仕事をするのは、思い通りにならず、ストレスの多いものになり得るということなのだ。（日米経済協会、「日本の輸入障壁：両国間の見解不一致の分析」、ワシントン、1982年）

日本のマネジメントは1950年に黒板に書かれた第1章（図1）のモノとビジネスの流れ図に

よって、仕入品の品質を良くする最良の方法は各ベンダーをパートナーとして遇し、誠実さと信頼に基づく長期的な関係を構築して共に励むに尽きると学んだ。

顧客とメーカーの会話（ナシュア・コーポレーションのロバート・ブラウンより引用、1985年）

「あなたのために私ができることはこれです」
「私のためにあなたにやっていただきたいのはこれです」

胸襟を開いて日本企業との交渉に臨むつもりでやってきた米国企業は、話し合いは実際オープンなのに、価格がほとんど考慮されないのは自分たちには理解し難いと気づく。日本のビジネスのやり方において価格よりも大切なのは、品質を良くし続けることだ。それは誠実さと信頼に基づく長期的な関係があって初めて実現されるのであり、米国のビジネスのやり方にとっては、まるで馴染みのないものだ。

サプライヤーは単独のサプライヤーになることに強くこだわらねばならない。これは自社のためになることだから自社に対しては当然の義務だが、顧客に対しての責務でもある。単独のサプライヤーたるもの、顧客の関心のすべてを自社に集める必要がある。部分的な関心を集

めて満足しているようではダメなのだ。（フィラデルフィアのジャンブリッジ社メアリー・アン・グールド社長）

コストプラス

あまり語られることはないが、価格だけを見たモノ・サービスの調達には、ベアトラップ（熊の罠）が潜んでいる。「コストプラス」で動いている業界では、サプライヤーは、その仕事が必ず取れると確信できる安い価格を提示する。そして、めでたく受注する。その後、顧客が「ある設計変更」がなんとしても必要だと気づく。サプライヤーは喜んでこれに応じるのだが、しばらく後に「誠に申し訳ございませんが、その設計変更を実施しますと、コストが倍になることが判りました」と言ってくる。顧客が別のサプライヤーから買うとか調達の諸条件を変えるといったことをやりたくても、この時点ではもう遅い。生産は進行中で中断など許されない。ベンダー側が優位に立つことになる。

日本の自動車工場におけるスタンピングプレスに関する報告書[4]からの抜粋
（視察チームによるレポート、１９８１年12月）

A ファシリティーズ（建物・機械設備・保全等）

① 工場及び設備

スタンピングプレスのデザイン自体は従来型のもの。ただし、機械同士が近接配置され、より先進的な搬送とそのシステムによって支えられている。機械化搬送も多い。素早く金型を交換する能力を除けば、設備が特殊な機能を備えているようには見えない。

② 極端にきれいな現場

工場内はどこもかしこも極端にきれいだ。われわれには衝撃的な特徴であった。きれいな通路、きれいな設備、塗装されたコンクリートの床には染み一つない。社員たちは皆規則通り白か明るい色の作業着と帽子を着用している。床の上には、潤滑油、ウエスくず、工具、ごみ、金属片、煙草の吸殻、その他、不要物は一切ない――工場全体にわたって、どこを見ても同じだ。

日本人は清潔な環境が品質を高めると強く信じている。

B 生産のオペレーション（生産のやり方）

（中略）

②在庫と保管スペースは限りなく小さい

有名なジャストインタイム納入のシステム（トヨタの「かんばん方式」として知られているが、他の会社では別の名前で呼ばれることもある）が、いたるところで見られる。

スタンピング、サブアセンブリ、アセンブリの各工程は、自動車の最終組立ラインの組立順序に合わせてつくり、日に何度も最終組立ラインへ届けている。サイドローディング式（横から積み降ろしするタイプ）のトラックが組立工場に到着すると、受入検査も計数もせず、納入荷姿のコンテナのまま運ばれて、組立ラインのしかるべきワークステーション（各作業域）に届けられていく。即ち、どの部品も納入されたら時をおかず、すぐに自動車組立ラインで使われるということだ。

実質的に在庫ゼロで運営しているおかげで、結果的にライバルの米国自動車メーカーと比べて約30％のスペースの節約になっていると推察される。

在庫を限りなく小さく抑えて仕事をしようとするこの考え方は、協力会社のスタンピング工場でも守られている。コイルやストリップ（帯鋼）は鉄鋼メーカーから週に何度も納入される。在庫を保管するための専用スペースはあるにはあるが、工場全体から見れば相対的に小さなエリアで、そこに置かれている在庫は1週間分もない。

③ 素早い金型交換

最大級のプレス機でもシフト当たり3回から5回は金型が交換されるのが常だ。素早い金型交換に徹底的に注力してきたおかげで、信じ難い頻度での金型交換が可能なのだ。その結果、信じられないほどの少量で、さまざまな品目をつくれるようになっている。これほど素早く金型交換ができるのは、標準化された金型セット、標準化されたボルスタープレート（下型を固定するためのプレスベッド上の厚板。溝やタップ穴が切られている）とアダプタプレート、標準化されたシャットハイト（上部台板の仕上げ面から下部台板の仕上げ底面までの距離）を使っているからだ。また、ローリングボルスター（回転式の可動ボルスター）や金型セットの機械搬送装置も頻繁に使われ、金型交換時間短縮に役立っている。

（中略）

最大級のプレス機でも金型交換で機械が止まるのは12～15分以内であり、それ以上かかることはまずない。ひとつ例を挙げるなら、500トンプレス機1台を含むプレス機5台から成るラインで、まったく別の部品に切り替えるために金型交換に要す時間はわずか2分半。驚くべき速さである。

④設備の可動率と稼働率が共に高い

設備可動率（べきどうりつ）は推定90～95％と相対的に高い（他国、他産業と比べて高い）が、これは結果的にこの数字になりましたというのではなく、そうなるよう運用すべしと予め定められたルールがあって、その通りしかるべく運用されているということなのだ。1000台近くのプレス機を見たが、遊んでいるプレス機はほとんどなく（高い稼働率）、修理のために分解中のプレス機も、プレス機に装着したまま修理されている金型もなかった。これは実効性の高い予防保全が行われている確たる証だ。

⑤加工油の無駄がない

在庫の金属材料や金属加工品には、一般に、うまくプレス加工するため加工油が塗られる。このメーカーの工場では、加工油が製造に必要な最小限の量だけに抑えられている。必要な部位だけに限定した加工油の塗布が一般的になっており、予め（ワックスなどの）油が塗布された材料を使うこともよくある。この結果、加工油の無駄がほとんどなく、脱脂の必要性も減り、加工油が機械や人や床に飛び散ることもない。

⑥健康と安全

目の保護に関する規則（保護メガネの着用など）が厳守されているのが見て取れた。安全帽も皆々着用している。他にも、スポット溶接や金型製作の現場で着用するヘビーエプロンをはじめ、さまざまな保護具が使われている。

総じて機械周りに設置した防護柵は比較的少なく、代わりに、人の手足や体、その他何らかの物体が危険域に入ったことを検知するデバイス（センサーを使った機構）が広範に使われている。プルバック（引き戻し）機構は1つも見なかった。一般的に金型の取り付けには調整が欠かせないのに、ここでは調整はほぼ不要。これは注目に値する。ラム

(往復上下動する部分)の支柱も見当たらない(調整不要で、機械が取扱いやすいデザインになっているから、より安全性が高い)。

⑦ 稼働時間

ほとんどの工場が2シフト制で、シフト当たりの定時稼働時間は8時間である。シフト間ギャップは4時間。この4時間を使って予防保全、現場の整理・整頓・清掃、金型修正などが行われる。生産量が多くなる時期にはシフト当たり計画的に2時間長く働き、シフト間ギャップは2時間となる(訳注:日本の自動車産業ではその後制度変更があり、シフト間ギャップを30分程度として連続操業するのが一般的)。

⑧ 出来高と品質管理

スタンピング機自体が特に速く動くわけではなく、普通の速さだ。しかし、プレス部門のダウンタイムが驚異的に短いおかげで、1人時当たりの出来高は米国よりもかなり多い。さらには、機械化に力を入れ、シンプルな搬送機構を広範に活用していることが生産性向上に大きく寄与している。

彼らにとって品質管理は一種の強迫観念と言ってもいいくらいだ。品質が頭から離れることはない。機械のオペレータらは、自分たちがつくるものの品質に対して直接的責任を共同で担っている。スクラップ率、不適合率は通常1%近辺に抑え込まれているが、もっと低くなることもしばしばある。

Ⓒ従業員

①教育訓練

総じて日本の工場従業員は米国の工場従業員と比べて明らかによく訓練されており、より幅広い技能を持っているから、職務分担についても、より柔軟に対応できる。日本では、機械のオペレータが通常の仕事の一環として小さな問題の修理、自主保全、機械の稼働データの記録、つくった部品・製品の品質確認をやっている。

会社が従業員を最も競争力ある企業資産と考え、総合的で優れた方向性を示すと共に、それぞれの分野の技能を身に付け、高めるためにしっかりとした訓練を行っているのは明白だ。米国の普通の企業のやり方のはるか先を行っている。

②従業員の参画

生産現場で働く人々は、自分たちの仕事のやり方・進め方に関する決定に、日常的に参画している。この「参画」には、プランニングからゴール設定、実績のモニタリングまで含まれる。彼らは自ら知恵を出して提案するよう、大いに奨励されており、自身の仕事のパフォーマンスに対して（諸外国に比べて）相対的に高いレベルの責任を担っている。

5人から15人の小さなチームで品質改善に取り組む「小集団活動」を含め、有名な「QCサークル」のコンセプトを至る所で目にする。強い忠誠心とやる気をもって進む、前向きなチームスピリットは、マネジメントとの実効性の高いコミュニケーションを通して一層強化される。ポスター、管理板、グラフといった「目で見るコミュニケーション」を工場の随所でいくらでも見ることができる。

企業別労働組合は日本のしきたりだ。産業別労働組合ではない。労働組合の利害が企業の成功と深く結びついているのは明らかだ。それゆえ仕事の仕方も分業の色合いが薄く、仕事を通して個人としての生産性を高めるよう期待されていることが伺える。

D 部品メーカーと完成車メーカーの関係（ケイレツ）

①内製か、外注か

今回見学を受け入れてくれた訪問先企業の人々によれば、日本の自動車メーカーはプレス部品の所要量の7割から8割をプレスの協力会社から調達し、2～3割を内作しているという。この比率は米国では逆だ。

日本の自動車メーカーは、調達部門が品質、納期、棚卸、製造原価と関連コストをしっかりコントロールできるなら、内製よりも外注したほうがよいと見ているようだ。

②「両腕で包み込む」関係

日本における自動車メーカーとサプライヤーは、顧客側がどれだけコントロールできるかという意味で、「腕の届く範囲」（arm's length）の関係を超えて「両腕で包み込む」（arms around）ような、極端と言っていいくらい近しい関係にある。プレス部品メーカーに対し、完成車メーカーが自社への独占的供給を要求することもあるという。これがサプライヤーの絞り込みに繋がり、囲い込みとも言える関係を築いていくことになる。そうした関係性のなかで「良いサプライヤー」と認められた会社が、いわゆる「ケイレツ企業」になっていく。

顧客とサプライヤー間に存在するこのような密接かつ相互に依存する関係は、尽くすに足る十分な見返りをサプライヤー側に与えるはずだ（という暗黙の前提がある）。その一方で、期待に応えられなかった場合のペナルティは非常に厳しい。

製造の契約は、通常は長期（6年程度）にわたり、製品の設計と試験の要件を含む場合もある。契約には常に高い期待を織り込むのが当然とされる。「高い期待」には、①非常に高い水準の品質要件、②安定したジャストインタイム納入、③要求通り過不足なく正確な数量で納品すること（総数のみならず、荷姿、入り数も決められた通りに納品する）、④継続的な生産性向上に取り組み、長期的なコスト削減に結実させる、といったことが含まれる。

鉄鋼価格は、一般的に年間を通じて安定している。

E 意味するもの

（日本では）鉄鋼各社、協力会社のプレス部品メーカー、労働組合、完成車メーカーの間に前向きな協力関係があり、生産性向上の力となっている。米国では同種の関係各社の間に存在する対立的な関係がむしろ生産性向上を阻害しがちであるのとは随分な違いだ。日本の産業界には総じて「卓越した競争力をめざして共に力を尽くそうではないか」という統一的な献身が存在する。わが国（米国）に大きく欠けているのはこれだ。

大企業のトップから中小企業の社員1人ひとりに至るまで、こうした献身が広がっており、1つの共通のゴールに向かって力を結集するよう方向づけている。それゆえ彼らは自ずと、いつでもどこでも、どんな形でも「①ヒト・モノ・カネと、②時間」のムダを限りなくゼロに近づけるように行動するのだ。

彼ら（日本企業）は、競争力の根源は人であると考え、人に投資している。社員をよく訓練し、やる気を高め、それぞれの分野において力を発揮できるようマネージしているということだ。

原則5　生産やサービスの「システム」そのものを、継続的にどこまでも改良せよ

本書で何度も登場するテーマは、品質は設計段階でつくり込むべきということだ。計画が動き出してからではもう遅い。どの製品も一期一会、成功へのチャンスは一度だけと心得よ。96ページで述べたように、設計段階から始まるチームワークが基盤となる。試験のやり方も継続的に良くしていかなければならないし（295ページ）、顧客のニーズと、顧客が実際にその製品をどう使うのか、どんな誤用があるかということも、もっとよく理解するように絶えず励まなければならない。

第1章の23ページからここまで繰り返し論じてきた通り、「あるべき品質」は、意志から始まる。意志はマネジメントが定めるものだ。このマネジメントの意志が翻案され、製品企画から開発計画、立ち上げ計画・実行といった各段階のプラン、仕様の要件、試験計画・実行として実体化されなければならない。これらは皆、狙った通りの品質を顧客に届けるために行われるべきなのであり、マネジメントはそのすべてに責任を持ち、主導していかなければならない。

上流の設計から図1の「下流」に至るいずれのステージにおいても、調達、輸送、生産技

術、工法、保全、リソース配置、販売、配送方法、監督、再訓練（新製品に合わせて訓練し直すこと）、管理会計、労務費管理、顧客へのサービスデザインと実行といった業務のすべてで継続的にムダを省いて品質を良くしていかなければならない。絶えず改善を重ねていけば、モノとサービスにおける主な品質特性の「ばらつき」は徐々に小さくなっていき、当初定めた要件仕様をはるかに超えるようになるはずだ。

米国のわれわれは仕様のことばかり気にしてきた。つまり、仕様に合致するか否かだけを重視してきた。対照的に日本人は均一性を追求する。基準（例えば直径１cm）に対する「ばらつき」を減らすように、どこまでも励む。（フォード社ジョン・ベッティの発言）

この言葉は何年も前に田口玄一博士によって提唱された「品質を改善すれば結果的にコストもだんだんと減る」というモデル８に符合する[*5]（第３章289ページで後述）。

品質に巨額の資金を投じても、それだけで品質が良くなることはない。知識に代わるものはないのだ。だが、知識ばかりを振り回せば、恐怖を招く（原則８、132ページ）。

変革への固い意志を貫こうとするマネジメントなら、14原則が意味するものを体得するように、また、第3章の病と障害物を理解し除去するように、弛まず努力を続けるはずだ（188ページの「原則14」に続く）。

自分の仕事に関して学びを進めるために、自身のスキルを高めるために、今日は何をしたか、その学びを、やりがい・生きがいの追求という観点からどう進化させたか、誰もが日々自問するようであってほしい。

職場のどの仕事も、以前より良くなっているだろうか？　新たな顧客のそれぞれのニーズを理解するための方法は、継続的に改善されているだろうか？　材料は良くなっているか？　社員の採用・選考のプロセスはどうか？　当該の仕事の作業のやり方に常に適うよう、人々のスキルをきちんと育んでいるか？　定型的な作業も継続的に改善されているか？　常に自らに問いかけていただきたい。

以下はネルソン博士から聞いた話である

当該職場の管理者　ここでは一度に約25個しかつくりません。これでは品質管理もやりようがないでしょう？

ネルソン博士　考え違いをされているようです。皆さんがたは、つくった後になってから、ムダがこれだけあったとか、生産性がどれくらいだったとか、言っているでしょう。それよりも、プロセス（仕事のやり方）そのものに正面から取り組んだほうがいいのです。設備自体はどうか、貴社の製品に組み込まれる材料や部品はどうなのか、最終製品に組み込む前に、コンポーネントを検査していると思いますが、その検査のやり方はどうなのか、といったことに正面から取り組む必要があるのです。そしてまた、なにより大切なものの1つが最終製品の検査です。最終検査をやって、この生産プロセスが統計的に管理された状態にあるか否かを判断することが重要なのです。統計的管理に基づいて最終検査をやっているのでなければ、いくら検査をしても皆さんの判断を誤らせるだけです。

竣工直後のホテル（建物や調度品など）は、前回、完成させたホテルよりも良くなっているべきだ。1年前に完成させたホテル、2年前に完成させたホテルのいずれよりも良くなっていてしかるべきなのである。実際にそうなっているだろうか？　良くなっていないとすればそれはなぜか？　どうして同じ失敗を何度も繰り返すのか？　古いホテルのほうが新しいホテルよりも好まれるのはなぜか？

ホテル、病院、オフィスビル、アパートなどの建設を手掛ける企業は、プランニングや施工において継続的に改善しているように見えるだろうか？（本章206ページから207ページの例3、および第7章を参照）

運送会社や鉄道会社の貨物運賃請求係は、自分たちの業務を年々改善しているだろうか？（詳細は第7章、406ページを参照）

製造業における絶えざる改善は、サプライヤーと長期にわたって協力し、最終的には全品目のそれぞれに対してベンダー1社に絞り込み、出荷地（ベンダーの製造拠点や物流拠点）も1カ所に決めることを求める（原則4）。

プロセスの改善は、人員をもっとうまく配置することも含む。また、製造現場で働く人々をはじめ、それぞれが自らの学びを進化させ、持てる能力を最大限に活かして貢献するチャンスを、すべての人に与えるために、人の採用・選考、配属、訓練のあり方を良くしていくのもプロセス改善に含まれる。これは、製造現場の人と管理者やエンジニアの両方から（直接・間接の両職種の人々から）、ワークマンシップの誇りを奪っている障害物を取り除くべしという意味だ（原則12）。

火消し（問題に応急処置をすること）は、プロセスの改善ではない。管理限界を設定して外れた点を見つけ出し、特殊要因を特定して取り除くのも、やはりプロセスの改善ではない。こうした火消しや特殊要因の除去は、そもそも当該プロセスはかくあるべきという最初の状態に戻すだけなのである。(何年も前のジョセフ・M・ジュラン博士の洞察)。

プロセスの改善においては、温度、圧力、速度、原材料が変わることによる影響をより深く学ぶために、記録をよく調べなければならない場合もある。必要に応じてエンジニアと化学の専門家がこうした要因を意図的に変化させ、影響を観察することもあるだろう(実験)。

周期的に発生するように見える不具合や、たびたび生じる何らかの事象と関連があると思われる不具合の原因は、通常は容易に解明できる。どのような特性であれ、周期的に出現するものは解明されるべきである。

統計的に管理された状態にあるプロセスで、不良品や間違いの出現を機にプロセスの調整が開始されることがある。その不良自体の原因は明白で、すぐに除去できるように見えるのだが、そのプロセス調整がトラブルを増やすだけであったり、そこまでいかずとも、トラブルが減らなかったりということが起きる。(ロイド・S・ネルソン博士が提唱する法則。52ページおよび第3章236ページを参照)。仕様の範囲は、アクション・リミットではないのだ(第11章を参照)。

「かんばん方式」(ジャストインタイム)の大きな優位性は、システムの背後の規律にこそある。規律とは即ちプロセスが統計的に管理された状態にあり、品質、数量、デリバリーのいずれも予測可能ということだ。

原則6　訓練をきちんと実施せよ

訓練を全面的に立て直さなければならない。マネジメントには、自社について、原材料や部品が入ってくるところから、顧客の手に届くまでのすべてを学ぶための訓練が必要だ。中心的課題は「ばらつき」の理解である。

もとより、生産現場で働く人々には、自分が満足できる、やりがいのある働き方を追求する権利があるのだ。マネジメントは、人々からそれを実現する可能性を奪っている諸問題をよく理解し、解決するように行動しなければならない（原則12a）。

日本のマネジメントは、米国のマネジメントを凌駕する重要なアドバンテージをもともと持っている。日本のマネジメントの階層にいる1人の人物のキャリアパスを例に説明しよう。彼の職業人生は工場の現場でのインターンのような身分から始まる。これが結構長い（4年から12年）。その後に、社内の違う業務に就く。彼は生産の問題を知っている。そういう人が、調達や経理や物流や販売で働くのである。

人が違えば学び方も違う。文字で書かれた手順書を読むのが困難な人もいる（失読症）。話し言葉だけでは理解できない人もいる（不完全失語症）。図で説明されるのがベストという人もいれば、模型を使って説明されるのがベストな人もいる。いくつかのやり方を組み合わせるのがベストという人もいるだろう。

話し言葉が理解できないため、（言葉による）指示に不服従との理由で不名誉除隊にされてきた兵士は、これまで何人になるだろう？

以下は生産現場の作業員らとの対話の記録からの抜粋である。

作業員「ここでは仕事の手順は教えてもらえません。機械の前に座って仕事を始めなさいと言われるだけです」

「仕事を教えてくれる人はいないのですか？」

「同僚が助けてくれますが、彼らにも自分の仕事がありますからね」

「監督者はいないのですか？」

「彼は何も知りませんよ」

「彼の仕事は、あなたが自分の仕事を身に付けられるよう助けることでしょう?」

「助けが必要なら、自分よりものを知らない人のところには行かないでしょう。彼はネクタイを締めていますが、何も知りません」

「でも、ネクタイは役に立ちますよね?」

「いいえ」


米国では訓練とリーダーシップにおける大きな問題が持ち上がっている。許容できる仕事と許容できない仕事の基準が「フレキシブル」であることから来る問題だ。出来栄えの判定基準は、監督者が自分に割り当てられた日々の出来高のノルマに達するのが危ういか否か次第という事態が、あまりにも頻繁に起きているのだ。

米国における最大のムダは、人々の能力を活用できていないことである。生産現場で働く人々が抱くフラストレーションについて、そして、彼らが貢献したい、できるとどれほど熱望しているかについて、彼らとの対話の録音に耳を傾けるだけでもよくわかる(183ページ)。われわれの指導への批判はあるにせよ、ほとんどの作業員が雄弁に自分の考えを述べていることに誰もが感銘を受けるはずだ。

人が良い仕事をする上での障害物を取り除かない限り、訓練に投じるお金と時間が実効性を持つことはない（原則12）。どの仕事の訓練でも、必ず顧客のニーズを教えなければならない。187ページの原則14を参照されたい（ウィリアム・W・シェルケンバッハによる）。

原則6と原則13の関係について、心に留めていただきたいことがある。訓練・再訓練・教育に投じるお金は経費であるから貸借対照表上に現れることはなく、会社の純資産を増やすこともない。これとは対照的に、設備導入に投じたお金は貸借対照表に反映され、会社の純資産を増やす（ブライアン・M・ジョイナーによる）。

注 原則6と原則13の間の違いは重要だ。原則6はマネジメントのための訓練と新入社員の訓練の基盤を説く。一方、原則13は誰もが自分の仕事について継続的に学び、自分の仕事を常により良くしていくべきだというセルフ・インプルーブメントを説いている。

原則7　リーダーシップの何たるかを学び、発揚せよ

マネジメントの仕事は、監督ではなく、リーダーシップを発揮することだ。マネジメントが取り組むべきは、根源的な改善、即ち、製品とサービスの品質はいかにあるべきかという意志で

あり、その意志を製品のデザインに翻案し、製品として実体化することだ。欧米流のマネジメントに求められる変革には、管理者がそれぞれ皆リーダーとして職責を果たすことが欠かせない。結果にばかり焦点を当てるのをやめ、リーダーシップで置き換えようではないか。数字によるマネジメント、目標によるマネジメント（ＭＢＯ）、出来高の標準、仕様に合致すればよしとする方針、ＺＤ活動、業績査定等々は、すべて捨てるがよい。

ⓐ現場で働く人々が誇りを持って自分の仕事をするのを不可能にしている障害物を取り除け（原則12）。

ⓑリーダーは、自身が監督する仕事のなんたるかを知らなければならない。リーダーは権限を与えられている必要はあるが、正すべき問題に出逢ったら、自分より上のマネジメントに報告しなければならないときは、しかるべく報告するよう指示されている必要がある。正すべき問題とは、再発を繰り返す不良であるとか、メンテナンスがなされていない設備、不適切な工具、出来栄え判定の曖昧な基準、出来高ばかり気にして品質を軽んじている、といったことだ。マネジメントは下から上がってきた矯正処置案に対して行動しなければならない。このような考えは儚い夢だという会社はとても多い。監督者が自身の監督する仕事について何も知らないからだ。

c リーダーシップに関して、ありがちな誤解をここでもう1つ解説しよう。友人のデービッド・S・チェンバーズが私の考えに共感すると言って教えてくれた例だ。

1人の監督者がある不良についてよく吟味し、議論したいと主張した。彼女の部下7人がこの日につくった不良品である。彼女は部下7人とともに1日の最後の30分を使って不良品をよく見て、原因を突き止めたいと考えていたのだ。その日につくってしまった不良品を一つひとつ吟味しようというのだから、もちろん忍耐と思い遣りが欠かせない。7人の部下は、うちの監督者は立派だと思った。他の誰もがそう感じた。

実際、このシステムは安定していた（安定して不良をつくっていることがわかった）。何がいけなかったのか？　部下7人は誰も悪くない。システムのせいだったのだ。彼女たちはそれまでどの不良もすべて特殊要因として扱っており、システム自体の改善に取り組むことはなかった。第11章に登場する「漏斗」を使って「ルール1」と「ルール2」を当てはめ（第Ⅱ巻332ページ）、事態を悪化させていたのである。良くなるはずがない。改善する兆しはまったく見えなかった。皆が最善を尽くしているのに、何も良くならない。これと同じ過ちは探せばいくらでも見つかる。だが、どうしたらそれは違うと知ることができるのか？　解明は第8章と第11章に譲る。

[d]その工場長は毎朝部下の監督者30人を集め、ドイツ流の完璧さで前日うまくいかなかったことをすべて申告させる。この工場長も同じ間違いを犯していた。どの不良も特殊要因として扱い、原因を見つけ出しては取り除くということを続けていたのだ。しかし、わかったのは、彼のシステムの過半は「安定している」ということだけだ。彼がしていたことは状況を悪化させるばかりで、改善する兆しはまったくない。工場長はどうしたらそれを知ることができただろう？

[e]かなり昔のことである。1人の監督者が人を選んで部下とし（かつては採用の際の選考にも監督者が関わっていた）、彼らを訓練し、彼らを助け、共に働いた。監督者はその仕事の何たるかを知っていた。

残念なことに、いまでは20人監督者がいたら、そのうち19人は自身が監督する仕事の何たるかを知らない。いまの監督者は部下の選考に関与することはない。部下が仕事を知らないのと同様、監督者も知らないのだから、部下を訓練することも、部下を助けることもできない。しかし、数を数えることはできる。それゆえ監督者の仕事が数や出来高のノルマに傾くのだ。今日、多くつくり出すこと、今月、多くつくり出すことにひたすら注力する。月末になれば、すべてを良品と見なして、何がなんでも全部出荷してしまう。監督者の中には自分の仕事について何かを学ぼうとする者もいるのだが、この努力は作業員と監督者の対立的な関係を幾分和らげるのに役立つ程度だ。大抵は自分たちが監督している作業員の信頼を得ることはない。なぜならば、監督者にできるのは出来高の心配をすることだけで、作業員が自分の仕事を自分で良くするために、何ひとつ助けることができないからだ（フォードのジェームズ・K・バッケンによる）。

f 多くの企業で、工場の現場の監督は大学新卒者がその会社について学ぶための初級職務とされている。ここで半年間、別の部門で半年間といった具合に。新卒者は十分に優秀であり、その仕事を学ぶために真剣に努力する者もいるが、誰であれ、果たして半年で学べるものだろうか？　現場で働くある作業員が「問題を見つけて監督者に相談しても、彼（監督者）はにっこりしてその場から立ち去るだけです」と言うのを聞くにつけ、さもありなんと思う。その監督者は問題を理解していないし、たとえ理解していたとしても、何もできない。

g 現在の監督の多くは、序数と比率による監督（順位を付けたり、目標達成率や不良率など数字だけを見てコントロールしようとすること）として描けてしまう。次のような考えはすべて誤解だ。

●出来高が平均以下の人は損失を出している。
●全体の平均不良率を超える不良率の人は損失を出している。
●誰もが皆、平均に達するべきである。

1つの仕事を20人でやっていれば、どんな場合でもそのうち2人は下から10％になってしまうという重要な数学的原理を忘れているリーダーがいる。重力の法則や自然の法則を覆すのは難しい。重要な問題は下から10％の人ではなく、統計的に管理限界を外れていて、助けが必要な人である（第3章を参照）。

日常生活における例

米国大統領の半分は平均を上回っている（1983年2月21日 サンディエゴ・ユニオン・トリビューン、C12ページ）。

歴史家が歴代大統領を採点

ボブ・ドヴォルチャック記者

「総じてわれわれは、平均を上回る大統領に恵まれている」

この調査に応じた歴史家970人の回答を集計したロバート・K・マレーはこう語る。

「大統領選出方法が比較的杜撰であることを考えれば、われわれは驚くほどの幸運に恵まれてきた。歴史家たちは大統領の約4分の1が偉大またはほぼ偉大であり、半分以上は平均を上回っていると評価した」

このペンシルベニア州立大学の歴史学教授は、こう語った。

注　偉大とは上位25％以内にいるということ。

あるいは、原子力規制委員会（NRC）の公開情報を基にしたレポートに首をかしげたくなる人もいるだろう（1981年9月14日付ウォール・ストリート・ジャーナル紙の記事。ロバート・E・ルイスが「ニューヨーク・スタティスティシャン」誌1982年5・6月号に寄稿したおかげで、私はこのWSJの記事に気づいた。）

NRCの審査で15の原子力発電所が「平均を下回る」

WSJ紙記者

「ワシントン発」――国内原子力発電所50カ所のうち、15の発電所が原子力規制委員会（NRC）の「成績表」で不可の評点を付けられた。今後、連邦検査官から厳しく監視されることになるだろう。

NRC職員は、昨年末にまとめられた調査結果を基に、総合的なパフォーマンスに関して15カ所の原発が平均以下であると判定を下した。総合的パフォーマンスには、メンテナンス、放射線および火災の防護措置、管理制御が含まれる。

NRCの広報官は、「……調査の目的は、平均以下のパフォーマンスの原発にわれわれの検査を確実に集中させることにあった」と語った。

NRC報告書[*6]の「平均以下」は不満足という意味だろうが、その定義は曖昧だ。

NRCは、第3章と第11章で後述する管理限界を外れた施設を判別する方法を利用してこなかったようだ。NRCはすべての原子力施設に対して継続的な改善を勧奨してしかるべきだが、そういうこともやっていないらしい。

原発であれ、他の施設であれ、監督システムの目的は、すべての施設を良くすることであるべきだ。当該の監督システムがどれほどうまく機能したとしても、平均以下の施設は常に存在するのである。統計的検査を用いるなら、管理限界を超えていると判明した特定の施設に対して、特定の是正措置が示されることになるだろう。

もう1つの例

ある会社のマーケティングのマネジャーが筆者に教えてくれた話だ。その自動車会社には、オハイオ州デイトンにディーラー（自動車販売店）が3社ある。うち1社は3社の平均を下回っている（ふざけて言っているのではない）。そのディーラーのパフォーマンスは明らかに劣っている。何か方策を講じなければならない。おそらく、われわれ自動車会社側は、そのディーラーに事業売却を迫るべきだ。そうすれば、われわれは後継の（もっとましな）ディーラーを手に入れることができるかもしれない、と言うのである。

リーダーシップをより良いものにしていく方法については、この後も本書の随所で例を挙げながら提案していく。

さらに別の例（1983年3月11日のウィスコンシン・ステイト・ジャーナルからの引用。ブライアン・M・ジョイナーが教えてくれた）。

半分は今なお平均未満

複数の労働組合幹部は、「給与は上昇しているが、大リーグ選手の過半数はリーグ平均年俸7万5000ドルを下回っている」という。

次の段階は、下位の半分を平均まで引き上げることだ。もしくは、最低でも平均未満の割合を半分に減らすことだというのである。

別の例

プレトリアの友人ヒーロ・ハッケボルドによれば、娘が入学した学校で、教師が2つの試験を娘に課した後、父親の私を呼び出し、2つの試験でいずれも平均を下回っていると告げたそうだ。そこで彼は教師に、試験の成績が連続8回悪かったら心配するが、わずか2回では心配するまでもないと応じたそうだ。それでも教師の善意は認めるべきなのかもしれないが。

最近、私が仕事をしたさる国の教育システムでは、15歳の子どもに試験を受けさせ、半数を合格させている。制度設計自体がそうなっているのだ。一方、求人広告では「在学証明書が必要です」と条件を付けている。つまり、等級付けをするこのシステムは、半数の子どもに人生の落後者という烙印を押しているのである。

ホテルによっては、宿泊客に「メイドには、部屋のタオルやシーツのすべてに責任があります」と通知することがある。要するに、誰かが勝手に部屋から持ち出そうとした物品に対して担当のメイドが責任を負うということである。マネジメントが従業員と共に誠実さと信頼を育むのに、これは果たして良い方法であろうか?

原則8　恐怖を駆逐せよ[*7]

安心を感じられない状況下で、最高のパフォーマンスを達成できる人などいない。安心（secure）のseはラテン語の「〜がない」であり、cureは「恐怖や心配」から来ている。したがって、secureとは、恐怖を感じることなく、意見が言える、質問できるということだ。どこであれ、どのような形であれ、恐怖の共通要素は、業績悪化と水増し数字の弊害である（第Ⅱ巻34ページ）。

知識に対する抵抗は広範に及ぶ。欧米産業界において求められている種類の「進歩」は知識を要求するが、人は知識を恐れる。知識に対する抵抗では、自尊心が一定の役割を果たすことはあるかもしれない。自社に持ち込まれた新たな知識が自分たちの失敗を暴いてしまうかもしれない。もちろん、より良い姿勢は、自分がもっとうまく仕事をする上で新しい知識が役立つかもしれないと考え、自ら進んで新しい知識を包容することだ。

この歳になって、いまさら新たな知識を習得できるだろうかと思う人もいるかもしれない。しかし、変化の時にあって、自分はどこにいたいと考えるか？

新たな知識を獲得し、活かすにはお金がかかる。投じたお金の見返りはあるだろうか？

それはいつ？

海外向けにせよ国内市場向けにせよ、新規事業は基礎研究から生まれ、そこから新次元の品質をつくりあげたり、新たな製品を開発したりしていく。基礎研究を有効なものにするには、知識を取り入れることが欠かせない。興味深いことに、米国で基礎研究に投じられる資金の83％は公的資金であり、残りの13％が民間産業部門から来ている。日本ではこの比率が逆だ。

恐怖を表現した言葉の実例を以下に挙げる。

- ●会社が事業から撤退すれば、職を失うかもしれない。
- ●（上司の）デイヴが他社に移るのではという気がしている。そうなれば、私はどうなってしまうのか？
- ●次に何が起きるかわかっていたら、私は自分の仕事をもっとうまくやれただろうに。
- ●怖くてはっきりものを言えない。そんなことをしたら、反逆行為として責められる。
- ●次の年次評価で昇進の推薦を受けられないかもしれないと恐れている。
- ●長い目で見て会社にとってベストになることをやるとすれば、しばし生産を止めて、設備の修理とオーバーホールをやるべきだ。だが、そうなれば、私の出来高レポートは急降下し、職を失うことになる。

●上司から何か質問されたら、自分は常に答えを持っていたいと思うが、必ずしもそうではないから、不安でならない。

●パートナーやチームのためになるよう最善の努力を尽くすのが怖い。私の貢献の結果、他の誰かが私よりも良い評点を得るかもしれないからだ。

●ミスを認めるのが怖い。

●私の上司は恐怖を信奉している。「部下が上司である私に畏怖の念を抱いていなければ、どうして管理などできようか」というわけだ。マネジメントは懲罰的であるべきと彼は考え、私たちもそのまま受け止めるしかない。

●このシステムの中で私は働いているが、システムは私の能力を伸ばすことを許さない。

●数ある社内手続きの中には、なぜその手続きが必要なのか理由をもっとよく知りたいと思う手続きもある。しかし私は「なぜそれが必要なのですか」とはっきり問うようなことはしない。

●うちのマネジメントは信頼できない。なぜこの方法でやるのですかと聞いたところで、彼らからまともな答えが返ってくるとは思えないし、答えが返ってきたとしても、信用できない。たぶんマネジメントには本当の理由があるのだろうが、私たちには別の何か（適当な理由のようなもの）を伝えるだけだ。

●今日はノルマを達成できないかもしれない（時間給で働く作業員や工場長）。

●自分の仕事をよく見てよく考えるような時間はない。目の前の仕事をとにかくこなさなければならないし、終わればすぐに次の仕事にとりかからねばならない（エンジニア）。

恐怖について、さらに言おう

恐怖から来る損失はまだある。そして、それは避け難い。会社にとってベストになるよう働きたいが、決められた規則は守らなければならないし、どの費目のコストも、出来高のノルマも、すべて達成しなければならないのである。かくして恐怖は不可避的に生まれる。

その例は、第8章にも登場する（第Ⅱ巻40ページ）。その監督者は機械を修理するために生産を一時的に止めたいと思っても、踏み切れない。もちろん彼は会社にとって何がベストかを知っている（具合の悪い機械は修理すべきだ）。しかし、その日の鋳造ノルマを達成するだけで精一杯なのである。生産を止めたら、ノルマ未達になりかねない。程なく、懸念された通り、回転部のベアリング固着で機械が止まってしまう。結局、この監督者は出来高のノルマを達成できなかっただけでなく、生産ライン全体を4日間も止めて機械を修理する破目になった。第8章には他の例も登場する。

残念なことに、ある部門がもう何カ月も市場の需要に応じられるだけの量を生産できていなかった。そこでゼネラルマネジャーがタスクフォースを編成して（といっても、1人しかいない）、何が悪かったのかを特定せよと命じる。調べてわかったのだが、検査員らが恐怖に駆られて過剰な検査をしていたのだ。「本来不良として扱うべきもの」をもし顧客が発見したら、その不良を見逃した検査員は職を失うに違いないという考えが検査員の頭に染み付いていた。不良を流出させたらどうなるかについて、彼らのそうした考えは間違っていたのだが、社内では噂が広まっていた（ワシントン州リッチランドのJ・J・キーティングが教えてくれた事例）。

管理者の中には、その仕事をしかるべくやり遂げさせるには、ある程度の恐怖が必要だと言う人もいる。

この生産現場の作業員たちはわざとミスを犯したわけではないが、いずれ必ず発見されるようにと願っていたのでもない。彼らはミスを隠したがった。自分が犯したミスを管理者が発見するのを恐れていたのである。

サラリーマンである従業員の間に蔓延する恐怖は、業績の年次評価に大きな影響を与える部分（出来高の達成状況など）から来ていると思われる（第3章を参照）。

管理のやり方が根本的に間違っている

1人の管理者が苦情を種類別にしたレポートを見ている。その報告書で最悪の数字に目を止めるや、その管理者は当該種類の苦情に責任を持つべき「悪者」に電話をかけて責め立てる。これでは責められた担当者が気の毒だ。これは形を変えた「恐怖による管理」、「数字による管理」である。マネジメントがなすべき第一歩は数値を基に発見することであり、決めつけることではない。数字をよく見て、当該種類の苦情が他の種類と比較して管理された状態から外れているのかいないのか、まず調べなければならない。そして、統計的に管理された状態から外れていたなら、当該種類の苦情はこの管理者が特別な関心を持って見ていかなければならないもので、所管部門の人々への彼の助けが必要だということなのだ。当然、この管理者はすべての苦情を減らすように、システムそのものの改善にも正面から取り組まなければならない（ウィリアム・W・シェルケンバッハが教えてくれた例）。

原則9　間接部門と現場の間にある壁を打ち破れ

研究・調査、開発、調達、販売、受入れなどで働く人々は、さまざまなモノ（納入品や仕掛品など）や設計者が決めた仕様が、製造と組立の過程で遭遇する諸問題について、学ばなければならない。さもないと、目的に合致しない原材料を使おうとして手直しが必要になり、生産で損失が生じたりする。開発や、材料・部品の調達、その検査、製品の性能試験を行う人は、誰もが顧客を持っている。その顧客とは即ち、設計されたものを、調達された材料や部品を使って生産しなければならない人のことだ（例えば工場長）。顧客をよく知らないままで良い仕事ができるはずがない。こうした間接部門の人々は、なぜ自分の顧客である工場へ行って時を過ごし、そこで起きている諸問題をよく見て、その問題についてじっくり話を聞こうとしないのか。ぜひともそうすべきだ。

ある会社に新社長がやって来た。就任するや、この新社長は販売、開発、製造、消費者調査などの部門長と話し合った。話を聞けば、誰もが素晴らしい仕事をしている。これまでずっとそうだった。

問題を抱えている者は1人もいない。だが、どういうわけか、会社の業績は悪くなる一方だ。なぜか？　答えは単純。どの間接部門も自分たちの仕事だけを見て「部分最適」を追求するばかりで、会社のために一つのチームとして力を合わせて働こうとはしていなかったのだ。こうした人々の才能と能力を会社のためになるよう、うまく結集していくことが新社長の仕事だった。

サービスマン（製品のフィールドサービスを担当する人）は、自社製品について顧客から実に多くを学ぶ。残念なことに、この情報を活用する手順が定型化されていない会社もある。

例を挙げよう。そのサービス部門は困り果てた顧客からの緊急コールに対応している。サービスマンはいつも通りチューブを切断し、オーガーを逆転させて吐出口の上まで引き上げる。このチューブは研削液を下方の吐出口へ排出するためのものだ。オーガーとはこの会社の製品で、螺旋状の刃を持つ切削工具である。顧客が困っていた問題は、オーガーが材料を巻き込んで研削液用のチューブの端に食い込んでしまったことだ。当然、製造部門はそれまでと同様、当該オーガーを正しくつくっていたのだが、その一方でサービス部門は顧客からの要請に応じて「いつも通り」修正し、それがルーティンワークにまでなっていた。マネジメントは製造部門とサービス部門の間にチームワークが欠けていることに気づいておらず、それゆえ、チームワークの欠落のせいで生じている損失に気づくこともなかった（ケイト・マッキューンが教えてくれた事例)。

また、別のある会社で、まったく新しい製品を開発するために、設計の人たちが販売の人々やエンジニアらと一緒に働いていた。セールスの人は、卸売業者に新製品の試作品を見せて注文を積み上げていく。見通しは明るかったが、それは悪い知らせが飛び込んでくるまでの話だった。工場がその新製品を「効率よく」つくることができないと言ってきたのだ。効率よく生産するには、若干の形状変更と仕様変更が必要であることが判明する。この変更のせいで、まず工場の生産が遅れた。さらに、セールスマンは、この製品に関して既に契約済みの卸売業者に対し、今回の変更を説明しなければならない。結果は、時間のロスのみならず、変化の激しい市場での失注だった。開発の初期段階から製造部門と一緒にチームとして協力していれば、こうしたロスは避けられたはずだ。

マネジメントはしばしば開発の人々の仕事をややこしくする。関係するさまざまな計画が固まって、生産も準備万端、開発と生産技術にとって、1年がかりの大仕事だったが、残すところ数週間という本当にギリギリのときになってから、マネジメントが外形を変えろとか、技術的な変更をせよと言い出す。

エンジニアは設計変更に関していつも責められる。私自身、エンジニアは自ら製造現場に来て、自分たちが設計したものを生産する苦しみを知るべきなのに、まったくできていないと批判してきた。「実は」と彼らは言う。彼らもまた、本来のプロセスを端折ってでも生産に間に合わせよと強いられているのだ。エンジニアは何事であれ、完結させるのに十分なだけ時間を持てたことはない。とにかく生産せよと強く迫れば、エンジニアが生産現場に入り込み、自身がやった設計が引き起こす諸問題を学ぶ機会を彼らから奪ってしまう。かくして彼らは数字で評価される（第3章）。

品質保証コストのほとんどは、設計そのもの、量産へと急ぎ過ぎること、端折った試験、試験結果の誤った解釈から生じていると言える。しかし、現実には品質保証で責められるのは製造の人々で、本当に仕様に合致するようにつくっていたのかと問い詰められる。

設計、技術、製造、販売の人々で構成されるチームは、未来に向けた設計に貢献できるし、いまの製品やサービス、品質を格段に良くすることもできるはずだ。ただし、彼らがリスクを取ることを恐れず、仕事に邁進できてこそだ（第3章を参照）。そのようなチームは、マネジメントのQCサークルと言える。既にわれわれは、本章97ページでその例を見た。

チームワークは、社内のあらゆる領域でなんとしても必要なものだ。チームワークは誰かの弱みを他の人の強みで補い、互いに問いかけ合うことで誰もが相互に知力を磨くことを求める。しかし、実に残念なことに、年次の業績評価がチームワークを打ちのめす。チームワークはリスキーなビジネスなのだ。他者を助けつつ働く人の出来高は、その人が自分の仕事だけに専念していれば上げられたはずの出来高、年次の業績評価で見せられたはずの出来高よりも、少なくなってしまうかもしれないからだ（第3章を参照）。

在庫は少ないほうがよいということは、誰でもわかる。だが、製造と販売の人々は、そうは考えない。工場長は手元に在庫を多く持ちたがる。部品の欠品が怖いのだ。セールスマンとサービスマンは、どの品目もすぐに出せるよう、すべてのサイズ・形状・色を全部揃えてフルに在庫を持っていたい。「喜んで待ちましょう」などと言う顧客はいない、売り時を逃す機会損失になってしまうと考える。

だからこそ、マネジメントには重要な責務がある。在庫に関係するすべての人が互恵の原則に立って協力し、顧客に満足してもらえるサービスを提供できる在庫のルールはいかなるものかを定め、より少ない在庫を常に心がけて励むよう、実務者を積極的に助けるのがマネジメントの仕事だ。

製造業だけではない。部門間の協力はサービス業でこそ活きる。どのような協力が可能か、例を使って説明しよう。信用審査部門には、会社のためにやろうと思えばできることがあるという話だ。信用審査は、もしかしたら会社の中で顧客のトラブルをいち早く察知できる部門かもしれない。顧客が困っているのは、欠品や納期遅れ、デマレージ（保管期限を超えると、超過料金が発生する）、配送・保管中の商品の劣化、そもそもの品質に難があるといったことだ。こうした不満を抱える顧客は、その旨を説明したメモを添えて一定の額を減額した小切手を送ってくることがある。信用審査部門はこうした苦情を直ちに「しかるべき人」に伝達することによって、火を消すのを助けられる。「直ちにしかるべき人に伝達する」とは、カスタマーサービス、販売、製造の各部門で顧客からの苦情に責任を持つ人にすぐに伝えることだ。

372ページに見る通り、また誰もが知っている通り、苦情の研究は品質に対して偏った見方を与えることがある。とはいえ、信用調査部門から来るこうした情報は、うまく使うなら、製品やサービスの質を高めるのに役立つはずだ。

原則10　社員に向けたスローガン・激励・ターゲットを止めよ

「生産性を上げろ」と社員を急き立てるスローガンや激励、ポスターを廃止せよ。

「あなたのやった仕事はあなたの自画像です。署名していただけますか?」
「いいえ、署名はできません。不良のキャンバスやこの仕事にふさわしくない絵の具、擦り切れた絵筆を与えられて、それで仕事をやれと言われる。それを『私の仕事です』と言うことはできません」

ポスターやスローガンはこれと同じで、人が仕事をよりうまくやる上で、誰の助けにもならない。

ある企業がサプライヤー上位240社の経営トップを集め、「来月初めから不良品は一切受け付けない」と通告した。大変結構なことのように聞こえるが、この手のプログラムは茶番に過ぎない。サプライヤー各社が、一体どうしたらこのような突然の変更に対応できるだろう。この顧客が確かに不良品を受け入れていないということを、一体どうやって確かめるつもりなのか(そんなことはできないはずだ)。顧客とサプライヤーがパートナーとして協力するならともかく、そうなっていないのに、顧客が求めているものを各サプライヤーがどうしたら理解できるというのか。時間が必要だ。

本誓約書に署名されたし：
私は今後、不良品は一切つくりません。
（署名欄）

図3のようなポスターは生産現場で働く人々を馬鹿にして叩いているのだ。

「最初から正しくやりなさい」というポスターもある。なにやら高尚な感じがする。だが、入ってきた原材料や部品が規格外の寸法だったり規格外の色だったり不良品であったりすれば、あるいはまた自分のところの機械の調子が悪ければ、また測定機器が信頼できなかったら、一体どうやって最初から正しく仕事をやれるだろう。これぞまさに、もう1つの無意味なスローガン、ZD（zero defects）の従兄弟である。

「皆で一緒に良くなろう！」というのもある。生産現場で働く人

図3　階段を駆け上がる人

たちが「このスローガンはわれわれをすごく怒らせますよ」と私に言ったことがある。「皆で一緒に！」だって？　何を言っているのか。われわれが何に困っているか、どうしたらいいと思うか、誰ひとりわれわれの意見に耳を傾けようとしないのに、一体どういう了見なのか。これもまた、もう1つのくだらないポスターの例だ。無慈悲なジョークとでも言うべきか。

クオリティ・ワーカー（質の高い労働者）たるべし
自分の仕事に誇りを持て

こうしたポスターや激励の何が間違っているのか？　呼びかける対象がまるで見当違いなのだ。こういう言葉は、いずれもマネジメントの思い込みから来ている。つまり、生産のワーカーは、「さあ、仕事をしっかりおやりなさい」と背中を押されて初めて、不良ゼロとか品質改善とか生産性向上、他にも何であれ望ましいことを達成できるのだと思い込んでいるのだ。この種の図やポスターは、問題のほとんどはシステムそのものから来ているという事実を全く考慮に入れていない。不良や間違いやコストを高める要因のうち、システム自体（マネジメントの責任）に起因するものの割合はどのくらいなのか、あるいは、実際に仕事をやっている人に起因するものはどれくらいなのか、統計的な計算をすれば判る。そして、この計算こそ、マネジメントの主要なツール、まさにリーダーシップの主要なツールの1つであるべきだ。これについては第11章で詳しく述べる。

激励やポスターは不満と怒りを生む。この種のものは、ワークマンシップの誇りを持って人々が働くのを妨げている障害物にマネジメントが気づいていないことを、生産のワーカーに向かって宣伝しているようなものだ。第14章冒頭に引用したゲーテの言葉は、ゲーテ本人が思っていた以上に広く当てはまるものかもしれない。

ポスター、激励、誓いの言葉などのキャンペーンをやって即座に現れる影響は品質と生産性の幾許かの向上だが、残念ながら一過性ないし散発的ということがしばしばある。これは明らかな特殊要因をいくつか取り除いた結果というだけのことなのだから、当然と言えば当然だ。時が経てば改善は止まる。それどころか、悪くなることさえある。ついには、キャンペーンは一種の「でっち上げ」だと認識されて終わりだ。マネジメントは自分たちの主たる責任が何であるかを学ばなければならない。即ち、今後も、システムそのものを良くしていくことだ。もちろん、並行して統計的手法で検知される特殊要因の除去も続けていくことは言うまでもない。（第11章の図33と解説を参照）

安定して不良品をつくるシステム

図4のチャートを私はある会社のカフェテリアで見た。素晴らしいアイデアだ。目標も設定されている。何に向かって励めばよいかを人々に伝えるものだ。プロットされた各点は典型的な推移を示している。しかし、何が達成されたというのか？　何も達成されていないではないか？　ここで「彼らの達成は『後ろ向き』なものだ」と見誤ってはならない。

カフェテリアに掲示されていたこのチャートは、出来高が安定しているシステムと、安定して不良品を生み出すシステムを見事に描き出している（第11章を参照）。マネジメントは自ずと「より多い生産量」と「より少ない不良」を見たいと願う。だが、その手段と言えば、生産のワーカーに懇請するしかなかった。

この掲示は間違った相手に語りかけている。生産現場で働いている人々は本書を読んで勉強したことはないかもしれないが、この掲示を見て何が起きているかは理解している。するとそこへ、マネジメントが（生産現場で働く）人々に、なんとしても目標を達成してほしいと言ってくるのだ。だが、それがいけない。そもそも不可能なことを「やれ」と言うに等しい。その結果は恐怖と不信に満ちたマネジメントだ。

チャートからも明らかにわかる通り、第20週目に生産量が増えている。これは新たに設備

図4　週次の生産量と不良率のチャート

ゴールはIEの技術者によって設定されたもので、やる気をなくさせるだけでなく効き目もない。推移は安定を示す。つまり、改善の責任はマネジメントが為すべきものとして依然残っているという意味だ
（このケースでは、IEの技術者達）

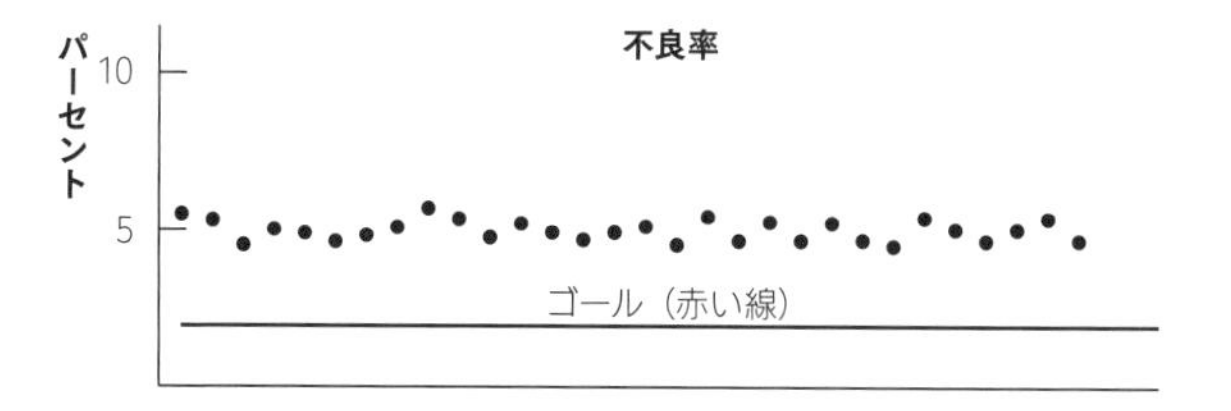

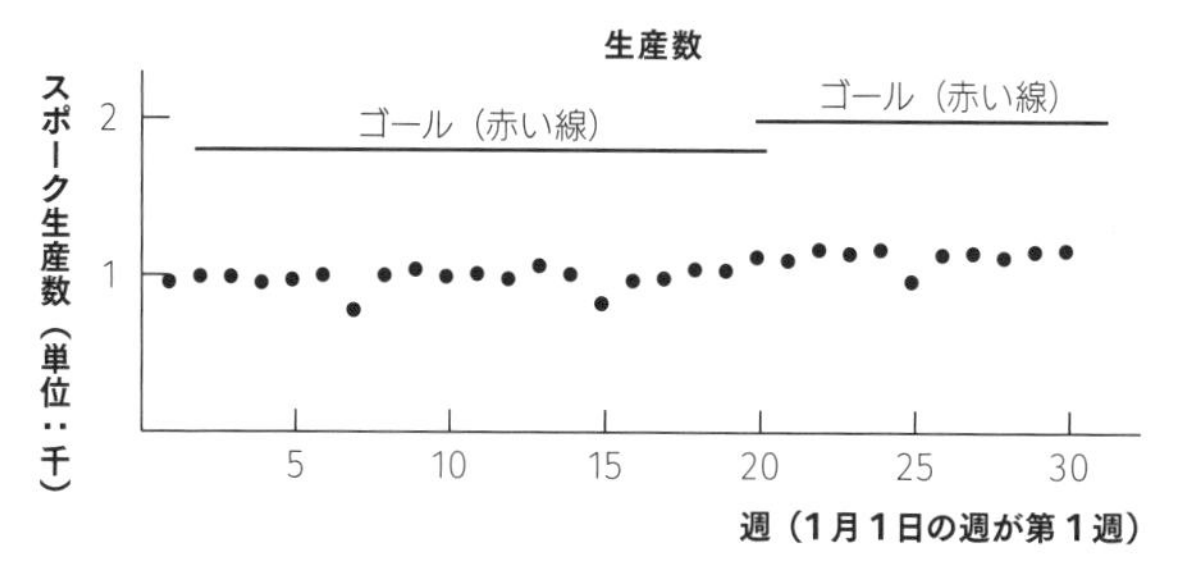

を2台入れたからだ。生産能力が高まったため、新たな目標を設定することになった。新たに決められた目標は、働く人々の間に疑問と不満を呼び起こすだろう。ワーカーたちがまず思ったのは、マネジメントは決して満足しないということだ。われわれが何を達成しようが、マネジメントはもっともっと求めてくる。以下に激励の結果を示そう。

①目標未達
②「ばらつき」増加
③不良率増加
④コスト増大
⑤士気低下
⑥マネジメントに対する軽蔑

マネジメントが今月は何のために何をやっているかをその仕事に就いている全員に毎月説明するポスターなら、まったく違うストーリーになったはずだ。マネジメントが何のために何をやっているかというのは、例えば、サプライヤーを絞り込んでより良い品質のものが入ってくるようにする、保全をいままで以上にしっかりやる、頑張って働くのではなく賢く働くことによって品質と生産性を高めるために、もっと良い訓練や統計的手法の助けを提供し、もっと良い監督を提供するよう努める（監督者を正しく訓練する）、といったことだ。こうなれば展開はまるで違って、人々のモラールがぐっと高まる。人々はマネジメントが問題や不良について一定の責任を引き受けていること、障害物の除去に努力していることを理解するはずだ。もっとも、私はこれまでにそのようなポスターを見たことは一度もない。

もちろん、個人の意志には自身の目標が伴う。例えば、なんとしても大学で教育を受けたいと考えたら、コースを修め、試験に合格するため、もっと頑張って勉強すると決心する。筆者もそうだ。本章を朝までに仕上げようと決める、つまり自ら期限を設ける。目標はあなたにも私にも必要だ。だが、ゴールに至るロードマップもなしに、誰か他の人たちのために設定された定量的なゴールは、狙いとは逆効果だ。

もちろん、企業はゴールを持っている。例えば、「揺るぎない目的」「終わりなき改善」といったものだ。

こうした激励は企業が日常的に出す通知文の中にも見ることができる。海軍造船所の例を見てみよう。

私が再び強調したいのは、仕事の質が改善されているということがこの職務に就いている全員、1人ひとりにとって極めて重要ということだ。真の生産性は必ずやプロフェッショナルとして許容し得る製品の生産数量増に結実する。いい加減な仕事をしていて生産性が良くなるはずはない。どれだけ素速く（原文ママ）やろうが、どれだけ数多くつくろうが、関係ない。仕事の質が低いと判明すれば、自分で自分の信用を落とすだけだ。公に奉仕するという本来の任務も果たせない。

個人のアカウンタビリティという考え方の重要性と、ワーカー・監督者・管理者の間に行きわたった人間の知識のパワーの重要性、そして1人ひとりが個人として自身のつくる製品に責任を持つことの重要性は、いくら強調しても足りない。監査証跡は完了した仕事の資料保持を求める。これは監督者の責任だ。人は総じて正しいことをしたいと考えるものだ。しかし、大きな組織では、正しいこととは何かを実のところ理解していないということがしばしばある。マネジメントは、従業員1人ひとりに対して何を期待するのかということを明確に伝え、職を失わないためにも、昇進のためにも個人のパフォーマンスが決定的に重要だということをよくよく理解させなければならない。指示と期待が徹底的に明確にされ、失敗があっても直ちにフォローアップ行動が取られるなら、コンプライアンスは後からついてくる。マネジメントの正しい指揮は、忠誠心が強く、やる気に溢れ、非常に能力が高く、仕事量の急激な変化に即応できる力を備えた労働者集団を築くことに必ずや繋がる。これらのすべてを人の育成をサポートするというやり方でまとめあげていく管理能力は、当造船所に不可欠な要素だ。ここでわれわれが集中的かつ分析的に評価すべきは、担当者・監督者・管理者に責任を持たせることに関してコンプライアンスをどう扱うかということと、失敗に対してどのように対応すれば品質と生産性を高める上で最高の見返りが得られるかということだ。

こうした言葉は説得力があるような気がする。だが、「1人ひとりに責任を持たせよ！」と言うが、何のためか。「徹底的に明確に」という言葉を使って何を言いたいのか。「失敗」とは何か。誰のせいなのか。個人の責に帰すものか、あるいは「システム自体」の責に帰すべきものか。

詳細は第9章に譲るが、どんな言葉も、意味が通じさえすればいいというものではない。さまざまな仕様・指示・告知・規則の説明等々、すべて同じだ。言葉の意味がわかるだけでは、言葉を発する人、あるいはそれを書いた人がそのときに思い描いていたものの本質が伝わらず、

「言われた通りにやって、結果を出せ」ということだけが伝わってしまう。「言われた通り」は言葉の受け手の解釈次第である。われわれは実務のなかで、どのように仕事のやり方を教えているのだろう。相手にどう伝わっているのか。正しく伝わっていなければ、何が起こるか。読者の皆さんに、ぜひ考えていただきたい。

原則11ⓐ　一般社員に数字でノルマを課すのは止めよ

時間給ワーカーに数字でノルマを課すとは、よくある「出来高払い」や「能力給」、「標準出来高に対する実績によって給料を決める」といったやり方をさす。当然、監査する人（経理の人）は予めコストを予測しておく必要がある。監査する人が使う予測のコストを見積もるのはIE担当のエンジニアだ。この見積もりが「標準コスト」となり、「出来高の基準」となり、「レート」の基となって、最終的に「数値ノルマ」になる。

「生産レート」は、大抵は平均的な作業員に合わせて定める。すると、当然、作業員の半分は平均以上の成績で、残りの半分は平均未満となる。これで何が起こるかと言えば、平均以上の人は同僚からの圧力によって平均値に合わせるようになり、平均以上につくろうとはしなくなる。平均未満の作業員は依然として平均未満の仕事しかしない。結果はロス、カオス、不満、不満が嵩じての離職だ。平均以上の作業員に合わせてレートを設定することもあるが、かえって事態は悪化する。

出来高ノルマは、品質と生産性の向上を阻む巨大な要塞だ。私は、どの「システム」も、1人ひとりが自分の仕事をもっとうまくやるのを助けるものであってもらいたいし、それができているか否かを辿るのに役立つノルマであってほしいと思うのだが、残念ながら、今日横行する出来高ノルマを、そうしたポジティブなものとして見ることはできない。出来高ノルマは、どこまでも改善し続けるという考え方・行動とは根本的に相容れない。しかし、もっと良いやり方は常に存在する（よし、それなら作業標準だ、となりがちだ）。

作業のやり方と出来高の標準を定めて適用しようという意図は高貴だ。標準を定めればコストが予測可能になり、実際のコストが上限を超えないように制御できるはずだと考えてのことなのだろう。だが、これが実際にどのように機能するかと言えば、当該作業のコストを倍増させ、ワークマンシップの誇りをズタズタにして息の根を止める方向に強く力が働く。なにしろ、現実にものをつくっている人の数よりも、作業標準を設定するエンジニアや、現場の人が生産したものを数える人（管理者や生産管理の人）の人数のほうが多くなってしまうのだ。

そうこうするうち、何百もの工場で毎日、作業員が皆々その日の最後の1、2時間を手持無沙汰でぶらぶらするのを見ることになる。終業の鐘が鳴るのをただ待っているのだ。その日のノルマを達成したら、それ以上は働かない。といって、帰宅するわけにもいかない。これは米国産業の競争力を高めるのに良いことであろうか。彼らにしても、何もせずに時を過ごしてうれしいはずがない。むしろ働きたいと思うだろう。

私がかつて一緒に仕事をした銀行で、こんなことがあった。その銀行は、仕事の標準を設定するために、つい先日、コンサルティング会社と契約したという。そのコンサルティング会社は、窓口係が1時間当たり何人の顧客に対応しなければならないか、金利や延滞遅延金を1時間当たり何件計算しなければならないかといったことをはじめ、ありとあらゆる業務にいちいち数字を持ち出して「標準通りに仕事をさせましょう」と提案するのだが、仕事の出来栄えや質については一言もなく、改善のための提案も一切なかった。

あるとき、私の学生がクラスの皆に話してくれたのだが、彼の勤務先の銀行では、全員がそれぞれ自分の行動を逐一記録しているという。例えば、電話をかけた、計算した、コンピュータを使った、顧客を待っていた等々。どの行動にも決められた標準時間があって、1人ひとりが毎日標準に対してどうであったか点数を付けられる。彼は50点の日もあれば、翌日には

260点という調子らしい。各々の点数に基づいて全員をランク付けする。点数が低ければ低いほど、ランクが高いという仕組みである。当然のように士気は低いが、もっともなことだ。

また別の例。「私のレート（個人別ノルマ）は毎日155個です。しかし私はこの数字に到底近づくことができません。私だけでなく、皆が、ある問題で困っています。不良品が多くあるはずですが、不良なのか良品なのか、私たちには判らないのですから」。彼女がノルマをこなすためには、自身のワークマンシップの誇りを封印しなければならない。ノルマを達成できなければ給料を減らされるか、悪くすれば職まで失いかねない。優れた監督がそこにあり、適切な助けが得られたなら、そしてまた、どこかで誰かがつくった不良品が否応なく手元に来てしまうことがないのなら、この作業員は同じ時間でもっと楽に、彼女が口にしたレート以上に多くの良品をつくることができるはずだ。

そんなとき、マネジメントの階層にいる誰かが、もっと良い考えがある、彼女を生産ラインから外して、不良発見の専従係にすればいいではないかと言い出す。素晴らしい案のように聞こえる。「ここはミスも不良も一切許されない場所であることを、彼女に明確にさせるがいい」という考えだ。しかし、実際にそれをやったら、実に無残な監督になるだろう。「これは不良だ」と誰が判定するのか？　つくる人、検査する人の両方にとって、「何が不良を構成しているのか（不良とは何か）」が明確になっているのか？　昨日の判定では不良だったはずのものが、今日は良品と判定されるようなことはないか？　その不良をつくったのは誰か？　作業員か、「システム」か？　その証拠はどこにあるのか？（第11章を参照）

出来高払いは作業標準よりもさらに破壊的だ。1個でも多くつくればその分だけ報酬が上乗せされるという、出来高インセンティブの賃金体系である。出来高払いの給料で働く人々は、自分は不良品をつくって廃棄することで給料を貰っているのだと程なく悟る。事実、不良品を多くつくればつくるほど、その日の報酬は高くなる。彼女のワークマンシップの誇りはどこにあるのか？

日本の工場には、出来高払いは存在しない。

作業標準やレート（ノルマ）、奨励金、出来高払いといったことをやるのは、「正しい監督とは何かを理解できないし、したがって人々に正しい監督を与えることもできない」という宣言に等しい。これによる損失を思えばぞっとする。お金で釣って多くつくらせれば当面は好業績を得られるかもしれないが、いずれ強烈なバックファイアを起こし、何もかも燃え尽きる。

配当を増やすことに関心のあるマネジメントは、この種の間違ったやり方は早急に廃止するがよい。作業標準・レート（ノルマ）・出来高払いを直ちに廃止し、本書の原則と例に従って

「正しい監督」を「正しい場所」で実現することをめざして、いますぐ断固たる姿勢で着実に歩み出すべきだ。同時並行で生産現場のワーカーを自らのワークマンシップの誇りから隔てている障害物を取り除いていくことが欠かせない(原則12)。

ニューヨーク大学大学院のビジネススクールの私のクラスで、航空会社で働く1人の女性が自分の仕事を説明してくれたことがある。顧客からの電話に出て予約の手続きをし、顧客に予約情報を伝える。彼女は1時間当たり25件の電話に応対しなければならないと決められている。しかも、丁寧に受け答えし、相手を急かせてはならない。障害物が常に彼女を困らせる。ⓐコンピュータが遅くて、知りたい情報を得るのに時間がかかる、ⓑコンピュータに情報がない場合もあって、そういうとき、自分でマニュアルやガイドを調べなければならない。「クリスティーンさん、貴女の仕事は何ですか?」

「1時間に25件の電話を取ること?」

それとも、

「決して門前払いなどせず、丁寧に応対してお客様に満足していただくこと?」

この2つは両立できない。自分の仕事が何であるかを知らずに、一体どうすれば自分の仕事に誇りを持てよう。「1時間当たり25件」とは、元を辿れば、経理の人が自分の予算管理のために予め数字をつかんでおきたいというところから来たものだ。

ここに、ムダを省いてサービスを良くするプランの概要を提案したい。ワークマンシップの誇りを取り戻すことも、1人ひとりが改善に貢献するにつれ、自ずと実現される。

ここに示す提案は、1つのたたき台に過ぎない。実際に改善の仕事に就く統計の担当者は当然、自身の考えとそれぞれの現場の状況に合わせて変更し、改訂することになる。

①経理の人に予算のための数字を与え、現行の数字を改定させる。

②この仕事に就いている500人の1人ひとりに、目的はお客様に満足していただくことだとはっきり伝える。目的をはっきり伝えるのは、1人ひとりに自分の仕事に誇りを持ってもらいたいからだ。

③全員に、自分の通話を記録し保存してもらう。記録を見れば、電話がかかってきた時刻、通話を終えた時刻がわかる。また、通話ごとに、知りたい情報が画面に表示されるのに何秒かかったか、手作業で情報を探し出すのに何秒要したかも記録していく。顧客

からの問い合わせのタイプごとに予めコードを決めておけば、問い合わせのタイプも記録できる。こうした記録の大半は自動化が可能だ。

④各担当者は特殊な問題を抱えている顧客の応対を監督者に代わってもらうことができる。つまり、通常の状態から外れた、通常業務の範囲を越えることが起きている、ということだ。それは例えばこんなことだ。ある顧客がバッファローに旅行したいという（これは問題ない）。ところが数日後、トロントからロンドンへ、カナダ太平洋航空（現エア・カナダ）を使って行きたいと言ってきた。顧客はトロント発ロンドン着のフライトと料金の情報を求めている。併せて、バッファロー発トロント着のフライト情報も必要だ。

⑤毎週末、電話応対ステーション（応対オペレータの机）のうち100カ所をサンプルとして抽出し、分布をプロットする。オペレータの在職年数やサービスの長さ（応対に要した時間）やその他の特徴ごとに分けてランチャートにプロットしていけば、手掛かりとなる情報が得られることがある。

⑥ステップ②〜⑤を数週間繰り返す。サンプルは毎週新たに選ぶ。

⑦結果を分析する。週による違いはないか。人による違いはないか。何らかの「パターン」が見えるか、パターンがあるとすれば、どのようなパターンか。

⑧以上のステップに従った研究を、着実にずっと続ける。ただし、常に思い込みを排して臨め。

実績は分布を成す。オペレータの半分は平均を超え、残りの半分は平均以下となる。結果の分析が仕事の質を高めサービスをより良くする継続的な改善に繋がるはずだ。記録されたデータを基にチャートを描き、計算すれば、さまざまな側面で「このシステム」から外れている人がいるか否か、自ずとわかる。「さまざまな側面」とは、例えば、監督者に転送した通話の件数であるとか、コード化された問い合わせのタイプごとに、時間当たり何件応対しているかといったことだ。そこで「システムの外側にいる」と判定されたオペレータには、リーダーからの特別な助け、あるいは慎重な見守りが必要だ（第3章、第8章、第11章を参照）。

徐々に改善が進めば、やがて経理の人も毎年の（予算管理上の）コストの予測に「合理的な」数字を使えるようになる。オペレータは皆、自分の仕事はサービスを提供することであって、ノルマの達成ではないと知った上で、常により少ないコストで良いサービスを提供するよう努めるべきだと理解している状態になる。ここでは誰もが、より良いサービスをより少ないコストで提供することを追求する活動においてそれぞれの役割を担っている。働き方の質を高めるという意味で、これはベストと言えよう。

ここに述べた提案は、どのような活動にも、政府系の事業も含めたあらゆる産業にも、応用できる。

例えば、米国郵便公社の職員の中には、いつも困っている人がいる。郵便物の仕分け担当者がものすごく多くのミスを犯すという。「給料はどのように払っていますか？」と私が問うと、その職員は「1日当たり1万5000通の郵便物を仕分けるのが担当者の仕事です」と応じた。問題の源は明らかだ。賃金制度がこのままなら、郵便物の仕分け作業が良くなることは決してなく、仕分けコストが減ることもない。ここでも前述の航空会社のための提案と同様のステップを踏めば、仕分けミスを継続的に減らすとともに生産性を上げ、仕分け作業の担当者がワークマンシップの誇りを取り戻すための何らかの基盤をもたらすことができるであろう。

マネジメントの仕事は、現行の「作業標準」を、必要な知識と知性を併せ持つリーダーシップで置き換えることだ。リーダーは、仕事について一定の理解を持っているべきだ。第8章と第11章で詳述する原則もある程度は理解しておきたい。従来型の作業標準が投げ捨てられ、リーダーシップで置き換えられた職場ならどこであれ、品質や生産性が目に見えて良くなり、そこで働く人々は仕事に以前より多くの喜びを実感できるようになるに違いない。

原則11ⓑ 管理者に数値目標を課すのを止めよ

マネジメントが手段を示さずに設定した内部の数値目標は、一種の茶番だ。例を挙げよう。①来年は品質保証コストを10％削減する、②売上高を10％増やす、③来年は生産性を3％上げる――。

実績には「ばらつき」がある。しかし、正しい方向への自然なばらつきは、成功と解釈されてしまう（大抵は不正確なデータをそのままプロットして「たまたま」正しい側に寄っただけであったりする）。逆方向へのばらつきは人々を理由探しに走らせ、大胆な電撃戦に至る。しかし、そうした電撃戦の唯一の成果は、より大きなフラストレーションとより多くの問題だけであったというのは、よくある話だ。

例を挙げよう。ある会社の購買部長が「うちの部下は、来年は生産性を3％上げます。これは、購買担当者1人当たり、1年当たりの発注件数の平均値を3％増やすという意味です」と明言した。私がその手段をどうするのかと尋ねたところ、何のプランもないと認めた。52ページでロイド・S・ネルソン博士が指摘した通り、「プランもないのに、来年はできるというのなら、なぜ昨年やらなかったのか？」ということだ。怠けていたに違いない。それに、プランなしに生産性を3％上げられるなら、なぜ6％をめざさないのか。さらに言えば、数字しかない。トータルコストの最小化に総力を結集するための全体プランがないのだ。

郵便公社の人が私に言った。「うちは、来年は生産性を3％上げるつもりです」。そこで達成のためのプランや手段はどうかと尋ねると、いつもの答えが返ってきた。「プランはありません。ひたすら改善するのみです」

あなたが「安定したシステム」を持っているなら、ゴールを詳細に描く意味はない。いずれにせよ、あなたは当該システムがもたらすはずのものを得ることができるはずだ。しかし、当該システムの能力を上回るゴールに到達することはない。

あなたが「安定したシステム」を持っていないなら、ここでもやはりゴールを設定する意味はない。当該システムが何をもたらすか、知る方法がない。つまり、当該システムの能力がわからないということだ。第11章をお読みいただければ、これに関する理解の助けになると思う（フォードのエドワード・M・ベイカーによる）。

マネージとは「ものごとをうまくやる」という意味だ。「マネージする」ためには、「リード」しなければならない。「リードする」ためには、自分の部下がやっている仕事を「わかっている」必要がある。その仕事を理解するとは、「その仕事の顧客（後工程）は誰か？」に始まり、

「どうすればもっと顧客のためになるか?」を知ることだ。

根本的な改善を「リード」して「マネージ」するために、外部からやって来るマネジャーもいる。そういう人こそ、学ばなければならない。自分の部下が何をしているのか、部下から直接学ぶのだ。新たなテーマについても、いろいろ学ばなければならない。外部からやって来るマネジャーは、自分の学びのニーズを自分の責任とすぐに結び付けようとする。そして、遠くを見ることなく目先の成果を「マネージ」しようとしがちだ。そこでまずは品質・不具合・不良率・棚卸・売上・人についてのレポートを集めようとする。しかし、成果に焦点を当てることは、プロセス自体を良くするためにも人々の働き方を良くするためにも、実効性の高いやり方ではない。

ここまで論じてきたように、数値目標によるマネジメントは、為すべきことを知らずに「マネージ」しようとするものであり、これが実務に至れば「恐怖によるマネジメント」となる。

いままでは、「数字によるマネジメント」は間違っていると考える人もいる。

マネジャーが部下の前に示すことが許されている数字だけなら、生き残りに関する事実の平凡な表明になってしまう。例を挙げよう。

①来年の売上を10%増やすことができなければ、この事業から撤退することになる。

②そのエリアでは一酸化炭素（CO）濃度の平均値は、8時間以上にわたって8PPM（100万分の1）を上回ってはならない。理由：9PPM以上になると、健康に有害とされてきたからだ。

原則12　人々からワークマンシップの誇りを奪っている障害物を取り除け

2つのグループの人々の前から、障害物を取り除かなければならない。

1つ目のグループはマネジメントの人たちと給料を月給で受け取っている人たち（技術者や事務職の人）だ。この人らにとっての障害物とは、年次業績評価や人事考課である。第3章で詳述する。もう1つのグループは、時間給ワーカーだ。ここでは、ワーカーにとっての障害物を見ていこう。

米国の生産労働者は、ある制約下にある。この「制約」が品質・生産性・競争力に大打撃を与えている。自分の仕事に誇りを持つこと、良い仕事をすることは、人が生まれつき持っている権利だ。「障害物と制約」が、時間給で働く人々からその生来の権利を奪っている。この障害物が、今日の米国のほぼすべてのプラント、工場、企業、百貨店、官庁に存在している。

工場で働く人が、自身の仕事について「これなら合格」と言われる出来栄えや仕事ぶり（ワークマンシップ）はどういうものか、「不合格」はどういうものかということに確信が持てず、明確な定義を求めても見つけられないとしたら、どうして自分の仕事に誇りを持てよう。昨日は「合格」だったものが、今日は「不合格」と判定されるのだ。そのような環境にあったら、誰であれ、自分の仕事の何たるかを知ることはできない。

マネジメントか現場の人かを問わず、いまのマネジメントにとって人はすべて「コモディティ」（代替可能な、ありふれたモノ）と化している。

あるとき、業績好調な企業で働く熟練工40人と会って話を聞いた。彼らの主な不満は、翌週仕事があるか否か、木曜日になるまでわからないことだった。そのとき、「所詮、われわれは『コモディティティィ』ですからね」と彼らの1人が言ったのだ。それまで私はぴったりの言葉を探していたのだが、まさにこれだと思った――そう、われわれは「コモディティ扱い」されている。

マネジメントは表示価格（賃金）で人を雇ったり、雇わなかったりする。それは必要があるかないか次第だ。来週は要りませんとなれば、ワーカーは労働市場に戻るしかない。

マネジメントは随分長い間、売上減や四半期配当の減配、ほぼすべての費目におけるコスト増に直面してきて、その種の問題には慣れている。そう、悩みの種なら溢れるほどあるのだから。だが、マネジメントはこういう財務的諸問題に立ち向かうことはできても、人の問題に対しては何もできない。人の問題はカニ歩きですり抜け、見て見ぬ振りをして、どうかこの問題が消えてなくなりますようにと願うだけだ。マネジメントは「全社員の巻き込み」「社員の参画」「働き方の質の向上」を仕組みとして確立するとしばしば口にするが、いずれも煙幕として使っているだけだ。マネジメントが提案を受け容れ、行動する準備ができていなければ、こうした希望は数カ月のうちに雲散霧消する。

また、あるとき、1人の女性ワーカーが私に言った。

「私の職場ではどの仕事にも手順書があって、印刷され、見えるようになっています。でも、誰も半分も読みません」

彼女が手順書を途中まで読む間にも、誰かがすでに困っているに違いない。彼女の懸念通りになっているのだが、その彼女にしても、できるのは「もっと困る」ことだけだ。

検査の問題がそのまま放置されているときに、一体どうしたら生産のワーカーが自分の仕事に誇りを持てようか。検査員にしても、何が「正(しょう)」なのか確信が持てずにいる。測定器やゲージが壊れているのだ。それに、上司から煽られた監督者が「出来高ノルマを達成せよ」と押し付けてくる。品質のことなど何も言わない。これで仕事に誇りを持つのは不可能だ。

出来の悪いモノや不良品、規格外の材料が手元にやって来る。前工程の誰かのせい、あるいは搬送中に何かあったからに違いない。そういうものを手直ししたり、隠したりするのに時間をとられる。そんな状態で、どうしたら自分の仕事に誇りを持てるだろうか。

自分の仕事は、毎日「作業標準」として決められたX個をつくることだ。良品も不良品もスクラップも全部否応なく一緒くたにしてX個である。これで仕事に誇りを持てるものか。

機械が壊れているのだ。出来高の割り当てを調整してほしいという自分の訴えに誰ひとり耳を傾けない。これで誇りを持てようか。

機械が不良品ばかりつくるから、調整するため機械を止めた。そこへ監督者がやってきて、たった一言、「動かせ」と命令する。要するに「不良をつくれ」と命じているのだ。これで誇りを持てと言われても無理だ。

その人（生産のワーカー）はこの出来事について、コミュニケーションの失敗だと言った。

――コミュニケーションの失敗？　監督者が言ったことは理解できたのですよね？

「監督者は私に不良品をつくれと命じました。ワークマンシップに対する私のプライドがどこにありますか？」

また別の女性ワーカーの話。この仕事ではさまざまな工具を切り換えて使う。段取りにかなり時間がかかる。「工具の硬度が足りず、工具自体の品質も悪いからです」と彼女は言った。これでは自分の仕事に誇りを持てない。

「とはいえ、会社としては安い工具を買うことでお金を節約できるでしょう?」と私は言った。

「そうですね」と彼女は言い、こう続けた。

「そして、節約した分の10倍のお金を失うのです。安物はすぐに摩耗して、私たちの時間を使い果たしますから」

「でも、それにかけた時間に対しても、給料は払ってもらえる。何が問題なのですか?」

「こんな貧弱な工具でなかったら、もっと多く仕事ができたはずです」

実際の対話を、さらにいくつか紹介したい。以下は、すべて企業での実際の録音からの引用である。

時間給の生産ワーカー

「監督者は自ら決定を下すのを怖がり、避けようとします。何もしなければ、上司に説明しなくて済むからです。何もしないのなら、マネジメントの人にわざわざ説明する必要はありません。監督者が責任を果たしていないのですから、何であれ改善などできるはずがありません」

——生産性はどうですか?

「生産性が良くなる見込みはありません。コンベアがまともに動かない。ほとんどのモノを手で運ばなければならず、しかも高温です。炉から出てきたところで触ったら、火傷します。当然、生産のペースは落ちます。こんな調子なのに、マネジメントが何かしてくれるなんてことは、一切ない」

——そういう状況はどのくらい続いているのですか?

「7年です」

別のワーカー

「新任の監督者がやって来たと思ったら、5週間でいなくなる。そこでまた別の監督者が来ます。前任者と同じく、彼もこの仕事について何も知らない。学ぼうという意志もない。彼もすぐに異動するつもりなのでしょう」

別のワーカー

「われわれ（発言ママ）は年に150万リニアフィート（約46㎞）の長期契約をずっと持っていたんですよ。それなのに、うちのマネジメントがコストカットで利益を増やすと決めた。そのせいで材料がどんどん悪くなりました。悪い材料でも、なんとかしてつくれというわけです。結局、われわれは、そのビジネスを失いました。ビジネスを失ったおかげで、当社は利益をごっそり減らした。悪い材料で良い製品はつくれません」

また別の会社で、ワーカーがある設備について話してくれた。

「われわれは使おうと努力はしています。2年前に新たに購入した設備です。しかし、未だにうまく動かず、実に残念です」

別のワーカーが、私にさまざまな設備を見せながら、こう言った。

「ほら、メンテナンスがまるでダメなんですよ」

メンテナンスの担当者は、長い間ずっと、保全に新しい部品を使う代わりに、廃棄設備から部品を取って保全に使っていたのだ。まさに「目先の小金を惜しんで大金を失う愚か者」である。

別の工場ワーカー

「納品されるホースが長過ぎるから、われわれが切断しています」

――全部のホースを?

「しばらくの間、全数をカットしていましたが、その後、すべて正しい長さのバッチが納入されてきました。でも、良かったのはそのバッチだけで、以後はまた長すぎるホースが入ってくるようになりました」(したがって、いまもホースの切断は必須)

――そのせいで、どんな問題が生じますか? ホースの切断に手間はかかるでしょうが、受け取る賃金は同じでしょう?

「受け取る賃金は同じでも、われわれ(発言ママ)は、そのせいでお金を失っています」

別のワーカー

「検査で品質をつくり込むことはできません。しかし、つくっているところで品質をつくり込めないなら、検査が唯一の答えかもしれません」

別のワーカー　「うちの仕事は大変です。ものすごく多くの人が欠勤しますから。休んだ人の分の作業も、自分の作業もしなければなりません。間に合わないときもあって、品質が危うくなってしまう」

――その人たちはなぜ欠勤するのでしょう?

「働きたくないからです」

――なぜ働きたくないのでしょう?

「われわれには『良い仕事』ができないからでしょうね」

――なぜ良い仕事ができないのですか?

「煽られ過ぎるからです。だから『何でもあり』になってしまう。監督者はノルマを達成しなければなりません。われわれはそんなふうに仕事をしたくない。そんなことなら、家にいるほうがいいと思う人たちがいる」

コメント　常習的欠勤は、総じて「監督」が対処すべき役割の一つだ（いまの「監督の仕方」が間違っているから欠勤が増える)。この仕事は大切だ、もっと続けたいと思えば、人は働きに来るものだ。

別のワーカー

「私の設備はシーケンス制御(PLC)で動くのですが、頻繁に故障します。設備が止まれば仕事になりません」

——あなたが仕事をしているか否かに関わらず、時間分の賃金は支払われますよね。何が問題なのでしょう?

「設備が止まると、仕事ができないのが問題です」

——あなたがその設備を修理することはできないのですか?

「いまのところ、なかなか難しいです。直し方を知っているときは自分でやります。知らないときはテクニシャン(保全の専門職)に来てもらいます。彼が来てくれるのは、かなり時間が経ってからです」

——それでも、あなたにはその分の時間給が支払われますよね? 何が問題ですか?

「テクニシャンが到着するまで辛抱して待つストレスは、お金で贖うことはできません」

別のワーカー
「うちの監督者は大学の新卒者です。大学で人間関係論を学んだ人を監督者として採用しているようです。でも、彼らはここの仕事については何も知りません。われわれを助けることはできないのです」

別のワーカー
「監督者に提案したら、何か良いことがあるかですって？　彼はにっこりして、立ち去るだけですよ」

コメント　笑顔を見せて立ち去る以外、その監督者にできることはない。彼はそこにある問題を理解していないし、たとえ理解していたとしても、成し遂げることができるものは何もない。この会社では、第一線監督者（フォアマン）の仕事は大学新卒者の初級任務だ（これではいけない）。

別のワーカー

「うちでは機械を故障するまで動かします。機械が止まったら、手待ちになって、われわれは時間を失います。『予防保全』という言葉がありますね。わが社の予防保全は形ばかりで、お世辞にも十分とは言えません」

あるフォアマン（第一線監督者）

「何か異常があったら報告書を作成します。報告を上げれば、マネジメントの人がその問題を見るために現場に来ると私は教えられました。でも、誰も来たことはありません」

別の例

電気機器を製造する、ある工場での話だ。最も「見える化」され、興味深い活動をしているのは検査部門であるらしい。

——設備投資のうち、ゲージや測定器やコンピュータへの投資はどのくらいの割合ですか？

「約80％です。検査レポートの印刷も含めてです」

――貴社の総工数のうち、検査員の割合はどれほどですか？

「55％から60％の間です。われわれは品質を確保しなければなりません。当社はまずまずの評判を維持しています」

この機器の完成品には1台に1個ずつメモリチップが搭載されており、機器に組み込まれた部品1100個それぞれの製造番号がそのメモリチップに書き込まれている。その機器が最初の検査で合格したのか、最初の検査で不合格となり、不適合部品を交換して合格したのかという区分も一緒にメモリチップに入っているそうだ。こうした情報はもちろん読み出せるし、必要に応じて印刷することもできる。

この製品担当のエンジニアは「ここまでしっかり検査をやっているのですから」と私に説明し、こう続けた。

「われわれには品質管理は要りません」

このやり取りの後で、私は同社の労組職場委員たちとのミーティングに参加した。そのとき、2人の女性職場委員がこう問いかけた。

「作業に取り掛かる前にプラスチック基板を平らに伸ばすのですが、それにものすごく時間がかかるんです。なぜ私たちの時間を使ってそんなことをしなければならないのでしょうか？

基板の3分の1が歪んだ状態で入ってくるのですよ」

――基板はなぜ歪んだ状態で届くのですか？

「ハンドリング・ダメージ（荷扱いや搬送中に損傷を受けること）だと私たちは思っています」

――基板の歪みは、あなたがたにとって、どういう意味がありますか？ 皆さんは時間給で、基板に歪みがあっても受け取る賃金は変わりませんよね？

「その通りです。でも、基板を矯正する必要がなければ、その分の時間を使って、本来の仕事をもっと多くやれます。これについて、あなた（筆者）に何かよいお考えがあれば教えていただきたいのですが」

――皆さんはその問題をどれくらい前から抱えてきたのですか？

「もう3年くらい、ずっとキーキー言っていますが、何も起きませんでした」

この女性とその同僚たちがマネジメントに対してどう思っていたか、読者の皆さんにも想像していただきたい。このムダの原因を取り除く助けが欲しいという彼女の叫びに、この会社のマネジメントは気づこうともしなかったのである。

さらにその後、私はこの会社のトップマネジメントとのミーティングに参加して、次のように問いかけた。

「皆さんは設備投資全体の約80％をゲージや測定器やコンピュータに投じていると聞きました。コンピュータが何をしているかといえば、大量の情報を印刷して専用用紙の山を築いているだけのようにも見えます。さらに、総工数の55％も検査にかけている。それなのに、基板の歪みについて、生産のワーカー以外に知っている人が1人もいない。なぜこんなことになっているのでしょうか？」

私はさらに続けてこう言った。

「御社の最良のお客様なら、より安い値段で、もっと良い品質を提供できるサプライヤーはないかと常に探そうとするでしょう。マネジメントの任にある者として皆さんがそれを心配するのはもっともです。そう、御社は、最良のお客様を失うかもしれないのです。お客様を責めることはできません。御社の製品の値段が高いのは、手直しや検査といった人の作業のムダのせいであり、設備投資に巨費を投じているせいです。よりによって、そもそもムダである『検査』と、使いもしない情報の貯め込みにお金を使っているのですから」

飛行機パイロットの例。ミネアポリスからの飛行機で私の隣のシートに1人のパイロットが座った。彼は、この搭乗に対しても自分には給料が支払われるが、誰のためにもなっていないと不満そうに言った。自分が操縦して飛んだほうが会社にとっては節約になるのにと彼は言うのだ。私は、このエアラインのマネジメントはパイロットらにデッドヘディングの移動（パイロットや客室乗務員が業務のために一般客と同じように搭乗して移動すること）が避けられないことを説明していないのだろうかと思った。

生産現場で働く人々を苦しめている障害物は、この後も本書の中で随所に登場する。

実際、ワークマンシップの誇りを実現する上での障害物は、米国においてコストを減らし、品質を良くする上での最大の障害物の一つと思われる。

品質が悪く、生産性が低いことだけが損失の原因ではないのと同じように、無力なリーダーシップが他にも損失を生んでいる。例えば、職場の労働災害による有給の欠勤の平均日数は、拙い監督の下で急増することがよく知られている。

不良率が高くなればなるほど、離職率も高くなる。マネジメントがプロセスを良くするために努力していることが社員にはっきりわかるようになれば、離職率は下がる。

自分の仕事を大切に思う人はその仕事を続けたいと思い、そのための努力を惜しまないはずだ。自分の仕事に誇りを持つことができるなら、仕事を大切に思い、「システムそのもの」を良くするために自分も役割を果たそうと努めるだろう。常習的欠勤や転職は総じて拙い監督と拙いマネジメントが招いた結果である。以下に紹介するのはプレトリア（南アフリカ）の友人でコンサルタントのヒーロ・ハッケボルドが提供してくれた事例だ。

あるとき、私は生産のワーカー45人と会い、品質と生産性の向上をめざす彼らの前に立ちはだかる障害物に関して、次の話を聞いた。

- 技術的な事柄についての不適切な訓練――「私には自分の仕事が何なのかわかりませんでした」
- コンポーネントの納期遅れや欠品
- 仕事のやり方についての文書が不適切
- 強烈な「煽り」が入る（そもそも計画が悪い）
- 旧い図面
- 設計が不適切（作業完了後の設計変更が手直しや修正に繋がっている）
- 監督者が、良いリーダーシップを発揮するに足る知識を持っていない

●ツールや工具が十分にない、あるいは不適切
●自分たちとマネジメントとの間に、コミュニケーションをとるためのライン（手段）がない
●劣悪な労働環境（冬は寒く、夏は暑く、ガスの吸引も不十分）
●「私の実績がどのように査定されているのかわかりません。人事考課は茶番です」
●「不良品がサプライヤーから納品されて来て、私の作業を妨げます」
●エンジニアからの技術的支援を得るのに、随分苦労している。

こうした意見を聞いて、私（ハッケボルド）はその会社のマネジャーとこれらの問題について話し合った。そのマネジャーは、ワーカーが困っている問題に対し、何らかの手を打つと約束してくれた。彼がプレトリアで開催されたあなた（デミング博士）のセミナーを受講したからには、きっと何かを実行してくれると信じたい。

また別の例

時間給で働く生産現場の人々がストライキに入り、その間、月給で働く社員（管理職や事

務・技術職掌の人々）が代わりに生産を担当していたときのことだ。ある部門のマネジャーが複数の設備が壊れているのを発見し、報告してくれた。残念なことに、とても酷い状態の設備や、すぐにメンテナンスが必要なのに放置されたままの設備もあった。ある設備など、どう見ても完全に新しい設備に入れ替えるしかないくらいだったという。このマネジャーが設備をきちんと整備したところ、生産量は倍増した。ストライキがなければ、このマネジャーは自分たちの設備がこんなに悲惨な状態にあったと知ることはなかったし、このプロセスも全体として本来の能力の半分のまま稼働を続けていたはずだ。

「どうですか、ハル（マネジャーの名前）。誰のせいだったのか、あなたにはすでにわかっているでしょう？」

「もちろんです。もう二度とこんなことが起きないようにします。これからは、設備の異常や材料・部品の異常を社員が見つけたらすぐに報告し、そうした異常の報告をきちんと受け止め、しかるべき注意を集めるようにすることによって、『1つのシステム』として機能するようにしていきます」

何が起きているか？

私の経験によれば、人は「人の問題」以外なら、大抵はどんな問題にも立ち向かうことができる。長い時間働くことも、ビジネスの衰退に対応することも、失業にさえ対処できる。しかし、「人の問題」は別だ。（マネジメントの階層に属する人々も含めた）「人の問題」にマネジメントが出会うと、私の経験では彼らは思考停止状態に陥り、ＱＣサークルやＥＩ（Employee Involvement、従業員の巻き込み）、ＥＰ（Employee Participation、従業員参加）、ＱＷＬ（Quality of Work Life、働き方の質向上）といったグループの新設に逃げ込もうとする。だが、そうしたグループ活動は往々にして数カ月で崩壊する。不満がつのり、馬鹿げた茶番に心ならずも加担してしまい、何一つ達成できない自分に気づいてしまうからだ。なにしろ、マネジメントの誰ひとりとして、改善に向けた自分たちの提案に対して行動をとらないのだ。自分たちが何も達成できないのは、ひとえにそうしたマネジメントのあり方ゆえである。

これらはすべて「人の問題」を頭から追い払うための酷く残酷な仕掛けだ。もちろん、喜ばしい例外もある。それはマネジメントが自身の責任をよく理解し、ワークマンシップの誇りを奪う障害物を除去するための下からの提案に対し、アドバイスと行動をもって積極的に参加してこそ実現する。

「もっと良い仕事をすることができる」というワークマンシップの可能性は、生産現場で働く人々にとって、ジムやテニスコートや遊びの場にいるときよりも、ずっと大きな意味を持つ。

働く人々に誇りを持って仕事をする機会を与えよ。そうすれば、誇りなどに関心はないと見える3％の人も、周囲からの圧力を受けて自ずと変わっていく。

原則13　教育と、誰もが「自分の仕事は自分で改善し、自らを高めていく」というセルフ・インプルーブメントの両方とも、大いに奨励せよ

組織が求めるのは単なる「良い人材」ではない。教育から得た学びを活かして改善していける人がほしいのだ。

セルフ・インプルーブメントに関して言うなら、良い人材が不足することはないと心に刻んでおくことが誰にとっても賢明である。高度な知識を求めての人材不足は現実に存在する。どの分野でもそうだ。人は、その研修コースから得られる見返りが確約されるまで待ってはならない（見返りが確約されなければ研修を受けさせないなどという態度は誤りだ）。さらに言うなら、目先の必要だけに向けられた学びは、最も賢い選択ではない可能性もある。

原則8で見た通り、知識に対する恐怖は幅広く存在しているが、競争力を強化したいなら知識に根差さざるを得ない。

すでに論じてきたように、欧米産業の再建はわれわれ1人ひとり、皆が責任を担うべきなのであり、それゆえ誰もが新しい教育を必要としている。マネジメントは自ら新しい学びを経験しなければならない。

人は金銭以上に、社会に対して物質的に、あるいは何か別の形であれ、いま以上に貢献できる大きな機会を職業人生に望んでいる。

行動を起こすためのプラン

原則14　変革実現のために行動を起こせ[*8]

①権限を持つのはマネジメントである。ここまでに述べた13の原則と、自らが抱える病と障害物（第3章）の1つひとつに対してマネジメントが正面から向き合い、変革すべく励まなければならない。マネジメントは、自分たちが取っていく行動の意味と方向性に全員が合意している必要がある。全マネジメントの合意あればこそ、新たな経営理念を具

現化できる。

②権限を持つマネジメントは、新たな理念を取り入れ、具現化していくという自分たちの新たな責務に、ぜひ誇りを持って取り組んでいただきたい。勇気をもって旧弊を打破せよ。マネジメントの階層にいる仲間の間に激烈な葛藤を生むことになろうとも、ぶれずに励め。

③変化を起こすには、人々のなかに「変化が必要だ」と信じ、行動できる一定の人数の集団（クリティカル・マス）をつくりださなければならない。権限を持つマネジメントはセミナーや他の方法によって、「なぜ変化が必要なのか」を説き、この変化がいずれ全員を巻き込んでいくことを説明し、そうした集団をつくりだす。変化を起こすに足る十分な数の人々が14の原則と、第3章に示す死に至る病と障害物をよく理解することが肝要だ。さもなければ、マネジメントは変革への力を得られない。

こうした活動のすべてを立ち上げ、実行していくには、ミドルマネジメントが「同じ

1つの声で話す（心を1つにし、一貫して言行を一致させる）」ことが求められる。

④いずれの行動も、いずれの仕事も、1つのプロセスの部分である。どのプロセスについても、まずは流れ図を描いてみることだ。流れ図を描けば、その仕事がどのようなステージ（製造であれば「工程」）を辿るかがわかる。それらすべてのステージが繋がって全体として1つのプロセスを形づくる。個々のステージは孤立して存在するのではなく、トータルで利益を最大化するよう機能しなければならない。流れ図は単純なものもあろうし、複雑なものもあろうが、プロセスの論理的機序の1つの具体像——即ちアイディア——を描き出してくれる。

ワーク（モノや情報の姿をした仕掛り）があるステージに入ってきて、その姿かたちや状態を変え、次のステージへと進んで行く。どのステージも自分のお客様を持っている。即ち、次のステージ（後工程）はお客様ということだ。最後のス

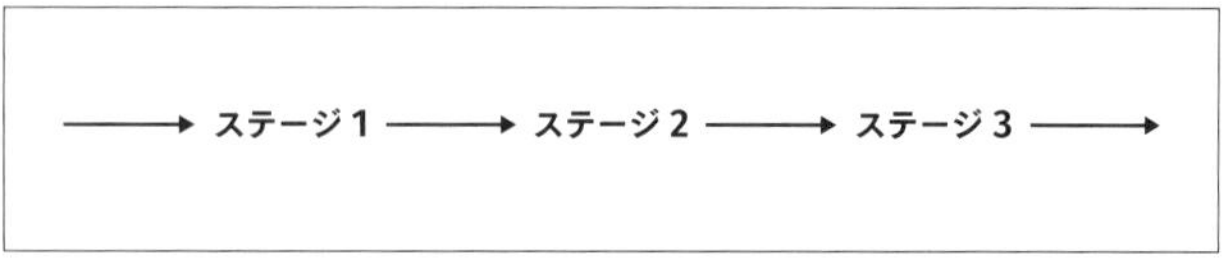

→ ステージ1 → ステージ2 → ステージ3 →

テージが、製品やサービスを実際に買ってくれる最終的なお客様にお届けすることになる。どのステージにも「生産」が存在している。

「生産」とは、姿かたちや状態を変えることであり、変化を入力して何かを出力することだ。各ステージにモノや紙（情報）が入ってくると、何かが起こる。そして、何かしら変化した状態でそのステージを出ていく。方法（製造ならば工法）や手順の継続的改善は、次のステージにいるお客様にもっと満足してもらうことを狙ったものであるべきだ。

どのステージも、全体最適をめざして次のステージ及び前のステージ（製造ならば後工程と前工程の両方）と協調して働く必要がある。すべてのステージが、最終顧客が他者に自慢できるくらい良い品質をめざして協調して働く。99ページに紹介した言葉を思い出していただければと思う。

「あなたのために私ができることはこれです」

「私のためにあなたにやっていただきたいのはこれです」

「このプログラムが何のために使われるのかを知っていたら、私はもっと良い仕事（ミスの少ないプログラミング）ができたのにと思います。仕様書は私に『何を知るべきか』を教えてはくれません」（あるプログラマの言葉）。

⑤品質を継続的に良くしていくための組織を、可及的速やかに立ち上げよ。しかし、第16章で推奨する通り、これには自分たちにとって適切なスピードというものがあるはずだ。熟慮を重ねるのに丁度よい速さを見極めなければならない。

シューハート・サイクル（図5）[*9]は、どのステージでも改善のために従うべき手順として役立つ。また、第11章に述べる「統計的シグナルによって検知される特殊要因」を見定める手順としても有用である。

「変化の結果をよく検討せよ」というのは、どうしたら明日の製品をもっと良くすることができるか、来年の収穫をより良いものにできるかを学びたいからだ。プランニングは予測を求める。変化を1つ起こして、あるいは1つの種類の試験をして得られた結果が、自分たちの予測、計画への確信を深めることもある。

シューハート・サイクルのステップ4（結果をよく検討せよ。何を学んだか？）は、[a]個々のステージそのものの改善と[b]そのステージにとってのお客様のより大きな満足の両方に繋がるようにしなければならない。もちろん、その結果が、少なくともいまのところは、何の変化も示していないということもあり得る。

変化や試験の結果が期待通りであったなら、今度は条件を変えてもう一度このサイクルを回すと決めることもある。最初のサイクルの結果が期待通りであったとして、疑似的にそう見えるだけなの

図5　シューハートのサイクル

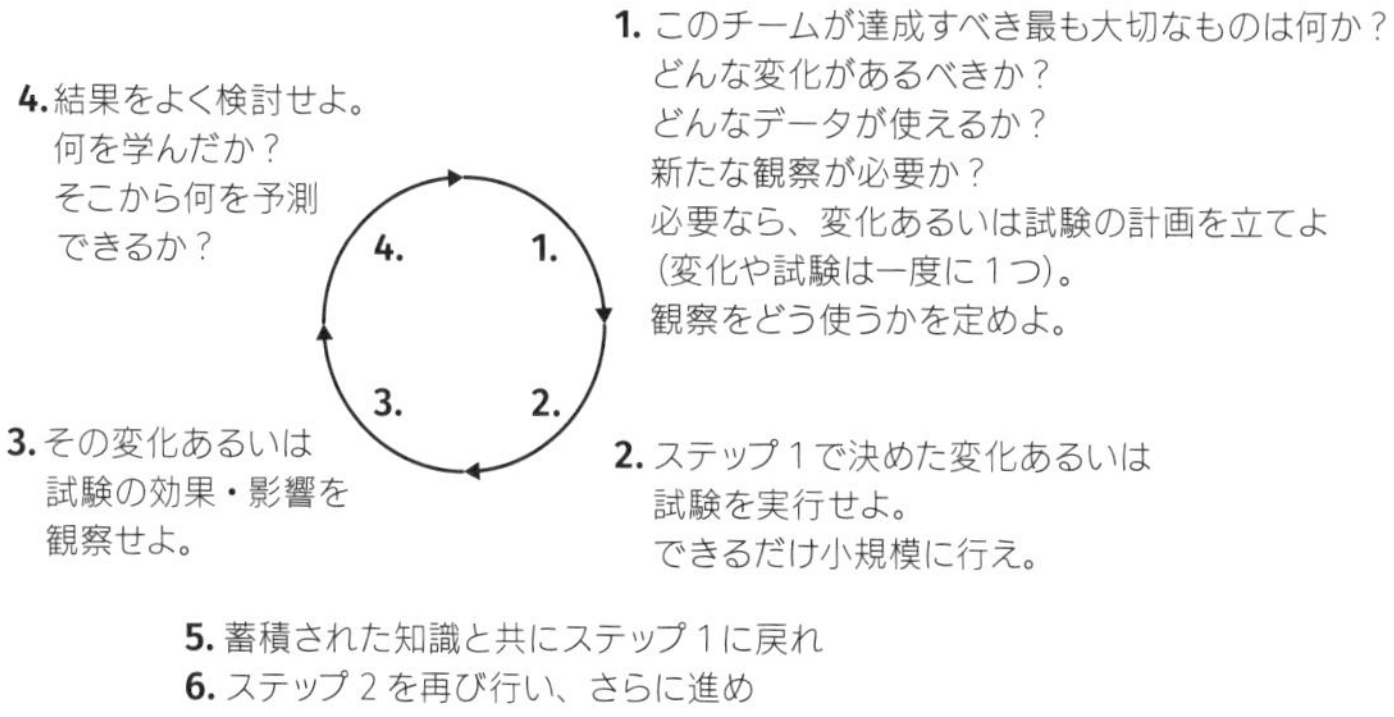

1. このチームが達成すべき最も大切なものは何か？
どんな変化があるべきか？
どんなデータが使えるか？
新たな観察が必要か？
必要なら、変化あるいは試験の計画を立てよ
（変化や試験は一度に１つ）。
観察をどう使うかを定めよ。

2. ステップ１で決めた変化あるいは
試験を実行せよ。
できるだけ小規模に行え。

3. その変化あるいは
試験の効果・影響を
観察せよ。

4. 結果をよく検討せよ。
何を学んだか？
そこから何を予測
できるか？

5. 蓄積された知識と共にステップ１に戻れ
6. ステップ２を再び行い、さらに進め

か、あるいは一定の幅の環境条件において真であるのかを見極めるためである。
シューハート・サイクルはどのステップにおいても、経済性とスピードのため、そして、「相互作用の影響の正しい実験・測定ができなかったせいで間違った結論に至るのを未然に防ぐ」ために、統計学的な方法論の導きが必要な場合がある。

かくすればかくなるはずという「変化の影響」は、本格的な実験を避けて机上の計算やシミュレーション、図面上の変更によって検討されることもある。第15章に登場する例で詳説する通り、シンプルな確率論と組み合わせた単純な計算を用いれば、トータルコストを最小化するために検査を行うべきか否か、どこで検査をすべきかがわかる。

「1つの変化を起こして検証する」という、また別の例をアイバー・S・フランシス博士が示してくれたことがある。1985年8月、ニュージーランドのW・エドワーズ・デミング・インスティチュートで開催されたセミナーでのことだ。15分のコーヒー休憩を30分に延ばした。結果は時間の節約と混雑回避。350人の参加者がコーヒーを受け取って戻ってくるには15分では足りなかったのだ。休憩に30分を得た参加者は皆、慌てることなくコーヒーを楽しみ、セミナーの再開に備えることができた。

やがて、3つ以上の複数のステージを1つのループと見て検証したくなることもあるだろう。複数のステージにおいて（1つではなく）複数の変化を起こし、その相互作用を確かめることによって、当該ループのすべてを改善したいと考えるような場合だ。その際も、やはりシューハート・サイクルに従うのがよい。

⑥チームを編成するからには、1人ひとり、誰もがチームの一員として役割を果たせるようにしなければならない。このチームの狙いはそれぞれのステージのインプットとアウトプットを良くすることだ。チームはさまざまなスタッフ部門で働く人々で構成されることになる。どのチームにも必ず顧客が要る（後工程はお客様）。

チームの誰もが、アイデアやプラン、結果の数字で貢献する機会を持っている。ただし、自分がベストと思うアイデアがチームのコンセンサス形成のなかで埋没してしまうことがあるかもしれない。それでも、シューハート・サイクルを回し続けるうちに、その人が再び自身の考えを活かすチャンスが訪れる。優れたチームは一種のソーシャル・メモリー（社会的記憶。個人を超えて、組織として人の知恵を蓄積し、活かしていくこと）なのである。

チームで活動していく過程では、前のワークセッションでやったことを捨て、考えをより明確にした上で仕切り直しすることもある。これは前進のサインだ。

⑦いよいよ品質を良くするための組織づくりに乗り出すときだ。品質を良くするための組織については、第16章の図61に示す例と同図に続く解説を参照されたい。ここに至れば、豊かな知見を持つ統計の専門家の参加が欠かせない。

集団やチームには、1つの狙い・1つの仕事・1つのゴールが必要だ。そうした「狙い・仕事・ゴール」を1つのステートメント（表明文書）にまとめあげておくのは大切なことだが、あまり細かいところまで決めてしまうのはよろしくない。後々、自律的主導力の息の根を止めることになりかねないからだ。

こうした進め方をしていけば、自分ができることは何か、トップマネジメントにしかできないことは何かということが、誰でもわかるようになる。以下に続く質問は、この目的（品質を良くするための組織構造の確立）のためのものだ。フォードのエドワード・M・

ベイカーが提供してくれた。

チームのスタートに役立つ質問

あなたの組織に関する質問

ⓐあなたの部門は組織構造全体の中でどこに最もフィットするか？

ⓑあなたの部門はどのような製品やサービスを提供するのか？

ⓒあなたの部門はその製品やサービスをいかにして提供するのか？　言い換えると、いかなるプロセスを用いるのか。

ⓓあなたの組織（ユニット、セクション、デパートメント等）が製品やサービスの提供を止めたら、どのような影響が出るか？

あなたに関する質問

ⓐあなたは自部門の中でどこに最もフィットするか？　あなたの仕事は何か？

ⓑあなたが創造しているもの、あるいは生産しているものは何か？　即ち、あなたの仕事の結果は何か？

ⓒあなたはそれをどうやって実行するのか？（例えば、あなたの担当業務の一般的な記述でもよい）。

ⓓあなたは、自分が良い結果を出したのか、拙い結果を出したのかをいかにして知るか？　言い換えると、良いパフォーマンスを定義する標準やクライテリアはあるか。

ⓔその標準やクライテリアはいかにして確立されたのか？

あなたの顧客に関する質問

ⓐ直接的な顧客

①あなたがつくり出す製品やサービスを直接受け取るのは誰か？（その人があなたの顧客だ）

②その顧客はあなたがつくり出したものをどのように使うか？

③あなたがいま、仕事をするのを止めたら、何が起こるのか？

④あなたが犯すミスは、あなたの顧客にどのような影響を与えるのか？

⑤あなたが顧客のニーズや要件に適っているか否かを、いかにして判断するのか？（例えば、顧客自身から教えてもらう、上司から言われる、報告書によって知るなど）

ⓑ中間的な顧客、最終的な顧客

①直接的な顧客の向こうには複数の中間的な顧客がいて、さらにその先に最終的な顧客がいる。あなたは、どのくらい先まで自分が行ったことの影響を追えるのか？

あなたにとってのサプライヤー（前工程）に関する質問

[a]あなたの仕事はいかにして始まるか？（例えば、上司の指示、顧客からの依頼、自身の判断など）

[b]あなたがその仕事をするのに必要なモノや情報やサービス、あるいはその他の情報を供給するのは誰か？（その人たちはあなたにとってのサプライヤーだ。例えば、上司、顧客、同じグループの同僚、他の職場の人々など）

[c]そのサプライヤーがなすべき仕事をしないと、あなたに何が起こるのか？

[d]そのサプライヤーは、パフォーマンスに関する標準を持っているか？

[e]サプライヤーが犯す間違いは、あなたにどのような影響を与えるか？

[f]サプライヤーがあなたのニーズや要件に適っているか否かを、そのサプライヤーはいかにして判断するか？　あなたはサプライヤーと協力して共に働いているか？　あなたはサプライヤーに対する義務を果たしているか？

物事は絶えず変化している。より良い品質に向かって時がどんどん速く進むようになり、やがて誰もが誇りを持てる高い品質を、安定してつくりだせる状態に至る。ここにいるすべての人が和をもって互いに力を合わせて働ける日が来るのも間もなくだ……。しかし時が経てば新入社員は入って来るし、昔ここで働いていた人が再雇用されたものの、いまの状態は知らず、懐疑的で、「品質第一」が定着しているとは到底信じられないという頭の古い社員も出てくる。（GMのポンティアック・モーター部門フィエロ工場に所属するジュアニータ・ロペスの見解）

納入されてくるモノの良し悪しの情報には、さまざまな種類のギャップがある

工場に送られてくるモノは、4種類に分類される。

①何の問題もなく生産に使われるもの。

②製造の要件にも、製品の仕様にも合致していないのに、苦肉の策として仕方なく使われるもの。必然的に、モノのムダあるいは手直しのコスト、またはその両方を生む。例えば、建材のブロックを積み上げるとき、セメントがよく付くように、ブロックの接着面

を予め平らにしておかなければならない。使う前に修正が要る。同じような話は他にもある。色にばらつきがあるパネル（化粧板や皮革製のパネル）のようなものを使う際、色が合わず、捨てるしかないモノが出てきて、時間のムダ、材料のムダになることがある。使おうと思えば使えるが、そんなことをすれば完成の暁に「不良」の烙印を押されかねない。

また別の例。適切な、良い材料を供給できるベンダーが1社しかないのに、会社が大型契約を取りたいばかりに、同じ材料を別のベンダーに注文したという。その後、そのベンダーには、求めるグレードの材料をつくることができないと判明する。それにも関わらず、その「悪い材料」をなんとか使わざるを得ない。手直しのムダと材料のムダは当然の帰結だ。

③工場長の判断では、まったく使用不可のもの。
この問題への対処法を決めようとして、工場長と購買のバイヤー、加えて、できるだけ研究部門から専門家にも来てもらって、まずはミーティングを開く。彼らは次のいずれかを選ぶことになるだろう。

工場長の意見は理に適っている。この材料は使えない。ベンダーに戻す。

あるいは、

工場長が使用不可と言うのは、最終製品の要件を理解していないからだ。工場長が最終製品の要件を理解すれば、その材料が使える可能性を見出せるかもしれないではないか。

あるいは、

このトラブルは仕様そのものに根差している。そもそも、われわれが意図する最終製品の使い方に対して、いまの仕様は意味をなさない。この材料は別の用途に使うためにとっておくか、売却するか、可能ならベンダーに売り戻すことにする（通常は損失が出る）。そして、最終製品の目的に適う、良い材料を改めて調達する。

④在庫として保管されている材料や部品。以下のものがある。

1購入され、使うために保管されているモノ。実に残念なことに、在庫になっているモノは多くの場合、どこから来たのかわからない。後になって不良だったと判明することもある。つくったところがわからないため、唯一の安全策は全数検査だ。もっと良いやり方はと言えば、在庫を持たないことに尽きるが、価格の急騰や迫り来るストライキから生産を守るために例外として在庫を持つことはあるかもしれない。

②使うために購入したのだが、使わないことになったもの。例えば、ⓐ生産中止、ⓑ生産開始前に、顧客が注文を取り消した、ⓒ顧客は2000個分を契約したのだが、材料が1000個分しかなかった。顧客は1000個を使うことができない。追加調達を待っていられないとの理由で注文をキャンセルしてきた。ⓓ製品が顧客に届くのが非常に遅くなってしまった。売り時のシーズンはまもなく終わる。顧客は注文を取り消すだろう。この種の品目なら、解決策はいくつかある。1つはベンダーに売り戻すことだ。あるいは、後日改めて使う機会が来ることに望みを託して在庫として保管する。競合相手に打診する手もある。競合相手が同じ材料を探し求めているということもある。

会社の経理部門はここに述べた分類の③と④に関する正確な数字を把握している（もし把握していなかったら大問題だが、いずれ正しく把握するようになるはずだ）。だが、分類①と②から来る影響の大きさについて明確な考え方を持っている企業はほとんどない。

私の経験によれば、分類③（まったく使えない）は極めて少なく、購入品全体から見れば金額比で1%に満たない。分類②(苦肉の策で使用)が発生すると在庫総額に占める金額比で見てかなり大きくなる可能性はあるが、悪い材料を無理やり使うために費やす労力のムダに比べたら、はるかに小さいはずだ。

唯一無二、一期一会*10

あらゆるものが唯一無二、一期一会である。まったく同じものは二つとない。ほとんどの製品は唯一無二、一期一会のものと見るべきだ。実際、「原則5」で見たように、作られたものはほぼすべて唯一無二だ(一定の「ばらつき」がある)。「唯一無二、一期一会」という言葉から「家」を思い浮かべる人は多いと思う。このオフィスの床に敷かれたカーペット、あなたの家のグランドピアノもそうだ。製造現場は「唯一無二、一期一会」を生み出す「プロデューサー」だ。その製造現場が一つずつ違うものをつくっているのか、あるいは同じ規格品を200個つくっているのかには関わりなく、現実には唯一無二の製品をつくっている(出来上がった製品には、必ず「ばらつき」がある)。自動車の車種も「唯一無二、一期一会」だ。当該車種の量産が始まってしまえば、顧客が購入を躊躇うから設計を変えたいと考えても、できることはほとんどない。戦艦の建造後に型式を変えるのに比べたら、いくらか可能性はあるかもしれないが。航空機メーカーは同じデザインの飛行機を6機つくったり、37機つくったりする。しかし、同じデザインでもその飛行機はいずれも唯一無二、一期一会だ。ビル建設も同じ。ひとたび工事が始まれば、ほとんど変更できない。変更は非常に高くつく。

設備もそうだ。購入して据え付けてしまえば移設は難しく、機能変更も困難だ。家もグランドピアノもビルも自動車も飛行機も同じだ。

建造された戦艦を、どうして試験できるだろうか。

見解 読者は115ページの製造現場の話を想起されたい。

例1 飛行機のエンジンが始動した。ナッシュビル発ワシントン行の便がまもなく離陸する。離陸準備完了といったところだが、9人の乗客が通路に立ったままだ。自分の座席を探しているらしい。客室乗務員がその人たちに「どこでも構いませんから、着席してください」と懇願する。なぜその人たちは立っていたのか？ 自分の座席を探していたからだ。通路側の座席を示す座席番号の文字が小さすぎて見えにくい。それに、座席番号の横に付いている照明灯が明るすぎて却って文字を読み取りにくくしている。何百万ドルもする飛行機をつくるのに、乗客に注意を払わないとは何たることか。だが、誰かがやったことなのである。誰がそんなものを買おうとするだろうか？　だが、買った人がいるから就航しているのだ。

例2　全米の空港の大半で、乗ってきたエアラインとは別のエアラインに預け荷物を積み替えるのは一苦労だ。エアラインビジネスに詳しい人に聞いてみていただきたい。乗客が首尾よく乗り継いだとしても、荷物が乗り継げないことがある。預け荷物は遅滞なく乗客に付き従ってしかるべきだが、それを実現するには、時に航空会社に多大なコストを生じさせ、乗客にかなりの不便を強いることがある。異なるエアライン間での預け荷物の遅滞なき転送という問題を一顧もせず、空港を設計しようとする人がいるだろうか？　これぞ、空港当局が空港利用も含めたトータルコストを考慮せず、コスト削減を強いれば何が起こるかを示すものだ。

例3　図6は、ほぼ新築のホテルの例だ。廊下に設置された照明灯のせいで部屋のドアの鍵穴が暗がりになり、よく見えない。宿泊客が苦情を言ってきても、マネジャーにはなすすべもない。彼はこの問題を言わば「相続した」のである（当人の意思とは無関係に問題を背負わされた）。ホテルを建て直すなどということは、このマネジャーにはできない。宿泊客は指先の感覚を頼りにこの問題を克服する。私の知る限り、部屋に入れず廊下で一夜を過ごした人はいない。しかし、これほどまで宿泊客のことを考慮しないとは、一体、どんな建築家なのか。だが、そういう建築家が1人いた。この建物の購入者は、その建築家と同じ欠点を抱えたかったのだろうか？　だが、実際にそういう買い手が1人いたのである（第7章でさらに論じる）。

例4　コンベアベルトが床から約60㎝の高さに設置されている。料理を載せたガラス製の食器を運ぶためのものだ。あるとき、食器が落下して割れ、中身の料理が床一面に散乱する。床に落ちた料理の一部はコンベアの下まで広がってしまった。きれいに拭き取りたいのだが、大の男が高さ60㎝のコンベアの下に潜り込むには膝をついて体をねじ込まねばならない。しかも、そこには割れたガラス片が散乱している。その上に膝をつくのだ。一体、どんな設計者やエンジニアが、掃除など決して要らぬと

図6　ホテルの廊下の照明がドアの鍵穴を見えにくくしている

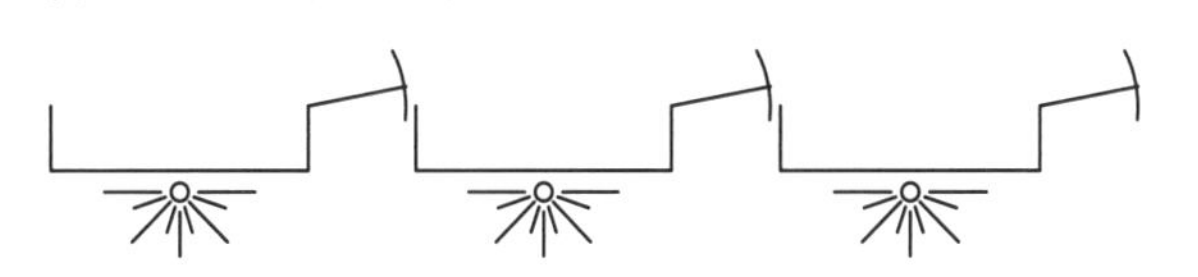

考えたのか。だが、そういうエンジニアが少なくとも1人いて、実際にそう考えたからこうなっているのである。

例5 個々の乗客向けの読書灯がない飛行機をつくりたくて建造する航空機メーカーがあるだろうか？ 飛行機は何百万ドルもする。構造設計や航空力学に関しては、しっかりした設計がなされている（と私は願う）が、航空会社が乗客の快適さとお金を秤にかけて、お金を選んでいるから、こういう機内設備になっているのだと思われる。乗客のニーズに考えをめぐらすこともせず、この種の飛行機を何機も購入するとは、一体どういう航空会社だろう？ だが、そういう航空会社が実在したから、こうなっているのだ。

第3章

死に至る病と障害物

NIKKEI BP CLASSICS / OUT OF THE CRISIS I / W. Edwards Deming/ 1. Chain Reaction: Quality, Productivity, Lower Costs, Capture the Market / 2. Principles for Transformation of Western Management / **3. Diseases and Obstacles** / 4. When? How Long? / 5. Questions to Help Managers / 6. Quality and the Consumer / 7. Quality and Productivity in Service Organizations // NIKKEI BP CLASSICS / OUT OF THE CRISIS II / W. Edwards Deming // 8. Some New Principles of Training and Leadership / 9. Operational Definitions, Conformance, Performance / 10. Standards and Regulations / 11. Common Causes and Special Causes of Improvement. Stable System / 12. More Examples of Improvement Downstream / 13. Some Disappointments in Great Ideas / 14. Two Reports to Management / 15. Plan for Minimum Average Total Cost for Test of Incoming Materials and Final Product / 16. Organization for Improvement of Quality and Productivity / 17. Some Illustrations for Improvement of Living / Appendix: Transformation in Japan

わが民は知ることを拒んだので沈黙させられる。

『旧約聖書』ホセア書、4・6

本章の狙い

第2章の14原則は1つのマネジメント理論を構成する。うまく応用すれば、欧米流のマネジメントを変えられるはずだ。不幸にも、死に至る病がわれわれの変革の行く手に立ち塞がっている。まずは、この病の深刻な影響について理解したい。われわれは、なんとしてもこの病を治さなければならない。そのためには、欧米流マネジメント（買収への恐れ、短期的利益の重視など）を一新する必要がある。

ここには病があり、障害物がある。両者を分けて論じるのは、1つには根絶の難しさという観点から考察するため、また1つには、苦しみの苛烈さという観点から考察するためだ。

Ⓐ死に至る病

死に至る病が欧米の大半の企業を苦しめている。評価の高い経済学者キャロライン・A・エミは、この病の治療は欧米流マネジメントの抜本的建て直しを求めることになると指摘した。

死に至る病の症例

①目的に一貫性を欠く。売れる製品やサービスあるから企業は生きていけるのであり、企業が存続してこそ雇用を提供できる。そこに向かって製品やサービスのプランを立て、着実に実行していくべきところ、うまくいかないのは目的に一貫性が欠けているからだ。
②短期的な利益ばかりを追求し、短期的思考に嵌っている（「一貫性ある目的をもって、事業継続をめざして歩む」の真逆）。敵対的買収の恐怖と、銀行や株主からの圧力がこれに拍車をかける。
③パフォーマンス評価、人事考課、年次レビュー。
④マネジメントの流動性。即ち、ジョブ・ホッピング（よりよい職位を求めて転職を繰り返す）
⑤いま目に見える数字だけを使って会社を動かす。知らない・知ることが出来ない数字を考慮に入れることはほとんど、あるいはまったくない。

次の⑥⑦は米国産業によく見られる症状であり、本書の範囲を超える。

⑥重すぎる医療費負担。

GMのポンティアック・モーター部門長ウィリアム・E・ホグランドが、あるとき私に「ブルークロス社はGMにとって2番目に大きいサプライヤーです。報道によると、医療費の直接的な負担は車1台当たりでは400ドルにもなります」と教えてくれた（フォーブス誌掲載「医療を求めて」という記事、1983年10月24日号、116ページ）。これを聞いた半年後、ブルークロス社が鉄鋼メーカーの医療費負担を追い抜いた、と再び教えてくれた。これだけではない。医療費負担分が鉄鋼材に埋め込まれ、モノが出来上がっていくにつれて医療費負担分が徐々に積み重なり、最終的に自動車の原価に転嫁される。健康と医療に関しては、労災休業補償（労働災害により生じた休業に支払われる賃金・給与）のような直接的費用もある。加えて、年次のパフォーマンス評価で低い点数を付けられて鬱状態に陥った社員のカウンセリング費用、アルコールや薬物のせいで仕事ぶりが良くない社員のカウンセリングと治療の費用もこうしたコストに含まれる。

⑦余計な法務コスト。成功報酬制で働く弁護士のせいで、このコストがどんどん膨らんでいる。*1

症例を概観して読者の皆さんは、死に至るこの病をもっと深く研究する準備ができたはずだ。さらに考察しよう。

①深まる病：目的の一貫性のなさ

米国産業の大部分は四半期配当に囚われて動いている。投資を守りたいなら、プロセスそのものと製品・サービスを共に継続的に良くしていくことで顧客を取り戻そうと努めるほうがずっといい（第2章の「原則1」と「原則5」）。

②短期的利益の追求

四半期配当や短期的利益の追求が、目的の一貫性を打ち砕く。四半期配当の争奪戦はどこから来たものか？　四半期配当を高く見せかけようとして、土壇場でジタバタしている。どんな力が人々をそこへ追い込んでいるのだろう？　四半期末に配当を増やすことは誰でもできる。例えば、品質などお構いなしで手持ちの在庫をすべて出荷する。出荷済みと記録して売掛金に計上すればよろしい。または、原材料や設備の発注を翌四半期に先送りする。あるいは、できるならどこまでも先送りする。研究、教育、訓練のカットもできる。そうして配当に回すのだ。

生活を配当金に頼る株主なら、現在の配当金額の多寡より、むしろ将来の配当に関心を寄せる。その人にとって重要なのは、3年後も、5年後も、8年後も、配当があることだ。短期的利益の重視は目的の一貫性と長期的成長を叩き潰す。以下に示すのは、霍見芳浩博士の寄稿記事から引用したものだ。まことに説得力がある（ニューヨーク・タイムズ、1983年5月1日付、論説［F－3］）。

米国産業が抱える諸問題のある部分は、本社幹部らの目的意識にある。米国企業の役員の多くは、金儲けのためにこの事業をやっていると考える。自社の製品やサービスはいかにあるべきか、ということよりも金儲けに……（中略）……一方、日本企業の信条は、その製品やサービスがいかなるものであれ、企業たるもの、世界で最も優れた、ムダのない提供者になろうと努めるべきだというものだ。その分野で世界をリードする存在となり、良い製品・良いサービスを提供し続けるなら、利益は後からついてくると考えるのだ。

株主に向けた年次報告書は、大抵は美辞麗句で飾られ、いわゆる「創造的会計」と一体化した美しい作品である。これに対し、コミュニティや社会のためになる新たな価値をもたらしたとアピールする年次報告書があってしかるべきと思うが、ごく稀にしかない。地域や社会を荒廃から救い出そうとするのは、マネジメントの立派な功績である。

1983年もまた、重要な役職に経験豊富なエグゼクティブを採用したことによって、あらゆる階層のマネジメントが強化された。加えて、さらなる人員削減、事業所の統合、売掛金と棚卸の効率化（回転率の向上）といった大きなコスト削減プログラムも数多く実施されている。こうした施策の目的は、検討中のものも含め、すべて営業利益を増やすことにある。

日本システムが米国システムに比べてどれほどうまく生産性向上と国際貿易に適応しているかを解き明かす論文を以下に紹介しよう。ロバート・M・カウスによる「労働組合とのトラブル」からの引用だ（ハーパーズ誌1983年6月号、22〜35ページ、特に32ページ）。

日本企業が株主の利益を最大化する組織として現れることはない。資金は銀行からの固定金利の借入で賄う。喜ばせるべき株主が存在しないから、日本企業は別の利害関係者――つまり自社の従業員――のために、思うがままの組織運営ができるのだ。ピーター・ドラッカーはこれを「大企業は『社員第一』を旨として行動する。伝統的な法律用語で言うなら、社員は『受益権者』なのだ」と見た。会社としてもっと利益に回そうと思えばいくらでも回せるというのに、労働者がその分を受益者として受け取っているのだから、労使間の信頼は自然なことだ。[*2]

敵対的買収に対する恐怖

株式公開企業はさまざまな理由で――たとえ長期計画に基づくものであったとしても――株価が下落することがある。株価が下がれば敵対的買収の恐怖に怯えて暮らすことになるかもしれない。業績が良すぎても同じ危険がある。敵対的買収への恐怖は、目的の一貫性を妨げる最重要障害物のなかでも一番に挙げるべきものだろう。敵対的買収に加えて、同じくらい破壊的なレバレッジド・バイアウトもある。いずれも征服者は配当を強く求め、被征服者にとって辛い結果をもたらす。

米国企業は、かくの如き略奪の支配下にいつまでも置かれ続けなければならないのか？

紙の上の起業家精神は米国経済低迷の原因であり、結果でもある。紙の上の利益は紙の上の管理の専門家であるマネジャーにとって使い易いというだけのものに過ぎない。その人たちは、組織の頂点に孤立して座っている。困ったことに、その組織ときたら時代遅れの生産方式に合わせてデザインされている。現下の世界経済の中で米国が立っている場所を思えば、そんな旧いやり方はもはや適切ではないのにも関わらず。同時に、紙の上の利益を追求せよと執拗に迫る圧力は、本物の利益の源泉たるべき生産基盤の変革という重要で困難な仕事から人々の関心とリソースをそらしてしまう。このことが、断固実現されるべき変革を遅らせ、将来にわたって変化を起こすことを一層困難にしてきたのだ。このように、紙の上の起業家精神は一種の自己増殖的性質を持っているため、放っておけば、その自己増殖的性質が国家をさらなる衰退へと追い込む（ロバート・B・ライシュ「米国の新たなフロンティア」、アトランティック誌1983年3月号、43～57ページから引用）。

銀行は、やろうと思えば企業の長期的なプランニングを助けることを通して、自分たちに託された資金（企業へ融資したお金の原資は顧客から託された預金である）を守ることもできるのに、そういうことはしない。米国の現実はむしろ逆だ。こんな具合である。

銀行の人「ジム、いまは品質や将来の話をしている場合ではない。話すべきはまずコスト削減、工場閉鎖、給与カットだ」

もちろん、長い目で見れば、企業買収が2つの会社の業務を統合することで産業全体のムダを省き、最終的にはそこで働く人々の福祉に貢献できる可能性もある。しかし、それでも買収は人々に厳しい。突然、失職の危機に見舞われる。日本企業同士が統合することもあるが、その際、おそらくマネジメント層の少なからぬ人々が自分の給料を減らしてでも、なんとかして社員の面倒をみようとする。

③パフォーマンス評価、人事考課、年次レビュー

米国では多くの企業が人を評価するシステムを持っている。大抵は管理部門や研究開発部門の全員が１人ひとり、毎年上司から点数を付けられる。行政機関の中にも似たようなシステムを持つ組織がある。「目標によるマネジメント（ＭＢＯ）」も同じ邪悪さに通じる。「数値によるマネジメント」も同じだ。「恐怖によるマネジメント」と呼んだほうがいいとドイツ在住のある人が指摘した。その影響は破壊的だ。

こうした評価のやり方は、短期的なパフォーマンスの養分にはなるだろうが、長期的プランニングに壊滅的打撃を与え、恐怖を育て、チームワークを粉砕し、対立関係と社内政治に油を注ぐ。

それはまた、人々を苦しみの中に置き去りにする。人事評価を受けた後の数週間は、自分の評価がなぜ劣っているのか理解できないと思い、仕事に集中できないことがある。憤慨、落胆、傷心、叩きのめされた気持ち、悲しみ、失望、意気消沈、劣等感といった感情に囚われ、鬱状態に陥ることさえある。同じグループで働く人々の間

に生じるパフォーマンスの差異を個人の責任に帰すのは不公平だ。人は「システム」の中で働いている。パフォーマンスの差は、総じてその「システム」自体によって引き起こされているのかもしれないからだ。

そもそもの間違いは、パフォーマンス評価や人事考課が最終製品に焦点を合わせていることだ。最終製品に焦点を当てるとは、即ち、社内の仕事の流れの最も下流に位置する場所を見て評価するということだ。人々を助けるリーダーシップにまったく目を向けていない（リーダーシップが活かされるべきは、もっと上流においてである）。「人の問題」を避けたいからこうしているのか。これではマネジャーが実質的に「不良を管理する人」になってしまう。

人事考課という発想は魅力的だ。その言葉の響きは想像を掻き立てる。成果に応じた報酬を支払い、あなたは支払いに見合ったものを得る。自分のためにもなるのだからと思えば、人々は全力を尽くそうという気持ちになるはずだ。

だが、現実の結果はその言葉が約するものとは真逆だ。全員が前へ前へと自身を駆り立てる。少なくとも、前へ出ようと努める。自分自身のため、あるいは自分の生活のためだ。こうなれば組織の負けである。

人事考課は、「そのシステムの中で」良い働きをした人に報奨を与える。「そのシステム自体」を良くしようとする努力に酬いることはない。「ボートを揺さぶらないでください」というわけだ。

トップマネジメントの誰かが工場長に対し、来年度は何を達成したいかと問うても、工場長は会社の方針（数値目標）をそのまま返してくるだけだ（フォードのジェームズ・K・バッケン）。

さらに言うなら、人事考課はパフォーマンスの予測指標としても意味がない。ただし、人々がその中で働く「システム」の責に帰すべき「ばらつき」の外側に落ちた人がいるなら（統計学的な管理限界を超えたところにいる人）、その人たちは例外だ（後続ページを参照）。

従来型の評価システムは、人々のパフォーマンスの「ばらつき」を増大させる。問題は「この評価の枠組みは正しく、それゆえ評価結果も正しい」という暗黙の思い込みにある。そこで何が起きるかと言えば、こうなる。平均以下の点数を貰った人は、平均以上の点数を取った人を見て、自ずと「なぜ違いがあるのか？」と思う。そして、平均以上の人の真似をするようになる。結果はパフォーマンスの低下だ。[*3]

レーガン大統領は1983年春に素晴らしいアイデアを思いついた。今後、公務員の昇進は成果次第とする。ただ、問題はパフォーマンスの意味のある評価方法を定義する難しさにあった。唯一検証可能な方法は、ある種の短期的な数字だけだという話に落ち着いた。数カ月内に、レーガンは同じ誤ちを繰り返すことになった（ワシントン・ポスト1983年5月22日付、1、6ページ）。

学校を改善する方法として成果主義が提案される

［ニュージャージー州サウス・オレンジ、5月21日ファン・ウィリアムズ記者］

本日、レーガン大統領は国内有数の教師組織とこの地で会い、公立学校は失敗している、連邦予算を追加することなく学校を改善する1つの方法は、年功序列に代えて、成果に応じて教師に給与を支払う制度を始めることだと述べた。

これは大半の教師グループにとって憎悪の対象だ。彼らは、教師の質を測定する正確な方法はなく、生徒のテストの点数のような従来型の数値化はミスリーディングだと主張している。

大統領の経済顧問団はどこにいたのだろう？　大統領は最善を尽くしたに過ぎない。

危険な慣わし

（ヴァージニア・ウィークリーからの引用、ワシントン・ポスト１９８４年４月12日付、１ページ）。

警官の勤務評定には、交通違反切符総数も影響する

マイケル・マルチネス記者

警察当局は、評価プログラムはノルマを課すものではなく、その代わりに「仕事のやり方」と「ムダを省く働き方」を教える指導警官が、街をパトロールする警官に付いて回って導くという。しかし、異を唱える警官もいる。標準に合わせよというプレッシャーが、通常なら警告だけで済ませるはずのドライバーに違反切符を切るよう強いる。もっと大切な警官としての本来の職務の妨げになるというのだ。

ヴァージニア州アレクサンドリア市では、市警交通課のパトロール部隊に所属する32人の警官が、当月に切った駐車違反と交通違反の切符の枚数に基づいて、「極めて良い」「要求水準以上」「要求水準通り」「要求水準以下」という区分に仕分けられるという。月に交通違反切符を25枚以上、かつ駐車違反切符を21枚以上切れば、当該警官は「極めて

良い」という評価を得る。

　アレクサンドリア市警の警部補ウィリアム・バンクスは、このパフォーマンス基準は、市警全体の新たな評価システムの一部として、昨年9月に警官とその上司が合意したものだと言う。いずれ全警官が同じような基準に従うことになるだろう、とバンクスは述べた。

　同州フォールズ・チャーチ市警の警部補ポール・ルーカスは、当該部門は年間予算に定められたゴールの数字に合うように働いていると言う。交通違反切符に予め決めた目標枚数があるのだ。1984年度は、この部門は飲酒運転違反551件、速度違反2592件、その他の交通違反3476件の切符を切るよう努めることになる。ルーカスは「これはノルマではありません。部門のゴールです。個人のゴールではありません」と言った。

数値化という名の退行

パフォーマンス評価の主な影響の1つが短期的思考と短期的成果偏重の助長だ。評価される者は見せるべき何かを持たなければならない。上司は数字に追い込まれている。数値化は安易な方法だ。意味のある評価法を工夫しなければならないという難題からマネジメントを解放するのが数値化である。

気の毒なことに、数値化によって評価される人々はワークマンシップの誇りを奪われた状態で働くことになる。例えば、1人のエンジニアが一定期間内に設計する件数を評価指標と定めたとしても、ワークマンシップの誇りを具現化する機会を「いかに与えないか」の指標の1つの例になるだけだ。そのエンジニアが「設計を終えたら、その時点ですぐにその設計をよく見直し、必要に応じて修正すべきだ。そのための時間を取ります」と明言することはない（内心ではそうすべきだと思っていたとしても）。そんなことをしていたら、設計の件数を稼げないからだ。

同じように、研究開発部門の人々は開発した新製品の数で評価される。彼らは「新製品の生産立ち上げを見届けるまでプロジェクトに留まりたいとは敢えて言いません。そうしようと思えばできますが、そんなことをしていたら評価が下がりますから」と言う。

組織の運営方法や構造そのものを継続的に良くしていくことに寄与する部下たちの努力と能力に対して、上司がその功績を認めたいと考えたとしても、その部下たちの昇進を推挙するには具体的な証拠（つまり、数字）が要る。

連邦調停局の調停人が教えてくれたのだが、彼の評価はその年に出席する調停会議の件数によって決まるという。「そこで、例えばフォードと全米自動車労働組合（UAW）の間の交渉の会議を、1回のミーティングで問題をすべて解決できるとわかっていたとしても、敢えて3回まで引き延ばせば自分の評価を高めることができる」と彼は言った。

評価指標としての「出席した会議の件数」は、調停の成立件数を考慮に入れることによって、ある程度補正される。だが、依然として油断できない。どのような結果であれ、調停の成立は成立だ。調停の結果、1つの会社を当該事業からの撤退へ追い込んで労働者を欺くことになるかもしれないし、あるいは喜ばしくもその会社が立ち直って永続的に米国の人々の利益となるかもしれないが、いずれにせよ「成立した調停」としてカウントされるのである。

合衆国郵便公社（USPS）の調達担当者が私に教えてくれたことがある。彼女はその年の調達成約件数で評価されるという。その際、どの契約も必ず最低価格で締結しなければならないとされている。「長期契約の交渉には時間がかかります。当年の自分の成約件数を減らすことになりますよね」と彼女は言った。

このような指標は馬鹿げているが、米国の産業と行政のいたるところに存在する典型的なものだ。

調達部門の人々が成約件数で評価されているうちは、生産で生じる問題や自分たちの調達のやり方のせいで生じる損失について学ぶために時間を取ろうという気持ちにはなれない。

新製品や新たなサービスの開発に従事する人々を正しく評価したいなら、賢明なマネジメントが欠かせない。その新製品や新たなサービスは、今後5年から8年の間に新たな事業を生み出し、人々の暮らしに物質的な豊かさをもたらす可能性があるとしよう。そういう仕事に深く関与している人は、教育の変化、ライフスタイルの変化、都市部への人の流入・流出といったことを調べようとする。そこで、米社会学会（ASS）、米統計協会（ASA）の事業部門、全米マーケティング協会（AMA）などの集まりに参加する。さらに専門的な論文を書き、そうしたミーティングで発表しようとするだろう。すべては将来の製品やサービスのプランニングに必要なことだ。だが彼は今後数年間、自分の働きの成果として示すことができるものを持てないと思われる。賢明なマネジメントがなければ、その間にも、短期プロジェクトに従事している人が高評価を得て彼を置き去りにするだろう。

何がチームワークを窒息させるのか

スタッフ部門の人々が会社のために一致協力して働くのは難しい。それはなぜか。パフォーマンス評価がその理由を解き明かすと私は信じる。スタッフ部門の人々には会社全体のためになるように、一致協力して働いてほしい。だが、実際には、彼らは「会社全体のため」というよりむしろ「私が主人公」という姿勢で働き、会社に打撃を与えている。チームとして優れた仕事をすれば会社のためになるが、チームの成員個々にとってそれは「自分の成果」として示せるものを減らすことに繋がる。チームについて問題になるのは、「誰が何をしたか」をはっきりさせるのが難しいという点だ。

現在の評価システムの下で調達部門の人々が「生産のために」購入品の品質を改善することに興味を持つのは難しい。サービスの調達、工具の調達、その他、生産以外の目的で調達する諸々についても同じだ。調達の人たちに、自ら関心を持って品質改善に取り組んでもらうには、生産部門との協力が必要だ。しかし、そんなことをしていたら、調達部門の生産性が落ちてしまう。前述の通り、調達部門はしばしば「年間1人当たり調達成約件数」で評価される。しかも、調達したモノやサービスの出来不出来が考慮されることはない。何がしかの成果が出たとしても、生産部門の人々の手柄になるだけで、調達の人が褒められることはない。成果が出なくても同じだ。調達部門には関係のない話である。

そのようなわけで、切望されているはずのチームワークは、年次評価の下では豊かに花開くことはできない。恐怖は人を捉えて離さない。「気をつけよ。リスクを冒すな。大勢に逆らわず、自分の仕事を進めよ」と人々を追い込む。

あるセミナーで聞いた話

火消しで高い評価を得る人がいますね。成果は明らかで、数値化もできます。あなたが最初から正しく仕事をやっていたら問題（火災）は起きませんが、あなたの功績は見えない。あなたは要件を満たしているのですが、「それが君の仕事だ。できて当然だ」と言われるだけです。何かまずいことをやって、後になってからそれを正すとヒーローになれます。

あるプロジェクトで2人の化学者が共同研究し、成果を1本の学術論文として書き上げる。論文はハンブルグの学会に受理された。だが、前例によれば論文発表のためにハンブルグへ行けるのは2人のうち1人だけだ。つまり、2人のうち1人だけが論文発表によって高い評価を得るということだ。低い評価を受けるもう1人は、二度と他の誰かと協力して研究しようとは考えないだろう。

その結果：誰もが自分のことを最優先に考えるようになる。

その会社の化学者たちは学会発表に行ける人の数には限りがある場合があると理解できるはずだ。そこで、誰が学会発表に行くかを化学者たちに決めさせればよいのである。化学者たちは公正なやり方で自分たちが順次学会発表に行けるように決めていくだろう。

米国のマネジメントは新しい技術に高い評価を与える。この組織の「システム」には新しい技術以外にも大切な領域が沢山あるのに、マネジメントの評価のやり方が、そうした（マネジメントから見れば地味な）領域で働くのは価値がないと社員たちに感じさせている。

設計が終わってから、「改善を提案してください。報奨を出しますから」と言い出し、社内委員会がその提案を審査する。しかし、優れた提案が却下されることもある。今となっては実施にコストがかかり過ぎるからというのがその理由だ。もっと上流の、早い時期だったら検討の余地があっただろうに、実に惜しい。改善を求めるべき「正しい時期」は、開発の初期段階なのである。

ここに見る通り、評価システムは、品質を良くしてコストを下げる優れたアイデアの実現を逸するリスクを孕んでいる。加えて米国では改善を提案した当人が審査会に出席することはなく、審査会が個々の提案の意義と可能性をよく理解できないこともしばしばだ。

日本では、提案はグループで検討される。当然ながら提案者はグループの成員だから、必ずその場にいる。何を決めるのも、誰か1人の判断に委ねるのではなく、グループで決める。グループは「会社のために何がよいか」を考え、やがて結論に達する。全員の合意を得て決めたからには、グループのために1人ひとりがそれぞれ自分のベストを尽くせるように、皆で力を合わせて励む。反対する者や全力を尽くさない者は、他のグループや他の業務にその人なりの活躍の道を見つけることになろう。

パフォーマンス評価が恐怖を育てる。部下は、上司のアイデアや決定や論理に疑いを持っていると思われかねない質問は、怖くてできない。こうした駆け引きが社内政治の1つになる。上司から見た「正しい側」に、常に立っていなければと考える。別の視点や疑義を呈する者は、裏切り者と呼ばれたり、チームプレイができていないと言われたり、自分だけ目立とうとしていると非難されるリスクを負う。「イエスマンであれ」ということだ。

多くの米国企業では、給与やボーナスの最高レベルは青天井である。若者がいずれはそういう地位に到達したいと願うのは、人間の性というものだ。そういう職位に辿り着く唯一の道は、毎年着実に昇進し続けることである。野心に燃える者は、自分の持つ知識が何であれ、それをもって会社のためになるよう働く方法を探そうというのではなく、高い人事評価を得る方法を探し求める。一度でも昇進に失敗したら最高レベルに到達できない。別の誰かがそこへ到達することになる。

敢えてリスクを取りたい人はいない。手順を変えるな。変えたら仕事がうまくいかなくなるかもしれないではないか。それでも手順を変える者がいたとしたら、その人に何が起きるか？自分の身は自分で守らなければならない。大人しいままでいるほうが無難である。

マネジャーも、評価システムの下にあっては、配下の部下と同じだ。会社のためではなく、自分の昇進のために、個人として働いている。自分のために好い成績をとらねばならない。

マネジャーの発言（部下に向かって）「他のグループに協力するな。君たちの時間はわれわれのプロジェクトの所有物なのだ」

年次評価が廃止されたら、誰もが安堵のため息を洩らすに違いない。

じっくり考えるべき問題——

1自分で自分を評価せよというのか？　どうやって？どんな方法、どんなクライテリアがあるというのか？　評価の目的は何か？

2他の誰かを評価するとしたら、何を見るべきか？　その評価は当人の今後のパフォーマンスの予測にどのように役立つのか？　a今後とも現在の業務を担当してもらう場合、bもっと上位の他の業務（もっと多くの責任）に就いてもらう場合のそれぞれで、その人の将来のパフォーマンスの予測に役立つか？

第2のアーヴィング・ラングミュアは生まれるか？

年次評価というハンディキャップを背負ったままで、米国は第2のアーヴィング・ラングミュア（ノーベル賞受賞者）やW・D・クーリッジ（X線管の発明者）を生み出せるだろうか？　2人ともGEで働いていた。また、シーメンスは創業者エルンスト・ヴェルナー・フォン・シーメンスのような傑出した人物を再び世の中に送り出せるだろうか？

80人の米国人ノーベル賞受賞者にはいずれも終身地位保障があり、生活に不安がなかったことは注目に値する。彼らが責任を負うのは自分自身に対してだけであった。

公正な点数付けは不可能

広く行き渡っている誤解の1つが、「人に点数を付けることは可能であり、前年の成果に基づいて人に点数を付けて点数の高い順に並べれば、来年の成果をよくするために何らかの効果があるはずだ」という前提に立つことだ。

人のパフォーマンスはさまざまな要因が結び合わさった結果である。要因とは、その人自身、共に働く周囲の人々、担当している仕事、その仕事の対象であるモノ（材料・部品・ワーク）、その人が使う設備、顧客、その人の上司である管理者や監督者の考え方と行動、環境条件（騒音、混乱、社内食堂の不味い食事等々）などだ。こうした力が働いて、1人ひとりのパフォーマンスに信じられないほどの違いを生み出す。実際、後段で見ていくように、人によって明らかに違う結果が生じたとしても、当人のせいではなく、ほとんどは人々がその中で働いている「システム」の機序から来ている。昇進できなかった人は、自分のパフォーマンスがなぜ他の人より低いのか理解できない。理解できないのはもっともだ。その人に付けられた点数は、くじ引きと大差ないようなものだったのだ。それなのに、人は評価を真剣に受け止める。実に気の毒なことだ。

以下に示す、数字を用いた例が、作業をする人の間にかなり大きな差異が生じたとしても、それは「システム」の機序に帰すべきものであり、人のせいではないということを解き明かすはずだ。抜群のパフォーマンスは個人の能力のおかげという可能性もあるが、それは、正しい統計的計算を通して、その人が「『システム』から来る『ばらつき』の範囲外にいる」のか、それとも「『ばらつき』の新たなパターンを示しているだけ」（246ページ）なのかを判定して初めてわかることなのだ。

ここで、現実の「システム」が生み出す人による差異は、以下に示す例よりもずっと大きいということを強調しておかなければならない。この例は、「ばらつき」の発生原因を内包した1つの「システム」をうまく疑似体験できるように設定したものだからだ。

例1　わかりやすくするため、6人に簡単な実験に参加してもらう。1人がまず赤いビーズと白いビーズ（合計4000個）をかき混ぜる。この中には赤いビーズが20％含まれている。目隠しをして50個を取り出した後、再びかき混ぜて次の人に渡す。以上を順次全員にやってもらう。目的は白いビーズを選ぶことだ。ここでは「顧客は赤いビーズを拒否する」と仮定している。結果は以下の通り。

表

名前	赤いビーズの数
マイク	9
ピーター	5
テリー	15
ジャック	4
ルイーズ	10
ゲリー	8
合計	51

6人にほぼ同じ物理的状況で作業してもらうのは難しいが、見たところ、この6人はよく「ばらついた」結果を残してくれた。

さて、ここで統計理論の助けを借りて考えてみよう。まず、この「システム」から偶発的に生じる「ばらつき」に帰すべき範囲を計算する。この計算は、平均値と、「人と赤いビーズの取り出しはすべて独立事象である」という仮定に基づくものだ。

以下の計算に馴染みのない読者は、第11章をご一読いただきたい。あるいは良い先生を探すか、第11章の末尾に挙げた参考文献を参照されるようお勧めする。

$$\bar{x}=\frac{51}{6}=8.5$$ （1人当たりの赤いビーズの平均数）

$$\bar{p}=\frac{51}{6\times50}=0.17$$ （赤いビーズの平均出現率）

「システム」に起因する「ばらつき」の範囲の計算

$$\left.\begin{array}{l}\text{上方管理限界}\\\text{下方管理限界}\end{array}\right\}=\bar{x}\pm3\sqrt{\bar{x}(1-\bar{p})}$$

$$=8.5\pm3\sqrt{8.5\times0.83}$$

$$=\begin{cases}16\\1\end{cases}$$

6人が、自分たちがその中で働いている「システム」から生じ得ると計算された「ばらつき」の範囲に収まっているのは明らかだ。これらの数値を見る限り、今後ジャックがテリーよりも優れた結果を出すと言える証拠は何もない。したがって、皆同じように昇給を受けるべきだ。もちろん年功による基本給の差はあるかもしれないが、皆が昇給を受けるという意味は変わらない。

テリーは赤いビーズを15個も取り出したのに、ジャックが4個しか取り出さなかったのはなぜかと原因を追究したところで時間のムダになるだけなのは明白だ。さらにいけないのは、その原因を探ろうとする者が現れて答えを見つけ出すことだ。実際に対策を打つとなお悪い。よかれと思ってだろうが、その対策は却って状況を悪化させるだけなのである。

一方、マネジメントにとっての課題は、全員が白いビーズをもっと多く、赤いビーズをもっと少なく取り出せるよう、「システム」そのものを改善することだ（第II巻第11章を参照）。

例2（フォードのウィリアム・W・シェルケンバッハが提供してくれた事例）

あなたはマネジャーで、直属の部下が9人いる。この9人は基本的に同じ職務責任を持っている。各々の昨年のミスの件数は以下の通り。次にミスを犯す可能性は皆ほぼ同じであった。

表

名前	ミスの件数
ジャネット	10
アンドリュー	15
ビル	11
フランク	4
ディック	17
チャーリー	23
アリシア	11
トム	12
ジョアンヌ	10
合計	113

注 ここでの「ミス」は、帳簿の記帳ミス、図面のミス、計算ミス、組立作業員のミス等。

ここで、評価と昇給の推薦について考察する。誰に報奨を与え、誰にペナルティを科すのか？まずは、彼らが働いている「システム」から来る影響の範囲をはっきりさせる必要がある。計算は次の通り。

$$\bar{x} = \frac{113}{9} = 12.55$$

「システム」に起因する「ばらつき」の範囲の計算

$$\left.\begin{array}{l}\text{上方管理限界}\\\text{下方管理限界}\end{array}\right\}=12.55\pm3\sqrt{12.55}=\left\{\begin{array}{l}23.2\\1.9\end{array}\right.$$

9人のうち、計算された範囲の外にいる者は1人もいない。9人の間に明らかな差があるが、すべては「システム」の残りの部分の機序によるものと考えられる（訳注：「システム」の残りの部分とは、まだ深く調べていない部分があるという意味）。したがって、9人全員が社内規定に基づいて昇給を受けるべきである（250ページ）。

注 上記2例の数値は合成指標からも算出できる。

例3（GMのロナルド・モーエンが提供してくれた事例）

このプロセスは設計の仕事の流れのなかのある部分、「依頼」を取り出したものだ。

1 依頼が来る（製品技術者に仕事として割り当てる）。

②製品技術者が図面を描き上げる。

③製品技術者が図面をリリース・エンジニアに渡す。リリース・エンジニアはそのまま受け入れるか、設計の変更を求める。変更を求められたら、製品技術者は①から③のステップを繰り返す。

④リリース・エンジニアが図面を受け入れる。

あるプロジェクトの開発の過程で、同じ部門に所属する11人の製品技術者がそれぞれ図面を変更した回数をプロットしたのが図7だ。変更の発生は独立事象であると仮定すれば、管理限界は以下のように算出できる。11人全員の変更回数は計53回、平均は4・8回である。

$$\left.\begin{matrix}\text{上方管理限界}\\\text{下方管理限界}\end{matrix}\right\} = 4.8 \pm 3\sqrt{4.8} = \begin{cases} 11.4\ \text{（12に切り上げ）} \\ 0 \end{cases}$$

11人のうち管理限界の外にいる人は1人もいない。この数字だけから、11人のなかで来年、「他

図7　製品技術者11人が1年間に図面を変更した回数を示すチャート
横軸は名前をアルファベット順に並べて付けた番号。管理限界から外れている者はいない。したがって、全員が「システム」の中にいる人である（ロナルド・モーエン）。

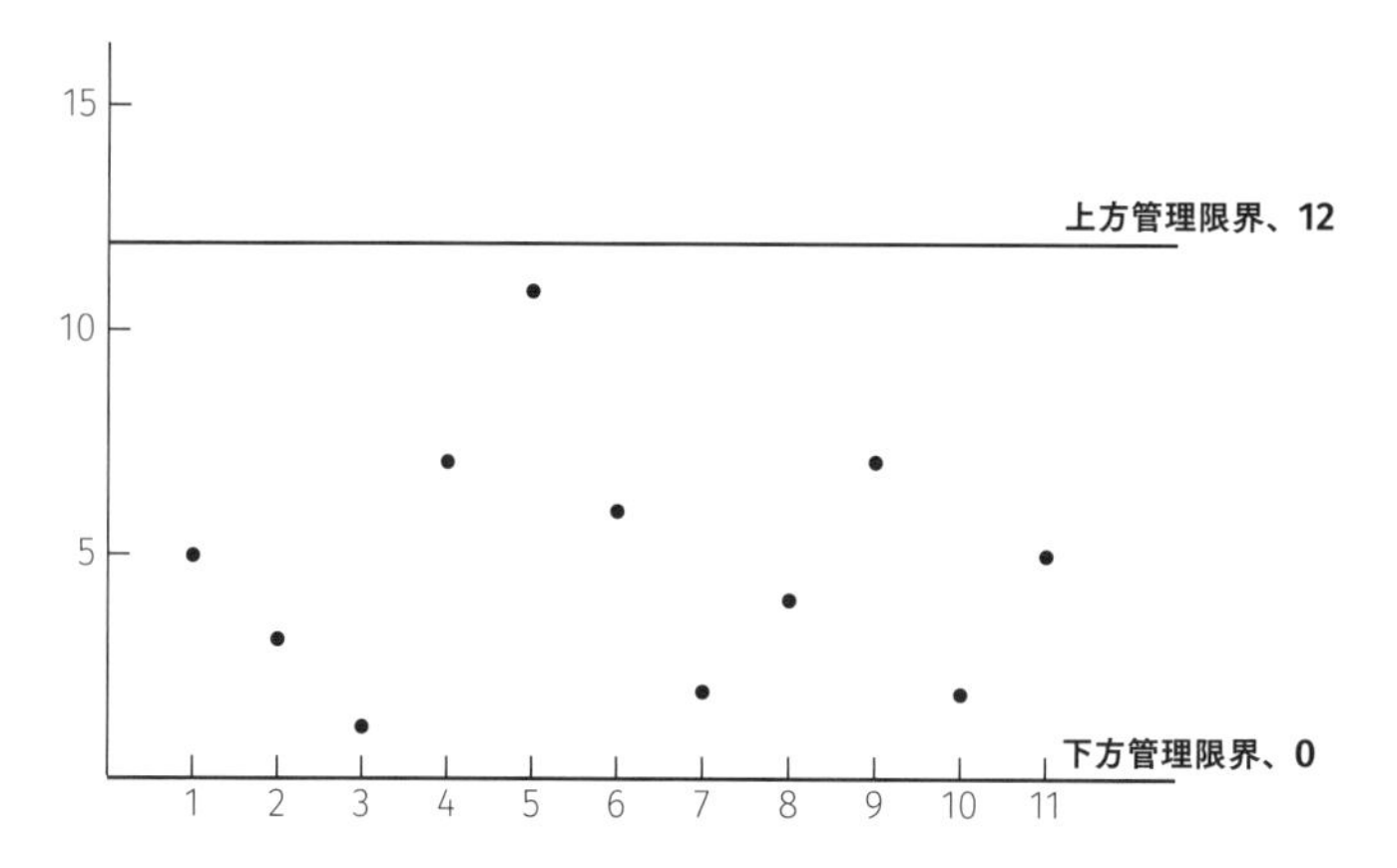

の人より変更回数が少なくなる」と予測される者は1人もいない。全員が同じように昇給を受けるべきである。図面の変更を求められた理由は皆同じであった。

図面を変更した理由：そもそも難しい依頼、特別な依頼、新製品の依頼、今までに見たこともない新たな依頼。リリース・エンジニアが優秀だった。

リーダーシップについて再び論じる

計算から導かれる「システム」に起因する「ばらつき」の管理限界の外にプロットされる人は、誰であれ「システム」の外側にいる人である。優れたリーダーシップは可能性のある原因を追究することを求める。「システム」に起因する「ばらつき」の管理限界の外にプロットされた人がいて、それが「良い方向」に外れていたのなら、「その人のパフォーマンスは今後も良いはずだ」と予測する合理的な根拠が存在するということだ。つまり、その人は高い評価に値する。

「システム」に起因する「ばらつき」の管理限界の外にプロットされた人がいて、それが「悪い方向」に外れていたら、その原因は恒久的なものである場合もあれば、一過性のものという場合もある。仕事を覚えられない人もいる。そうであるなら、恒久的な環境の例を1つ示すことになる。会社はその仕事のためにその人を雇ったはずだ。今後、その人を正しい仕事につける道義的責任が会社にはある。同じように、自分の健康への不安や、家族のことで悩んでいる人がいて、仕事ぶりがどうも良くないということもあるだろう。そのような場合には、カウンセリングによって自信とパフォーマンスを取り戻せることがある。

作業員らに過度に難しい材料を送り付け、これでなんとかしろと強いる「システム」もある。そういう「システム」は作業員を管理限界の「悪いほうの」外側に放り投げているも同然だ。そんなひどい環境（仕事をしてもらうためのしくみ）が誰にも気づかれぬまま続いているのに、怖くて不満を訴えることもできないその人（管理限界の外側に放り投げられた人）が、材料について語ることはない。自分の設備が壊れている人も同じだ。そのトラブルが何であるかを知る者が1人もいなければ、あるいは、知っていたとしても誰も何の手も打たないとしたら、その人の「点数」は年を追うごとに管理限界の外の「悪いほう」に寄る一方になってしまう。

眼鏡の必要は一過性の環境の1つの例と言えよう。管理限界から外れている人を眼科へ行かせることで比較的簡単に変えることができる（第8章に示す11人の溶接工の例を参照。第Ⅱ巻23ページ）。

同じパターンの再発はどういうことか？

ここでわれわれが論じているのは、明らかな差異というものは、ものすごく大きな差異であったとしても、そのほとんどは「システム」が内包する確たる原因によって引き起こされていると見てよいということだ。繰り返して言うが、現実の「システム」は、本書の例示よりも、もっとずっと大きな「人によるパフォーマンスの違い」をつくり出す。

他の人より一貫して高い評価を受け続けている人もいれば、一貫して低い評価を受けている人もいる。例えば、7期（7年）連続で同じ高順位を維持しているといったことだ。7期も同じ高順位を維持しているのだから、「実際にその人が抜群に優れているのだ」と結論づけたくなる。ただし、そのパフォーマンスの指標がどんなもので、意味のある指標なのか否かという点に目配りしていないこともあるから要注意だ。パフォーマンスの指標が意味のあるものであったら、おそらく20年後に「本物のすごい人」として誰もが認めるようになると期待できる。「一定期間に1人のエンジニアが作成する図面の枚数」といった数字は、エンジニアがワークマンシップの誇りを実現する機会を一切与えない「間違った指標の例」となることを想起されたい。

抜群のパフォーマンスを見極めるのに役立つ基準は、なんといっても「毎年毎年、本物の改善を実現しているか」に尽きる。7期以上、自身のスキル・知識・リーダーシップを改善し続けてきたなら、「抜群に優れている」と認めていい。換言すれば、逆に7期以上不振を続けている人がいたら、その人には支援が必要だ。

とはいえ、これらはすべて単なる夢物語とも言える。ある集団が7年以上もずっと同じ職務に留まり続けるなどということは、現実にはほとんどないからだ。しかし、もっと短い「一定の期間」で見極めがつく場合もある。生産現場で働く人々についてなら、より短い期間で自然に見極められる。生産現場なら少なくとも週次の生産実績のデータがある。7週間以上連続して同じパフォーマンスの順位を示していれば、信頼に足ると見てよい。

「何から何まで悪いわけではない」

パフォーマンスの年次評価の廃止が遅々として進まないのは、トップマネジメントが遅らせているからということが結構ある。「(年次評価は)何から何まで悪いわけではない。なんといっても、私をこの地位に就けてくれたのだから」という当たり前の事実に逃げ込むことで、どこまでも先延ばししようとする。これは陥りやすい罠だ。「私が共に働いているのは全員が高い地位にいる優れた人たちだ。共に働き、議論するに足る人ばかりである」というわけだ。なるほど、彼が高い地位に上り詰めることができたのは、毎年年次評価でトップの成績をとってきたからだろう。しかし、彼以外の人たちはどうなったのか。彼は死屍累々の廃墟を踏み台にして昇進してきたのだ。

こんな苛烈なやり方は、もう捨てるべきだ。もっと良いやり方があるのだから。

いま求められるリーダーシップの原則

本書は随所でリーダーシップの新たな姿を描いているが、ここではその基本的な考え方、原則を提示する。現在の年次パフォーマンスレビューを、ここに示す原則を応用してリーダーシップで置き換えていただきたい。まずは会社としてリーダーシップの教育を実施すべきだ。その後ならば、年次パフォーマンスレビューを廃止できる。年次評価をリーダーシップで置き換え、リーダーシップの位置付けを会社としてはっきり示す。これはそもそも欧米流マネジメントがずっと以前から取り組んできてしかるべきものであったのに、やってこなかったことである。

年次パフォーマンスレビューは蛇が這うようにして忍び込み、やがてどの会社もやっている普通のものになった。人の問題に正面から向き合う必要がないから広まったのだ。点数を付けるだけなら簡単だ。成果だけを見ていればいい。しかし、欧米の産業に必要なのは成果を良くする方法だ。以下に提言を示す。

1リーダーシップ教育を創設し、リーダーシップの責務、原則、方法を定めよ。

2そもそも良い人を選ぶべく、慎重に人選せよ。

3人選の後、よりよい訓練と教育を実施せよ。

4審判ではなく、リーダーを育てよ。リーダーは共に働く仲間であり、日々の仕事のなかで部下の相談に乗り、部下を導いて、部下から学び、部下と一緒に成長する人である。チームの成員は、誰もが品質をよくするために励む。その際、193ページの図5に示すシューハート・サイクルの4つのステップを1つずつしっかり踏んで進むよう、指導しなければならない。

5リーダーは部下の1人ひとりをよく見て、それぞれがa「システム」の管理限界から「良い方向」に向かって外れているのか、b「システム」の管理限界から「悪い方向」に向かって外れているのか、c「システム」の管理限界の中にいるのか、を見定める必要がある。そのために必要な計算（242ページの解説や、第II巻第11章の解説等を参照）は、パフォーマンスの測定に数値を使っているなら実に単純である。統計学的に「システムの中にいる人々」を、（「抜群」から「不可」までといった具合に）ランク付けすることは、科学的論理に反しているだけでなく、方針として破滅に導く拙いやり方だ。このことは本章と第

11章からはっきり理解していただけると思う。

数値データがなければリーダーが自分の主観で判断しなければならない。リーダーはじっくり時間をかけて部下の1人ひとりに向き合うことになる。部下はこうした対話を通して、自分にはどんな種類の助けが必要なのかを理解していく。優れたパフォーマンスの証として疑問の余地のないものもあるだろう。特許や論文出版、講演依頼などだ。

「システム」の管理限界から「悪い方向」に向かって外れている人には個別の助けが必要だ。ここまでにも本書で例を見てきた。後続の各章でも紹介していく。

「システム」の管理限界から「良い方向」に向かって外れている「極めて優れた人」に金銭の報奨を与えることもあるだろうが、人は金銭よりも承認欲求が満たされたときに、より強く動機づけられるものだ。お金以外のそうした褒賞を欠いたまま金銭の報奨のみを与えれば逆効果になる。
⑥「システム」を構成するグループの人々（すなわち、管理限界の範囲内にいる人々）は、全員が会社の昇給規定に従う。例えば年功序列制だ。グループ内の人をランク付けしてランクに応じて昇給させるようなことをしてはならない。前述の通り、同じ「システム」の中にいる人々を1番、2番、最下位といった具合にランク付けするのは、そもそも間違い

だ（会社の業績が悪いときは、誰も昇給しないことがある）。

7少なくとも年に1回は、社員1人ひとりと3〜4時間かけてじっくり話し合わなければならない。部下を責めるためではなく助けるためであり、個人として持っているさまざまな側面をより理解するためである。

8パフォーマンスについての数字を、「システム」の中にいるグループの人々をランク付けするために使ってはならない。むしろ、リーダーが「システム」そのものを良くするのを助けるために使うべきだ。これらの数字がリーダー自身の弱点をリーダー本人に教えてくれることもある（コロンビア大学マイケル・ドーラン、1986年）

「システム」自体を良くすることは、全員を助けることになり、パフォーマンスの「ばらつき」も小さくなっていく。

パフォーマンス向上を求めて数字を誤用（一つの集団内で人をランク付けするのに使う）しているせいで昇給を受けられなかったり、褒賞を得られなかったりした際、正式に異議を申し立てることができる日が、かくして到来する。

注 この点について、読者は第Ⅱ巻第8章278ページを参照。

優秀な一匹狼

チームのなかでうまくやっていくのは苦手だが、発明や科学誌への論文掲載を通して、疑問の余地のない凄い業績を上げ、仲間や同僚の尊敬を集めている人の例は枚挙に暇がない。そういう人は知識への貢献のみならず、会社にも非常に大きな貢献をしてくれる可能性がある。企業はそうした人々の貢献を認め、支援を与えるべきだ。

年次評価をリーダーシップで置き換えたフォード

先の諸原則にドナルド・E・ピーターセンがピンときたのは数年前のことだ。ピーターセンは現在のフォードCEOである。フォードの変革は欧米のすべての産業にとって、少なくとも1つの巨大企業が会社の最も重要な資源について、つまりそこで働く人々について非常に真剣に考えているという誠に力強いシグナルを送ることになるはずだ。フォードが変化を起こそうとする主な動機は、品質と生産性の継続的改善に向けた全社プログラムを阻んでいる重要な障害物を除去することだ。[*4]

連邦政府における問題（ジョージアンナ・M・ビショップの寄稿）

連邦政府の行政職公務員（政治任用以外の公務員）の間では、目的の一貫性を獲得する能力があったとしてもムダになってしまうという懸念が増す一方だ。目まぐるしく変わる4つの行政組織の人事分野で働いてきたが、それらの組織の理念はそれぞれ大きく違っていた（つまりバラバラ）。われわれは4年に1度必ず、地殻変動の如き大激変（大統領選挙）と、行政府全域でのマネジメントの総入れ替え（政治任用の全幹部の交替）を見る。一貫性と効率性と働く喜びの喪失は当然の帰結だ。マネジメントの総入れ替えの度に毎回キャリア公務員制度を改善しようとするが（改善ではなく単に変えているだけなので）、却ってそのせいで米国民はますます多くを失っている。変化の方法は常に政治的で、連邦議会の承認を必要とするが、現在、われわれが4年に1度、定期的に見ている大きな変化（政治任用のマネジメントの総入れ替え）は、もっと大きな地殻変動（政権交代）の可能性を高めるだけだ。行政機関をいじればいじるほど、その可能性は増す。連邦行政府のシニアマネジメントを選ぶのは我が国の政治システムである。政治を動かす人々こそ、何をおいても目的の一貫性の大切さと知識の大切さを理解しなければならない。政治任用の幹部職員は（デミング博士の）14原則と、「死に至る病と障害物」をよく理解すべきだ。それらを理解して初めて、彼ら政治任用の幹部はリーダーシップの役割を果たすことができる。

ある連邦政府職員より――

財務長官の平均任期は18カ月。平均より長い人も、短い人もいる。
財務副長官の平均任期も18カ月。やはり平均より長い人も、短い人もいる。

政治プロセスは短期的な成果の追求を助長する。選ばれた途端に次の選挙に向けてキャンペーンを始めるのが彼らの流儀だ。われわれ(行政職公務員)の上司(政治任用の幹部)は、2週間のスパンでものを見て、考える。

第1章で紹介したマーヴィン・E・マンデル博士の著作から再び引用しよう。行政の仕事に関する一文である。

……先進国の政府は、今やあまりにも大きく、あまりにも複雑になってしまったために、社会と政府の関係が広く人々に理解されているか否か疑わしい。さらに、現在の政府は、自分たちが奉仕すべき社会が一貫して求めているもの（社会の目的）に十分に応えているかどうかという疑問もある。実際、疑うに足る理由はある。こうした社会の目的はこれまでにも実現可能かつ理解できる形ではっきりと語られてきたものだ。疑いを持たれてしまうような政府は、多くの面で長い間にできあがった習性だけで動いている。それでこの先もやっていけるとは到底思われない。本書（マンデル博士の著書）で述べる通り、そのような枠組みのなかでは、人は改善について意味のある話はできない。議論を進めて、より望ましい、あるべき姿を描き出すためには、まず、組織の目的は何か、組織にとって必要なものは何か、現在の限界と制約に対する正確な認識といったことを、はっきりと定義しなければならない。

④マネジメントの流動性

トップマネジメントが品質と生産性に深く関与している会社は、不確実性にも混乱にも苦しむことはない。しかし、どのような方針にせよ、わずか数年の任期で入れ替わる人が一体どうしてその方針に深く関与できようか。日本科学技術連盟の野口順路専務理事は、私のクライアントとの対話の中で「米国にはそれはできないでしょう。マネジメントが短期間で入れ替わるのが米国のマネジメントの常ですから」と指摘した。

マネジメントの仕事は企業の繁栄と不可分だ。企業から企業へと渡り歩く流動性が短期的成果を求めて止まないプリマドンナたち（常に自分が主人公と考えて行動する人たち）をつくりだす。そして、企業の存続に不可欠なチームワークを徹底的に破壊する。そこにまた新しいマネジャーがやって来る。皆々、何が起きるのだろうと思う。取締役会が緊急救助隊として社外から誰かを連れてくると聞けば、不安でいっぱいになる。誰もが自分の救命胴衣に手を伸ばす。

年次評価で高い評価を得られないと、その人はどこか別の場所（他の会社や組織）によりよい機会を求めるようになる。最強の競争相手が昇進できずに会社を離れた人であったということは珍しくない。

現場で働く人々の流動性

現場で働く人々の流動性も、マネジメントの流動性と同じくらい深刻な問題である。人々を離職に至らしめる強い要因の1つは仕事に対する不満、つまり、自分の仕事に誇りを持てないことだ。自分の仕事に誇りを持てなければ、家にいるか、別の仕事を探すことになる。常習的欠勤や離職はほとんどが拙い監督と拙い管理の結果だ（175ページを参照）。

⑤いま目に見える数字だけで会社を動かす（お金を数える）

いま目に見える数字のみに依拠して成功できる人はいない。もちろん、いま目に見える数字は大切だ。給与の支払い、ベンダーへの支払い、納税、債務の償還、年金基金の引き当て、貸倒引当金をはじめとする各種引当金といったものは、どれも大切な数字である。しかし、いま目に見える数字のみに依拠して会社を動かすなら、いずれ会社も数字も失うことになる。

実際、経営に必要な最も重要な数字とは、知らない何ものかであり、あるいは、知ることができないものなのだ（ロイド・S・ネルソン、52～53ページ）。だが、成功するマネジメントを目指すなら、知らないことであれ、知ることが出来ないことであれ、必要な数字は手に入れなければならないと思うだろう。例を挙げよう。

1満足した顧客1人から来る影響は、売上にどのくらいの違いをもたらすか。逆に、不満を持った顧客1人の影響はいかほどか。

「満足したから、もっと沢山買おう」という顧客は見込み客10人分の価値がある。そういう顧客は自分から買いに来る。宣伝も説得も要らない上に、時に友人を連れて来る。

常に顧客に満足してもらうよう努めれば、努力に見合う十分な見返りが得られる。自分の車を気に入っているオーナーは、以後12年にわたって同じ車種の車を4回買う傾向がある、とテクニカル・アシスタンス・リサーチ・プログラム社が指摘している。同社は消費行動に特化したコンサルティング会社だ（在ワシントン）。同社によると、自分の車を気に入っているオーナーは良い話を8人に広める一方で、見掛け倒しの車を市場に出す自動車メーカーには容赦ない。怒れる購入者は自分が経験した車のトラブルを平均16人に話すという（カー・アンド・ドライバー誌1983年8月号、33ページ）

2上流で品質を改善すれば、それ以降の流れの全域で品質と生産性が格段に良くなるはずだ。

3「これから当社は市場に適合したビジネスを展開し、必ずや事業を永続させる。当社はこの方針を堅持し、経営陣に異動があっても揺らぐことはない」とマネジメントが明確に打ち出してこそ、品質と生産性の改善が意味を持つ。そこで、これらのこと（因果関係）は定量化できるのか。それで品質と生産性がどれくらい良くなるのか。

④プロセスそのものを継続的によくしていくことから来る品質と生産性の向上はどれほどか（第2章の14原則のうちの5番目）。出来高のノルマを廃止し、代わりに「良い訓練」と「良い監督」を実現したら、品質と生産性はどのくらい良くなるか（第2章の原則6、7、11）。

⑤サプライヤーを絞り込んで彼らと共に購買のバイヤーや設計技術者、販売の人、顧客まで巻き込んでチームを編成し、新規部品の設計、あるいは既存部品の改変に取り組んだとして、それによって品質と生産性はどれくらい良くなるのか（95ページ）。

⑥技術者、製造部門、販売部門、顧客との間の協力・共助のチームワークを育んだとしたら、品質と生産性はどれくらい良くなるのか。

⑦年次パフォーマンス評価のせいで生じている損失はいかほどか。

⑧社員からワークマンシップの誇りを奪っている障害物のせいで、どれくらいの損失が生じているか。

⑨例えば物流で迷子になった荷物の補償コストの数字であるとか、整備不良による遅延で

生じたコストといった数字はどこにあり、どうすれば調べられるか。

1～9のようなことがら（損失・投資・効果）を金額で定量化したいと考える人は、幻想を追って苦しむことになる。大きな効果があるのは確かだが、それは、本書で詳述する諸原則に基づいて品質向上のための活動を続けることを通して、年々会社に蓄積されていくものだ。そうしたものを金額換算で定量化できると考えるのは幻想である。定量化に挑むのはよいとしても、その前に、定量化が可能なのは、こうした効果のごくごく一部でしかないと知るべきだ。

例えば、ある会社の信用審査部門が「概ねすぐ支払ってくれる顧客とだけ取引するよう、適切に審査している」ことを示す数字があった。これは「目に見える数字」だ。その信用審査部門は割り当てられた自分たちの仕事をきちんとやっている。評価で良い点数を取るのにふさわしい。そんなある日、それまでは見え難かった数字に光が当たり、その会社にとって最良の顧客たちを信用審査部門が（顧客間の）競争に追い立てていたことがわかった。トップマネジメントが「トータルコスト」に着目するのが遅過ぎたのである。

品質保証コストははっきり見える数字だが、品質についてストーリーを語ることはない。苦情への対応を拒絶したり先延ばししたりするだけで、誰でも品質保証コストは下げられる。

「数字による経営」への、もう1つの警鐘

業績見通しが悪くなればなるほど、マネジメントは「数字による経営」を求めて「監査官ら（主として財務・経理の人）」にますます頼るようになる。しかし、実際に現場で起きている問題を知らぬまま、「監査官」にできるのは決算書の損益欄を見ることだけだ。せいぜい、購入品のコストをカットするとか、治工具や設備や保全、副資材の費用を減らすくらいのことしかできない。知らない・知ることができない「目に見えない数字」の中にもっと大切なものがあるはずなのに、そういうものは無視して、「トータルコスト削減」に向かう。かくして利益はますます先細り、依然利益を出している事業があるとしても、そこから来る利益までも食い潰す。

いま目に見える数字だけに依拠して運営されている会社のマネジメントは、自然の豊かな地域やホノルル、あるいは世界のどこでも好きな場所へ移転するがよかろう。数字を受け取る通信手段は今ではいくらでもある。いつも通り数字を集めるだけならそれで十分だ。以下はビジネスウィーク誌からの引用である（1983年4月25日号、68ページ）。数字を集めて並べるのは、今では非常に簡単であることを教えてくれる。

デスクトップコンピュータやその他の情報ツールの出現は、最先端通信ネットワーク

と相俟って、多様なデータソースへの広範なアクセスを可能にし、米国内にいる推定約１０００万人のマネジャーの生産性が劇的に良くなるはずだと告げている。すでに実用に供されている最先端技術もある。

例を挙げれば、今では、マネジャーがそれぞれに経済・産業統計をはじめとする外部データベースと社内で開発した情報を組み合わせて決定を下す。こうしたデータのおかげで彼らは自社のビジネスと市場、競合状況、価格設定、事業の見通しといった各種調査・検討をほんの数時間でまとめあげることができる。以前ならこうした調査・検討には何カ月もかかったものだ。

新しいシステムは、大量の数字をマネジャーが理解しやすいチャートやカラフルなグラフにして見せてくれる。より迅速なアクションをとれるように、うまく要約した印刷物をつくるのも簡単だ。

電子メールを使えば、報告、メモ、草案などを社内関係者に同時送信できる。こうしたシステムは組織内の意思疎通の速度を大幅に高めるはずだ。

目に見えるデータに基づいてうまくやっているように見える会社であっても、マネジメントが知らない・知ることが出来ない数字に思いを致すことができないなら、いずれ失墜する。

部門評価はどうか？

個々の社員のパフォーマンスに点数を付ける年次評価と同じく、部門別の評価もまた短期思考を強化し、長期的な改善に向けた努力を見当違いの方向に逸らしてしまう。私が見てきた例はすべてそうだ。

例えば、ある会社のやり方はこんな具合だ。その会社の1つの部門がつくる部品は何千品目もあり、各品目に求められる仕様を合計すればやはり何千件にもなる。その中から、「ランダムに」仕様を20件選ぶ。選んだ仕様に従うべき部品をそこでまた「ランダムに」20品目選び、前週に生産した部品の仕様適合率を調べる。

何のジョークかと思うだろうが、この評価方法によって、部門としては毎月トップの成績を取って褒美をもらい、それに応じて当該部門の管理者の給料とボーナスが増える。しかしその一方で、その部門の本当のパフォーマンス（品質・生産性・コスト）は悪化し続ける。実際、そういうことが起き得るのだ。笑い事では済まない。

何が間違っているのかは、すぐにわかる。仕様に合致すればよろしい。それだけを目指して仕事をしなさいと指示するも同然だからだ。しかしその間にも、この部門は一切合切を失いつつあるのかもしれない。だが、それを気にする者はいない。仕様適合率という指標のせいで、次のような重要な問題が見過ごされてしまうのだ。ⓐその仕事に合わない材料を無理に使おうとして、現場で時間のムダが生じている、ⓑ拙い設備保全、ⓒ手直し、ⓓ拙いリーダーシップ、ⓔ安物の工具、ⓕ顧客の苦情への対応に失敗、ⓖ不出来な製品設計、ⓗプロセス自体を良くすることに取り組んでいない等。

ここで、部門別評価にこだわり過ぎだと部門長を責めることはできない。なにしろ、部門長の給与とボーナスは部門別評価の成績次第なのだ。

この種の部門別評価は、総じて後手後手の管理で「結果」を制御しようとする。この時点ではもう遅いのだが、プロセスそのものを良くするために、良いリーダーシップを提供するよりはずっと楽だ。

こんなものより、もっと良い評価のやり方がある。以下の事柄について、前年1年間の進み具合をよく調べることだ。

1時間給で働く社員からワークマンシップの誇りを奪っている障害物の除去

2サプライヤーの絞り込み

③サプライヤー1社当たりの現在の生産品目数は、前年の実績と比較して今はどうか
④選定したサプライヤー（95ページ）とのチームワークから得られた成果。重要部品の改善のために活動するチームの数。
⑤当該部門が改善の対象として選んだ部品やアセンブリの「ばらつき」を、過去1年でどれだけ減らせたか
⑥その他の「プロセスそのものを改善」している証拠
⑦新たに入社してきた人々への訓練をどれだけより良いものにしたか
⑧社員教育

他にも上げれば切りがない。だが、これらのすべては、いずれも本社中枢のマネジメントの革新と変化を求めるものだ。

ここに示した「部門に対するクライテリア（評価基準）」は、92〜93ページで触れたように、「1品目、1サプライヤー」の選定に応用することができる。

Ⓑ障害物

「死に至る病」を一旦脇に置いても、障害物が列をなしている。実際、そうした障害物のいくつ

かは「死に至る病」よりは治しやすいものの、悪影響の効き具合では「死に至る病」と並んで一番に挙げるべきものだ。第2章で論じた障害物は、ここでは詳述しない。その他の障害物について考察しよう。

即席プリンのように、たちまち出来るという思い込み[*5]

重要な障害物の1つが、「品質と生産性の向上への誓いの言葉を唱えるだけで、たちまちそれが実現される」という思い込みだ。著者に届く手紙や電話からも、こうした思い込みが社会に蔓延しているとわかる。優れた統計学者に1回か2回指導してもらえば、自分の会社は品質と生産性向上への確実な行程に首尾よく乗れると思っているらしい。即席プリンをつくるかのように、すぐにできると思い込んでいるのだ。彼らとのやり取りはこんな調子で始まる。「どうぞ我が社へいらして、終日われわれと一緒に過ごし、あなたが日本でなさったことを、われわれにもしてください。われわれは救われたいと強く願っているのです」。やがて彼らは悲しそうな顔をして動きを止める。そう簡単なことではないと気づくのだ。もっと学ぶ必要がある。何かを始めるのはその後だ。

実際、ある人が手紙で「どうしたらいいでしょうか?」と私に治療法の教示を求め、「その代金は、おいくらですか？」と書いてきたことがある。

米国人に広く読まれているある雑誌が1981年に「ビジネスと経済」の項で日本に関する記事を掲載した。記事は事実上「1950年に、デミング博士が日本に行き、講演を1回行った。その結果、何が起きたかをご覧あれ」と言っていた。そういう書き方のせいで、記事の作者は自分の名誉を台無しにしたと思う。その他の点では良い記事だったのだから惜しいことだ。私の推測するところ、100万人の読者が「米国の産業は日本の真似をすればよろしい。非常に単純なことだ」という思い込みに間違って導かれてしまったに違いない。

努力もせず、その仕事を正しくやれるだけの十分な教育もないのに、すぐに結果が出ると期待してしまう例の1つが、ロイド・S・ネルソン博士が受け取った手紙の中に如実に現れている（ネルソン博士はナシュア・コーポレーションの統計的手法担当役員）。

弊社社長は、貴社における貴方の職位と同じ職位に私を任命しました。社長はこの仕事に関する全権を私に渡し、自分を気にせず、私が新たな仕事に邁進することを望んでいます。そこでお尋ねします。私は何をすべきでしょうか？　新たな仕事にどのように取り組めばよいのでしょうか？

ネルソン博士と同じ仕事に誰かを任命しても、それによってネルソン博士が生まれることはない。誤解があまりに大きくて、4行で説明したいが困難だ。まずは社長の思い込みである。品質改善を主導するのは社長の義務だ。その大切な義務から身を引くことができると思っているのがそもそもの心得違いなのだ。組織のトップからの、かくも重大な負託を一体誰が受けようと思うだろう。そんな仕事を受ける人は、品質について、品質改善について、何も知らない人だけだ。

問題解決、自動化、ツール、新鋭設備が産業を変革するのだという思い込み

年に80万ドル、100万ドルもの節約を馬鹿にしてよいと思う人はいない。一方、年に500ドルの節約になる変更の実践に誇りを持つワーカーのグループがいる。効率化への貢献は1つひとつがすべて重要である。たとえ小さな金額であったとしてもだ。

そのグループの人々が獲得した大きな実りは、節約した年間500ドルではない。重要なのは、その人たちが自らの改善に誇りを持てたことだ。自分の仕事と自分の会社を大切だと感じることができる。自分たちがつくっているものの品質が出来高と共に、実際に良くなったの

だから。さらにこの改善は、生産ライン全体にわたる、より良い品質と生産性、モラールの向上に結実する。このような改善を数値で表すことはできない。だが、目に見えない数字として組織のなかで受け継がれていく。これがマネジメントにとって非常に重要なのである（251ページ）。

付言するなら、装置（自動化やロボット技術を使った設備）導入によるコスト節減効果は、トータルコストベースで計算すべきだ。経済学者であれば、そうせよと言うはずだ。だが、私の経験では、トータルコストに関する数字に辿り着き、答えを出せる人はほとんどいない。

成功例を求めて彷徨う人々

品質改善はさまざまな問題や環境に適用できる1つの方法だ。個々の製品への応用の仕方を多く集めた「レシピ集」ではない。

コンサルタントが「同じような製品での成功例があったら教えてほしい」と頼まれるのは珍しいことではない。ある人は、本書の方法は車椅子の製造に使われたことはあるか、と尋ねた。別の人は、エアコン用コンプレッサーへの応用について何かご存知なら教えてほしい、と訊いてきた。「病院のマネジメントに14原則を応用できるか?」「大きな会計事務所で応用した例はあるか？」「（日本の自動車メーカーのことを一度も聞いたことがないかの如く）本書が説く諸原則は自動車メーカーで使われたことはあるのか？」。銀行への応用を模索する銀行家もいた（第8章を参照）。

ある人がヨハネスブルクから電話をかけてきて、こう言った。

「アメリカに行って、あなたと一緒に、うまくやっている企業6社を訪問したい。実例を求めているのです」

こうした問い合わせへの私の答えはこうだ。品質と生産性の改善における成功例や失敗例をいくら調べても、そうした事例があなた（問い合わせてきた人）の会社がどんな成功を得られるかを示すことはない。あなたの成功は、ひとえに14原則・死に至る病・障害物に対するあなたの知識と理解、そして、あなたが率先して進める（あなたの会社の）努力にかかっている。

こういう話があまりに多い。品質と生産性を良くしたいという強い思いに駆られたマネジメントが、何から始めるべきかを知ろうともせず、諸原則に学んで自らの道を見つけることもなく、啓発されることだけを求めて、よくやっているように見える他社の見学に勇んで出かける。見学先は両手を広げて歓迎し、意見交換が始まる。来訪者は、その会社が何をしているかを学ぶ。たまたまその会社が14原則に沿った活動をしているということもあるだろうが、道を示す原則を欠いたままなら、来訪者も見学先も漂流するだけだ。来訪者もホスト側も、両者共に、どういうやり方が正しいのか、それはなぜか、どういうやり方が間違っていて、それはなぜかということを知らぬまま、意見交換の時が過ぎていく。問うべきは、ビジネスがうまくいっているか否かではない。なぜうまくいっているのか、なぜもっとうまくやれなかったのか、ということだ。来訪者が満足するならそれでよいではないかと思う人もいるだろう。だが、彼ら（見学に訪れる人々）には、非難よりも哀れみがふさわしい。

単純な模倣は一種の厄災である。何を求めて何を為すべきかという論理（ストーリー）をこそ理解する必要があるのに、単純な模倣にはそれがない。米国人は偉大な模倣者である（例えば、QCサークル、かんばん、ジャストインタイムなど）。一方、日本人は何を達成すべきかという論理を学び、しかる後に、それを改善していく。この違いは大きい。

QCサークルは日本の産業に大きく貢献している。米国のマネジメントはQCサークルにおけるマネジメントの役割を理解せぬまま単純に真似ようとして、やがて失敗だったと悟る。逆に、マネジメントによる助力と具体的な行動を享受できるQCサークルなら、どこでもうまくやっていける。QCサークルには285ページで再び触れる。

私のセミナーの際に聞いた話だ（残念ながら、録音はしなかった）。なかなかうまくやっている家具メーカーのマネジメントが、自分たちの製品ラインを拡張してピアノもやってみたいと考えた。それはよい、ぜひやろうということになって、スタインウェイのピアノを1台買い、分解する。部品を作ったり、買ったりして、スタインウェイとそっくり同じになるよう組み上げた。ところが組み上げたピアノが発するのは変なバタバタ音ばかり。先に購入して分解したスタインウェイを再び組み立てて売れば自分たちのお金をいくらかでも取り戻せるかと思ってやってみたが、やはりおかしな音がするだけだった。

「われわれの問題は特別だ」

世界中のマネジメントと行政機関を悩ませている共通の病の1つが「われわれの問題は特別だ」という反応だ。「特別」とは、さもありなん。組織は皆それぞれに違う。しかし、製品やサービスの品質を良くする助けとなる諸原則は、もとより普遍性を持っている。

ビジネススクールの劣化

「計画的陳腐化（製品寿命を短く設定し、買い換えを促して売上増を企てること）は米国産業衰退の要因の1つではないでしょうか。いかがですか」と人はしばしば問うが、馬鹿げている。陳腐化は計画せずとも起こるものだ。

1970年以降、利益が総じて右肩下がりになるなか、多くの米国企業が買収で紙の上の利益を増やすことによって利益基盤を強化したいと考えるようになった。財務と法務の人間が社内の「重要な人々」になった。だが、それで品質が良くなり、競争力が高まることはなく、沈んだままであった。ビジネススクールは、世の中の人が挙って財務知識と「創造的会計」を求めるのに応じてカリキュラムを組んだ。その結果が現在の衰退だ（ロバート・B・ライシュとの個人的な対話からの引用）。

米国のビジネススクールの学生は、「マネジメントという専門的な職業」（いわゆる「プロ経営者」）が存在すると教えられる。高い地位に就ける職業だ。諸君はそこに向かって歩み出す準備ができていると言われる。これは悪質な詐謀だ。大半の学生は生産で働いたことも、販売で働いたこともない。製造現場で働いて手にする給料は、経営学修士号（MBA）を持つ人が期待する給料の半分程度にしかならない。経験を積むためだけであっても、工場で働くなんて、

MBAの彼らには考えるだに恐ろしい。それは米国人の生き方ではないとまで感じる（格差はあるのが当然なのが米国）。そのようなわけで彼らが工場で働き、経験を積むことはなく、当然の帰結として、彼は自分の限界をなかなか認識できず、ギャップを埋める必要に正面から向き合うことができない。結果がどうなるかは明白だ。

今のビジネススクールの学生の中には、スクールが提供するコースのうち、何を選択すれば我が国の貿易収支改善の方向に適う知識を得られるかを深く自問し、教師にも相談したい者がいるだろう。ビジネススクールが提供するコースには、数学、経済学、心理学、統計理論、法学もあるが、会計、マーケティング、財務の勉強のほとんどは技能であって教育ではない。今では紙の代わりにコンピュータを使うが、技能という意味では同じだ。

技能を学ぶ最善の方法は、良い会社の実務の場で働くに尽きる。先生（上司や先輩）の指導の下、給料を貰って働きながら学ぶのだ。教育の欠点は、エドワード・A・レイノルズが次のように指摘している（「スタンダーダイゼーション・ニュース」、フィラデルフィア、1983年4月号、7ページ）。

米国の品質と生産性（両者は手を携えて共に歩む）が後れを取っている理由は沢山ある。

主なものをいくつか挙げる。まずは教育システムだ。数学を無視していることは明らかで、MBAを強調するが、そのMBAはといえば、マネジャーらを集めて企業買収の仕方を教えても、経営の仕方は教えない。企業の本社の中枢部に短期的ゴールの追求を刷り込む（今期の利益は自分のボーナスのため、あるいは他社に移ってもっといい職位を得るためだ）。安い労働力を求めて国内を転々とし、ついには海外へ拠点を移せと教え込む（直接労務費が製造コストに占める割合は小さいという事実にもかかわらずだ）。そして、誠実なリーダーシップと労働倫理を、全階層で「自らのものを手に入れよ。ここでは誰もがそれをする」という実に嘆かわしいものに変えてしまう。

我が国の大企業は実質的にすべて技術の人、つまり、発明家、機械屋、エンジニア、化学者といった人々が創始したのである。その人たちは製品の品質に対して純粋な、本心からの興味を持っていた。その会社が、いまや製品より利益に関心を持つ人々によって概ね運営されている。彼らの誇りは、損益計算書と株価レポートの中にある。

産業界における統計的手法の拙い教え方

品質の重要性を認識するようになっても、品質の意味を知らず、良い品質をどうやって実現できるかも知らないまま、米国の経営陣は統計的手法特訓のための大規模講座を立ち上げ、有能か無知か判別がつかないヘボ教師を雇ってしまう。その結果、今なお何百人もの人が間違ったものを学ばされている。

少なくとも大学院修士レベルの教育と、現場での経験によって補強された知識を持たずに、統計理論や管理図の使い方を教えてよい人などいない。私が敢えて強くこれを言うのは、自分の経験に基づいてのことだ。拙い教え方と間違った応用の破壊的な影響を私は毎日のように見ている。

確率論とその関連分野を含む純粋な統計理論の講義は、どの大学でも概ね優れている。「枚挙的研究」(enumerative studies)への応用はほぼ正確だが、残念ながら解析問題への応用は、多くの教科書が誤魔化しているか、ミスリーディングだ。解析問題とは「明日、何をどうすれば来年の実り(成果)が大きくなるか?」といった改善のプランニングに用いる理論である。*6

教科書が教える「ばらつき」の分析、t検定、信頼区間などの統計手法は、興味深いことに、いずれも不適切だ。なぜなら、教科書は予測の根拠を与えず、生産オーダーの中に含まれている情報を埋もれたままにして活かすことはないからだ。すべてではないにしても、いわゆるデータ解析のコンピュータパッケージのほとんどは非効率の見本のようなものだ。

信頼区間は運用上の意味を持ち、「枚挙的研究」の結果を要約するのに非常に役立つ。私も「枚挙的研究」における確かな証拠として信頼区間を使っている。しかし、信頼区間は予測に対しては運用上の意味を持たないため、プランニングに対しては信頼度を提供できない。

繰り返されたパターンと繰り返す可能性のあるパターン（例えば、「方法2」は「方法1」よりも優れている）は、環境条件の一定の範囲内で説明のつかない失敗がない限り、プランニングの目的に対して信頼度を与えることに繋がる。だが、信頼度を0・8、0・9、0・95、0・99といった具合に数値化することはできない。「方法1」と「方法2」の間のいわゆる有意水準の確率は、プランニングに対していかなる信頼度も与えない。つまり、予測には使えないということだ。

例えば、ドイツのケルンで、60分攪拌したあるポリマー（高分子化合物）は、30分攪拌（もちろん同じ温度で）した同ポリマーよりも、後続の製造プロセスでうまく機能するということがあったとしよう。プランニングの目的に照らして、オハイオ州デイトンで同じ比較をすれば同じ結果が出るはずだと思うかもしれない。

しかしそれは思い込みというものだ。主題の重要性を忘れてはならない。いくら信頼度が高かったとしても、実験を通しての証拠集めに終わりはないことを常に心に刻んでおかねばならない。[*7]

統計理論の修士号を持つ人々は、産業界や行政機関でコンピュータを使って行う仕事を提示されて受け入れる。これは悪循環というものだ。統計の専門家である彼らは、その「統計的な仕事」が何であるかを知らないのに、コンピュータを使って仕事をすることに満足している。統計の専門家を雇う人（マネジメントの人）もまた同じように「統計的な仕事」が何であるかを知らぬまま、なんとなくコンピュータが答えだと思っている。かくして統計の専門家とマネジメントは互いに相手を誤誘導し、悪循環が続いていく（1984年7月7日、統計学者R・クリフトン・ベイリーとの対話からの引用）

受入検査の基準に軍用規格MIL－STD－105Dやドッジ－ローミッグ表を使う愚

何千ドル分もの製品が頻繁に所有者を変えている。納品されてきたロットは受入検査で合否判定に従う（訳注：合格すれば買い手側の資産になるが、不合格ならサプライヤーへ戻される。つまり所有者がコロコロ変わることになる）。合否判定はロットの中から抽出して行うサンプル試験次第だ。こうした検査のやり方には、軍用規格MIL－STD－105D、AOQL（平均出検品質限界）やLTPD（ロット許容不良率）などがある。だが、第16章に見る通り、このような方法はコストを上げるだけだ。出荷前の最終製品の品質監査にこれを使うのは、顧客の何人かが確実に不良品を手にすると保証するようなものである。このような検査プランは、もはや過去のものだ。米国産業は、このやり方が生み出す損失を許しておくような余裕はない（第15章を参照）。

信じがたいことに、統計手法の講座や書籍では、依然として受入検査でのサンプル試験に時間や紙幅を割いている。

「当社では、品質管理部がすべての品質問題に対応しています」

どの企業にも品質管理部門がある。しかし、残念なことに、品質管理部門が、実際に品質をつくり込むのに大きく貢献している人々から品質の仕事を切り離してきた。その人々とは、マネジメント、監督者、購買のマネジャー、生産現場で働く人である。これまでのところ、品質管理部門は「良いマネジメント」とは何かを、「悪さ」も含めてマネジメントに説くのに失敗してきた。「悪さ」とは、例えば価格だけに基づいてモノを調達することや、同じモノを複数のベンダーから調達すること、出来高のノルマ、不出来で高コストの工場施設運営といったことが、どれだけ悪い影響を及ぼしているかということだ。品質管理部門はこうした問題をマネジメントに理解してもらうべきだったのに、そうしてこなかった。マネジメントはマネジメントで、管理図や統計的思考に幻惑されて、よかれと思って、自身を幻惑している相手、つまり品質管理部門に品質の仕事を任せきりにしている。

マネジメントが求めるべきは、当該「システム」が統計的に安定した状態に到達しているか、あるいは依然として特殊要因が出現する状態にあるのかを示すチャート（管理図）だ（ここでは既にマネジメントが改善を主導する責任を引き受けて行動していると想定）。

筆者の経験では明らかに「チャートはあればあるほどよい」という前提に立って仕事をしている品質管理部門がある。品質管理部門の人がチャートにプロットし、ファイルに綴じる。

だが、米国でそういうことが起きていたのは1942年から1948年の間のことだ。1949年までに、チャートはすべて消えてしまった。なぜか？　当時のマネジメントが自分たちにしかできない仕事と貢献の何たるかを理解していなかったからだ。今に至るもそうである。

「問題はすべて、その仕事をやっている人に原因がある」という思い込み

この思い込みは世界中に行き渡っている。生産現場のワーカーが教えられた通りのやり方で各自の仕事をしていさえすれば、製品やサービスに問題が生じることはないというのだ。「どうぞ良い夢を」と言うほかない。ワーカーはその「システム」の制約の下で働いているのだ。その「システム」を支配するのはマネジメントである。

「改善の可能性のほとんどは当該の『システム』自体に対して取る行動の中に横たわっているのであり、生産のワーカーにできることは非常に限られている」と指摘したのはジョセフ・M・ジュラン博士だ。ずっと昔のことである。

当地（チェコスロバキア）でも同じ誤った仮説が広く行き渡っている。大量の不良が出ているのに、それを作業員がコントロールできるものだと思い込み、作業員が真剣に取り組みさえすれば、工場の品質問題は劇的に減るはずだというのだ。このような誤った仮説を支持することはできない。（ジョセフ・M・ジュラン博士、インダストリアル・クオリティ・コントロール誌1966年5月22日号、624ページ）。

ごく最近のことだ。ある会社の大きな製造部門のマネジメントの人が揃ってはっきりこう言った。「この工場には全部で2700種類の作業があります。すべての作業がミスなく行われたら、問題はなくなるはずです」。私は3時間も彼らの「すばらしい成果」に耳を傾けた。製造現場に統計手法を適用したものだ。だが、その会社の技術者がどの問題も特殊要因として扱っているのが私には見て取れた。つまり、「それを見つけて、取り除け」というだけで、その「システム」自体を良くすることには取り組んでいない(第11章)。その一方で品質保証コストがどんどん増え、事業は右肩下がりだ。マネジメントは主要製品の設計を改善する必要があることにも、納入されてくる材料にもっと注意を向ける必要があることにも、まったく気づいていないように見えた。彼らはなぜそんなにも製造現場の統計手法に信頼を置き、それだけに注力しているのか? 答えはこうだ。「他に何があるでしょう。品質は他の人の仕事で、私たちの仕事ではありません」。

シカゴのある大手銀行が漂流の末、岩だらけの岸辺に流れ着いた(破綻)。この問題はその銀行の計算と事務処理がすべてミスゼロで行われていたとしても、起きたに違いない。

食料・雑貨店の店長が当該地域のニーズと所得水準に合わせた品揃えに失敗すれば、店はやっていけない。閉店に追い込まれるかもしれない。レジのミスが1件もなく、どの商品も一度も欠品したことがなかったとしてもだ。

つまり、プロセスを良くするだけでは不十分なのだ。新たな製品や新たなサービス、そして新たなテクノロジーをもって、自らの製品・サービスの設計を良くし続けることが欠かせない。そのすべてがマネジメントの責任である。

間違ったスタート

スタートが拙ければ道を誤る。いい感じで始まり、幾許かの成果も出るだろうが、間違った道を進んでいるのだから、いずれ不満・失望・落胆・停滞に至る。

拙いスタートも、思い込みから来る。生産現場に変化を起こすに足る十分な人に統計手法を一気に教え込めば、たちまち何もかも一新できるという誤った仮説に立っている。この仮説の誤りは、これまでに十分実証されてきた。

「ばらつき」と「特殊要因と共通要因」、そして「『共通要因』から来る『ばらつき』を継続的に減らしていくことの必要性」を（何かを始める前に）よく理解しておくことが極めて重要だ。マネジメントが品質に対する責任を放棄して現場の統計手法に頼り切り、そうした手法をサプライヤーにまで強いる会社は、3年もすればその手法を放り出し、手法ばかりかそれに関わっていた人まで捨ててしまう。これは事実だ。はっきりした証拠もある。

ある友人の話を紹介しよう。彼は筆者よりずっと優秀なコンサルタントである。その友人が、1983年春から夏にかけて、米国で最も有名な企業の1社の1つの部門で6週間を過ごした。そこで彼が見たものを以下に示す。

①6月30日（四半期の最終日）、工場は6月に生産した製品の30％を出荷した。会社の方針は「四半期末には必ず出荷せよ。仕入れと支払いは翌四半期が始まるまで先送りせよ」というものだ。

②この工場では154枚の管理図を運用しているが、正しく計算され、正しく使われているのは5枚だけだ。

③年次パフォーマンス評価が徹底的に行き渡っている。信じ難いほどの極端さである。人を「抜群」から「要らない人」までのいずれかのランクに仕分ける「レイティング」が、すべてのグループの成員に対して行われる。5人しかいないグループまでも。

④工場長の上にさらにマネジメントが5階層ある。工場長が自分の上司を動かせなくても不思議はない。

⑤この会社は複数の工場を持っている。そのうち1つの工場に新しい工場長がやってきて就任するや、管理職全員にネクタイの着用を命じた。結果はカオスと抵抗だ（ネクタイ着用への抵抗ではない。ネクタイとパフォーマンスにどんな関係があるのか、理解できなかったからだ）

もう1つの「拙いスタート」の例がQCサークルである。QCサークルをやろうという考えは人を惹きつける。生産のワーカーが「何が悪いか？」「どうしたら改善できるか？」をわれわれマネジメントに教えてくれるようになるとは、なんと素晴らしいことか。ぜひともその情報のソース（生産現場で働く人々）をつついて（励まして）情報を引き出し、助けようではないか、とマネジメントは考える。

こうして多くの米国企業がQCサークルを始めたものの、何年経っても効き目が現れない。霍見芳浩博士が本章の最後で指摘している通りだ。QCサークルは、サークルの提案に対してマネジメントが行動を取ってはじめて成功する。実に嘆かわしいことだが、多くのQCサークルが手を抜きたいマネジメントの逃げ道になっているのでは、と私は危惧している。

世の中にはQCサークルの立ち上げと見守りを生業とする専門家がいる。その人たちは注意深く、まず部門長と力を合わせて「成功に繋がる基盤づくり」に励む。

石川昭博士の講演からの引用（1983年11月16日、ニュージャージー州ニューアーク博物館）

米国では、QCサークルは通常公式な「スタッフの」組織として編成されるが、日本では現場で働く人の非公式な集団として編成される。日本の管理者はアドバイザーであり、相談に乗ってくれる人だ。米国の生産のマネジャーは、言わば「自分の仕事を放棄するため」に、「働き方の質の改善（QWL）」「従業員の巻き込み（EI）」、「従業員参加（EP）」「QCサークル」などの活動のファシリテーター（企画運営を担う人）を任命する。しかも、そうした活動はいずれも相互に連携することはなく、方向もバラバラだ。

2つ目の違いは、グループが取り組むテーマの選び方と、議論の導き方にある。米国では、テーマやプロジェクトの選定と進め方は、マネジャーが打ち出す。対照的に、日本では、こうしたことはすべてサークルメンバーのワーカーが話し合って自らの意思で決める。

3つ目の違いは、サークル活動のための時間の扱いだ。米国では就業時間内の活動だが、日本では就業時間内に活動することもあれば、昼休みや終業後に活動することもある。
米国では、提案に対する報奨金が個人に行く。日本では、恩恵が全社員に行き渡る。グループの成果が功績として認められることは、個人への金銭的報奨に勝ると認識されている。

米国でQCサークルを始めるのに適した場所は、マネジメントが関与せざるをえない（横断的な）領域だ。例えば、購買のマネジャーは、自分たちが調達したモノが生産ラインをどのように通り抜けて顧客の手元まで届くのかを追いかけて、理解する必要がある。これは、購買、生産、研究開発、設計、販売の人々から成る一種のQCサークルを招集するということだ。多くの企業が既にマネジメントの中に事実上のQCサークルを持っているのだが、それをQCサークルとして考えたことがなかっただけだ。生産の監督者と検査員から成るQCサークルも優れている。強く「やりなさい」と言わずとも、そうした望ましいサークルが次々と生まれてくるようにしたいものだ。ここで、長きにわたって私の糧となってくれた手紙を以下に紹介する。

セミナーに行くと、大勢の参加者がQCサークルについて質問してきます。その他にも、今では世界中の多くの工場がQCサークルを始めているとのこと。しかし、役員も管理者も、QCサークルを立ち上げれば工場の主な問題を解決できるはずだという幻想に囚われているのではないでしょうか。これは深刻な間違いです。それでいて、マネジメントは自分たちの手で品質を改善するために「マネジメントの活動」に乗り出そうとはしません。現場の作業のレベルにおいて品質と生産性の問題を解決する上で、QCサークルが強い力となることに疑いの余地はありませんが、QCサークルは万能薬ではないということは、よく理解されるべきです。不良は作業員のミスからのみ生じるのではなく、それどころか、拙い設計、拙い仕様、拙い教育・訓練、設備導入と保全の拙さといったものによって引き起こされている不良のほうがはるかに深刻で、よく起きているのです。これらはすべてマネジメントの問題であって、QCサークルには解けない問題です。（友人である狩野紀昭博士〈電気通信大学〉の手紙からの引用）

「当社は品質管理を『インストール』しました」

否、違う。新しい机と新しいカーペットと新しい外部教師は「インストール」できても、品質管理を「インストール」はできない。「品質管理をインストール」しましょうなどと提案するのは、残念だが品質管理についてほとんど何も知らないからだ。

品質と生産性の改善を成功させたいなら、どんな企業であれ、その活動を学びのプロセスとなすべきだ。その学びに終わりはなく、マネジメントが全社を主導して年々学びを蓄積していくものと心得てほしい。

コンピュータによる無人化

コンピュータは幸いにも、禍にもなる。コンピュータをうまく活用できる人もいる。しかしながら、コンピュータにデータを貯め込むことの負の側面に気づいている人はほとんどいない。私は実際何度も経験している。「検査についてのデータをいただけますか?」と頼むと、「データはコンピュータの中にあります」という答えが返ってくる。私が検査に関するデータを求めるのは、そのプロセスが統計的に管理された状態にあるか否か、管理された状態から外れているなら、1日のうちの何時に管理状態から外れたのか、それはなぜかを知るためであり、あるいはまた、検査員による差異（ばらつき）や、生産の作業員による差異（ばらつき）、生産の作業員と検査員の組み合わせによる差異（ばらつき）を見たいからだ。これはすべて問題の原因を突き止めて効率を上げるために必要だから調べるのであり、そのためにデータが要るのだ。それなのに、肝心のデータはコンピュータに貯め込まれたままだ。

人々はコンピュータに圧迫されている。自分たちに必要なデータと管理図がどういうものであるのかわかっていても、コンピュータが怖くてなかなか言えない。その代り、コンピュータが何でも教えてくれると思うことにする。結果、コンピュータが出力する大量の紙の山が出来上がる。

コンピュータの宣伝広告はそれが可能だと説明する。つまり、ボタンを押すだけで即座に昨日の売上高や売掛金の数字がわかりますというわけだ。

もちろんコンピュータは素晴らしい進歩だ。ただし、電子技術の進歩として。マネジメントの目的に照らして見れば、新たなベアトラップ（熊の罠）が1つ生まれただけかもしれない。単独の数字（例えば「昨日時点の」数字）だけでは、ごくわずかな情報しか得られない。誤用の候補の一つだ。数字は、恐怖から来る人為的な影響がなければ、日々自ずと変動するものだ。マネジメントに必要なのは「ばらつき」を理解することだ。前日の数字を日々管理図にプロットし、「ばらつき」への一定の理解をもって管理図の上に現れたものを解釈するということを続ける。するとあるとき、管理図が「ばらつき」の中に特殊要因が存在していると教えてくれる。特殊要因が1つでも出現したら、直ちに調べなければならない。あるいは、管理図上に特殊要因が出現していないなら、その「ばらつき」は「システム」に起因するものだということも、管理図を見ていればわかる。

仕様に合致すれば十分であるという前提

仕様は、全体のストーリーを語ることはできない。サプライヤーは当該原材料が何に使われるのかを知らなければならない。例えば、ある組成と厚さの鋼板の仕様は、自動車の内側ドアパネルに使うには不十分であるとしよう。内側ドアパネルの製造において加えられる引張力と曲げ圧力はかなりのもので、それに耐える必要がある。サプライヤーがその鋼板は内側ドアパネルに使われると知っていれば、その目的に適う鋼板を供給できる。単に仕様に合致するだけの鋼板はトラブルを引き起こしかねない。

プログラマも同じような問題を抱えている。自身に渡された仕様通りにプログラムを仕上げたはずなのに、出来上がってから不完全だと判明する。プログラムの目的を知っていたら、たとえ仕様が不完全だったとしても、目的に適う正しいプログラムをつくることができたはずだ。

ある会社の生産担当副社長が教えてくれたのだが、彼が抱えている問題の半分は「仕様に合致している」原材料や部品から生じているという。

　この問題は、単に良い部品や材料を供給できる良いベンダーを見つけようということではない。例えば、2社のベンダーの両方共が統計的に定義した品質要件に合致させる能力があり、エビデンスも揃えられる。つまり、両社はいずれも「良品」をつくる能力がある。ところがそれでもなお、米国製シリンダーヘッドをイタリア製シリンダーヘッドに切り替えるときに問題が起きる。両方とも仕様に合致した「良品」なのに、切り替えに5時間かかる。実際にそういうことが起こる可能性があるのだ。

　複雑な装置となれば、問題はさらに深刻だ。例えば都市間を結ぶ光ファイバーケーブルだ。このシステムは、単に良いケーブルがあればいいというのではなく、それ以上のものを求める。リピーター（中継器）と装荷コイル、伝送装置とフィルタ、加えてこうした機器を運用するために大量の重要な周辺機器が必要なのだ。これらはいずれも、熟練職人が組み上げる煉瓦とモルタルではない。これらは1つのシステムとして同時並行で設計され、個々の小さなサブアセンブリごとに何度も試験を繰り返し、必要に応じて設計変更を行って、順次大きなサブアセンブリに進んで同じように試験を繰り返し、最終製品（大きなシステム）になる。

　この問題は複数のソース（メーカーやシステムベンダー）からコンピュータ機器を購入したこ

とのある人なら理解できるだろう。何が起きても、問題は必ず他の誰かが作った他の機器に原因があると担当者から言われる。

一方、パリ在住の友人ロバート・ピケティはこれに対して次のように言った。

「まず、ロンドン・フィルハーモニー管弦楽団が演奏するベートーベンの『交響曲第5番』を聴く。次に、同じ曲をアマチュアの管弦楽団が演奏するのを聴く。もちろん、あなたはどちらも気に入るでしょう。地元育ちの才能なら一層味わい深い。2つの管弦楽団はどちらも仕様（楽譜）を満たしている。演奏ミスは1つもない。しかし、違いを聴き分けようと意識して聴くこともできます。違いだけを知りたいなら！」（訳注：品質要件は顧客がそれを使ったり経験したりするコンテクスト「ストーリー、目的や背景や前後の具体的な状況」から導出されるべきもの、ということを示唆している）

最終顧客（例えば自動車のオーナー）は、トランスミッションを構成する800もの部品の仕様を気にかけることはない。関心があるのは、トランスミッションが機能するか否か、そして静かか否かだけである。

無欠陥（Zero Defect）という名の勘違い*8

測定された特性が仕様の範囲内に何とか収まっていれば適合であり、少しでも外れていれば不適合であると判定するのは、明らかに何かが間違っている。仕様の範囲内にあるものはすべてが正しく、範囲外のものはすべてダメという仮定は現実の世界に合っていない。

現実世界のもっとうまい記述の1つが「田口の損失関数」だ。この関数では、目標値において損失が最小になり、目標値から離れれば離れるほど損失が大きくなる（第2章の注8を参照）。

満足する顧客を持つだけでは十分ではない。不満足な顧客は他に流れる。満足した顧客もまた、大きな損失なしに利益を得られると思えば他に流れる。ビジネスにおける利益はリピート客から来るものだ。そういう顧客はあなたの製品やサービスのよい話を広めてくれるし、友人まで連れて来てくれる。全賦課方式でコストを計算すれば、自ら買いに来てくれる1人の顧客が1回の取引でもたらす利益は、広告や説得に応じて買いに来る顧客の10倍になるとわかるかもしれない。

機械的な機構ないし電子回路によって無欠陥を担保する設備やサーボ機構を用いたメカトロ装置は、個々の特性の軸上に広がる、美しく、狭い分布を破壊する。こうした設備や装置は仕様の範囲内でどちらの方向にも思うままに分布をスライドさせることができる。それによって無欠陥を達成できるかもしれないが、同時に損失とコストを最大化しかねない。この種の設備や装置を操作して無欠陥を追求するのは、第II巻155ページの「漏斗」を使って「ルール2」「ルール3」「ルール4」を当てはめるのと同じことだ。つまり、トラブルを生み出す。そういうコントロールは、やらないほうがよい。

試作における不適切な試験

プロトタイプをつくるのはエンジニアがよくやる方法である。その際は、当該装置なりシステムなりを構成する個々の部分の特性を測定し、いずれも目標とする特性あるいは意図した特性に非常に近いことを確かめてからプロトタイプに組み上げるはずだ。試験がうまくいったとしよう。だが、問題は、生産に入ってから、あらゆる「部分」の特性がばらつくようになることだ。理想的な状態では、各「部分」の特性の「ばらつき」は、目標値ないし想定値を中心に分布する。実際には、その製品を構成する個々の部分（部品やサブアセンブリ）の多くが予測可能な分布を成さない。いつの日か統計的に管理された状態に至るかもしれないが、今はまだそれには程遠い状態なのだから仕方がない。やがて量産に入ると、プロトタイプと同等に機能する完成品は10万台に1台しかないと判明する。実際に、そういうことが起きているのである。

試験に携わる人は皆、以下を自らに問うていただきたい。

①その試験の結果から言えることは何か？

②その試験の結果は、明日のためになすべきことを伝えるものか、それとも来年のためになすべきことを伝えるものか？

③どのような条件で試験を行えば、結果が明日のためになすべきことを予測するようになるか？　あるいは、結果が来年のためになすべきことを予測するには、どのような条件で試験を行うべきか？

④その試験の結果は、プランニングのためにあなたが必要とする予測の信頼度を高めるか？

⑤どのような方法で試験を行えば、変更を判断する上での助けになるか？

⑥ある1つのプロセスを良くしたいと考えて、そのプロセスを調べるとき、「学ぶ」という動詞は、具体的に何をすることを意味しているか？

モンテカルロ法（乱数を用いた試行を繰り返して近似解を求める手法）が試験に役立つこともある。特に、CADを使う段階では、ディメンションや圧力、温度、トルクを合理的な範囲で、あるいは合理的に想定できないところまで広げた範囲で、変化させて近似解を得るのに役立つ。このやり方は、ハードウェアの現物の試験でも活かせる。ただし、目標値との差を現物で創出するには限界があるため、特性の組合せは（CADを用いた仮想検証に比べて）格段に少ない数でしか検証できない。

試験における「ばらつき」への理解を欠いていたことが、遺伝学を何年か遅らせた。例えば、背丈の高いエンドウ豆と低いエンドウ豆の比率は、自然な状態での平均値「1対4」を中心に、かなり大きく「ばらつく」。この「ばらつき」が皆を悩ませた。単体の顕性遺伝子を発見した孤高の人グレゴール・メンデルもこれには悩まされた。*[9]

「われわれを助けたいと思って当社に来るからには、
われわれの事業に関するすべてを理解すべきだ」

あらゆる証拠がこの前提の誤りを指摘すると言ってよいくらいだ。どのような職位にあろうと、有能な人というものは、その人が全力を尽くしている限りにおいて、自分の仕事を正しく為すために知るべきことはすべて知っている。だが、その仕事自体を改善する方法を知っていると は限らない。改善に向けた助けは、別の種類の知識からのみ得られる。会社の外から来る助け を社内の人が既に持っているのに活用されていない知識と組み合わせたら、一層役立つ。

見たり聞いたりした話

①その会社の顧客の仕様は、当該顧客にとって本当に必要な水準よりも格段に厳しく設定されているということが、しばしばあるという。いかにしてその仕様に到達したのか、その公差がなぜ必要なのかを質問すれば興味深い知識を得られたはずだ。

②当社で、大量の原材料を不適合と判定し、ベンダーに戻したところ、ベンダーが同じものを再び送ってきた。すると此度は当社の検査部門がそのロットを合格と判定して通した。ベンダーはさっそく事情を調べ、以後どうすべきかを学んだ。実は、ドライバー2人が運送の途中で会い、コーヒーを飲みながら路上で積荷を交換したのだ。1人は新たに納入するロットを積んで買い手の当社へ運ぶ途中、もう1人は不適合になったものをサプライヤーへ戻す途中であった。2回目の検査を通るかどうか、試そうとしたらしい。

③手直しがどれくらい発生しているかという数字が、手直しを減らす手掛かりを与えるこ

とはない。しかし、問題の大きさを理解する基盤を与えてはくれる。どのような手直しがコストを増やしているかを見つけ出す人も現れるだろう。そして、その手直しの減らし方を学ぶのだから、沢山お金を使っても仕方がないと正当化されるのを見ることになる。

④当社の予算では手直しに6%までかけてもよいとされている。しかし、手直しがなかったら、会社の利益がどれほど増えるか考えてもみよ！　6%という許容範囲が、もっと正しいやり方で作業して手直しを減らそうというインセンティブを与えることはない。そして、「6%の手直し」が標準になってしまう。その標準に適えばよろしい。「それが標準なのだから、とやかく言うな」ということになってしまう。

⑤その会社には複雑な設備があって、高価な特殊オイルを必要とする。工場長は経費削減を命じられていた。当然、彼はそれをする。自分の判断だけで、さる販売代理店から大幅値引きでオイルを調達した。結果は、設備の修理代7500ドル。

⑥設備が壊れているのに騙し騙し動かして部品をつくる。出てきた部品はどれもこれも出来が悪い。それでも使おうと思えば何とか使える。ようやく最終製品ができあがるものの、欠陥品だ。設備のオペレータは「この設備は壊れています」と既に3回報告してい

たが、これまでのところ何も起きていない。

⑦ある会社では、1枚の回路基板の上に1100個の部品を搭載している。政府の定めた規定により、各部品は4人が検査して署名することになっている。このうち4番目は政府の検査官である。即ち、回路基板1台につき、4400の署名が要る。実際、回路基板自体よりも、署名に関するトラブルのほうが多い。例えば、4人全員がある部品の検査をしていなかったとわかったら、その4人全員をここに連れてきて当該部品を検査させ、署名させる。4人全員が検査したのに、そのうち1人が署名を忘れたら、「彼はどこにいるのだ、探して連れてこい」ということになる。

⑧「自分の仕事だけをしなさい！」とは、あるフォアマン（第一線監督者）の言葉。私の質問に答えていた作業員に向かって、そう言ったのだ。

⑨ある作業をしていた女性作業員が計数ミスで作業を中断させられた。彼女は24個ずつのバッチで、まとめてつくっている。実は1つの箱がひっくり返って、1個見当たらないという事情だったのだが、その結果、正しい寸法の部品を1個探し出すのに35分のロスが生じた。

⑩靴のサンプルを送ると、続々と注文が入ってくる。生産は準備できていたが、1つ障害

があった。調達部門がサンプルと同じ色・模様を再現するに足る材料を見つけられない。そんな問題が起きるとは、誰1人思いもよらぬことであった。

⑪ある企業が顧客に生産設備を1台出荷した。営業部員が顧客の工場へ行き、その設備をまずは自分で動かしてみるのだが、起動する前に設備をよく見ると、このまま動かしたら研磨剤が漏れることになると見て取れた。営業部員は顧客に「これは不良品です」とは言いにくい。そこで、すぐにサービス部門に電話をかけ、現地に来て直してほしいと頼んだ。このままでは、いずれ必ず必要になる修理なのだから、今やってほしい。だが、サービスのマネジャーはこう言った。「その設備がリークを起こすことは知っています。しかし、そのリークについて、サービス部門ができることは、何もありません。その設備が本格稼働に入って実際に故障するまで、設計の人は私の言うことを信じませんから」。かくしてこの設備は故障し、顧客に5週間の遅延という損害を与えた。顧客は自社が被った生産の損失に見合う1万ドルを支払わなかった（ケイト・マッキューンが教えてくれた事例）。

⑫旋盤を4台持ちしているオペレータの言葉。「管理図を使うようになるまで、私は自分が何をしているのかを分からないまま作業をしていました。だから、いつも後になってか

ら自分の仕事の出来栄えに気づく。それでは手遅れです。以前の私たちは10個に1個は不良をつくっていたのです。今では、自分が何をしているかを理解して作業することができますから、手遅れになることはありません。3交代で働く私たち3人は、同じ管理図を使います。作業に取り掛かるときも調整は必要ありません。作業がどこまで進んでいるか、目で見てわかるようになっています。不良をつくることもありません。以前よりもハッピーです」

コンサルタント「なぜ以前よりハッピーになったのですか?」

オペレータ「今では不良をつくっていないからです」

⑬ある地方の住宅当局が低価格住宅を提供するために用地を整備し、100軒の住宅を建設した。当該行政機関は検査官3人と契約を結び、竣工後に工事の出来栄えを報告させた。やがて冬が来て、居住者に暖房代として月に300ドル近くの請求書が届く。低価格住宅の居住者の懐具合にフィットしない金額だ。「なぜ暖房費がこんなにも高いのか?」と問う居住者への回答は「屋根裏に断熱材が入っていないからです」というものであった。これについて3人の検査官は次のように証言した。3人とも、建築業者が屋根裏に断熱材を入れていないことに気づいていた。しかし、各自がそれぞれの判断で、

その欠陥を報告書に書かないと決めた。３人共が「他の２人の検査官はその問題に気づかないだろう」と確信しており、「これを書けば他の２人の仲間の信用を傷つけることになる、そんなことはしたくない」と考えたからだ。

⑭われわれはこれまで長い間ブレーキ・ライニング（摩擦材）を生産してきたが、自分たちが何をしているのか、顧客がどのようなブレーキ・ライニングを持ちたいと願っているのか、まるで理解していなかったと気づいた。そこで、随分議論を重ねた。実際、顧客は「ブレーキ・ライニングはこんなものだろう」と思って、当社の製品を受け入れているだけではないか。おそらく、顧客は他に選択肢がないから当社の製品を買ってくれていたのだろう。そして数年前、顧客と共に、顧客が持ちたいと願い、同時にわれわれがつくることのできるものは何かという「オペレーショナル・デフィニション」をつくると決めた（訳注：ここでの「オペレーショナル・デフィニション」は顧客のコンテクストとメーカー側のコンテクストを統合した製品定義という意味）。当然だが、これは大仕事になった。ブレーキ・ライニングの多岐にわたるさまざまな特性を測定する必要がある。今では、顧客が当社から調達するブレーキ・ライニングの主要特性に関する $\bar{x}-R$ 管理図を顧客に提供している。これまでのところ、問題は１件も起きていない。

⑮われわれはQCサークルを時間給のワーカーにやらせようとしたが、現場に降ろす前にまずマネジメントをしっかり教育して、下から報告が上がってくる「障害物」を取り除く責任を理解させるべきだったのに、それが欠けていた。やがてわれわれは痛い現実から教訓を得た。わが社のQCサークルは崩壊してしまった。

⑯われわれは25年間もこの問題に取り組んできたのに、この問題を引き起こしているプロセスそのものに正面から取り組むことはなかった。

⑰われわれには、管理図も実験計画法も要りません。われわれにはコンピュータがあります。品質に関する問題はすべてコンピュータにやらせればよろしいでしょう（複雑な電子機器をつくる、あるメーカーが顧客に返した言葉からの引用。顧客から、そのメーカーの製品の問題について議論し、より良い品質をめざして、管理図とプロセス改善、仕事の進め方の改善に一緒に取り組みませんかと持ち掛けられた際の返事）。

⑱私はその会社がブレーキディスクを全数検査しているのを見ました。管理図が無検査にしたほうがいいと告げているのに。もちろん、管理図を描くためのサンプル検査は別として（プレトリアのコンサルタント、ヒーロ・ハッケボルドから聞いた話）

米国のマネジメントは大切なものを失って、取り戻せないと嘆いている——大切なものとはマネジメント自身だ*10

霍見芳浩博士

米国のマネジャーは、特に日本企業の見学に出かけて深く感銘を受けてきた。この1年を見ても、この国（米国）の何百もの企業がQCサークルを試みた。当地には50社の日系大手メーカーが工場を構えているが、そのうちQCサークルを広範にやっている会社は、これまでのところ、ほとんどない。日本人のマネジャーは、製品の品質と高い生産性への全社的関与を支えるのは企業文化であり、その文化を築く上でQCサークルは最初の一歩ではなく、最後の一歩だと知っている。

生産性ほど誤解されてきた概念はない。米国のマネジメントも、研究者も、ワーカーも、皆誤解している。米国のワーカーにとって、生産性を上げよと言われることは、さもなくばレイオフだという恫喝だ。マネジメントは、生産性を効率と製品品質の間の経済性のトレードオフとして理解する。つまり、生産性と品質は両立しないと思っている。ビジネススクールの経営学のコースはしばしば骨抜きにされて、在庫管理と生産フローが単なる「数字のゲーム」に堕す一方で、ファイナンス中心の予算編成とその厳格なコントロールが実効性の高いマネジメントツールとして過大評価されている。生産の現場でもオフィスでも、社会学的な言葉が幅を利かせて人間の行動への基本的な理解をすっかり置き換えてしまった。

社員の人としての側面に正面から向き合おうとする試みもあるにはあったが、多くが表面的なままだ。米国のマネジャーはこれまで、社員の感情を宥めると同時に遅れてばかりの生産を急かすために、数々の「ソリューション」を思い付いてきた。社員はこうしたマネジメントの「現れては消える、思い付きのソリューション」をあまりにも沢山見てきたから、今では、新しい何かが登場してくる度に懐疑をもって迎えるようになった。例えば、バックグラウンド・ミュージックや提案箱、心理カウンセリングなどが試されては廃止された。こうした取り組みは、ワーカーに言わせれば、ワーカーに「もっと頑張って働かせる」ための、単なる世間知らずの思い付きである。「QCサークルはそういうものと何が違うのか?」と社員が感じるのも無理はない。特に、あるエレクトロニクス企業が予算上の利益に合わせるためにワーカーを解雇するという唐突なアイデアを実行に移した後では、なおのことそう思うはずだ。

日本では、売上高が25%減るような突然の経済危機に直面してその衝撃を吸収しなければならないとき、犠牲を差し出させる順序が固く決まっている。第一に、株主配当を減らす減配。続いてトップマネジメントの給与・賞与の削減。それからマネジメントの給料を、階層の上から順番にミドルまできれいに刈り込むが如く、減額していく。最後に一般社員への要請が来るのだが、このときもまずは減給を受け入れるなら人は減らさない。次が人員補充をしないことによる自然減、それから希望退職を募ることによる人員削減という順番だ。米国で似たような事態に至れば、おそらく逆の順序で実行するのが普通のやり方であろう。

QCサークルはマネジメントの役割を再定義し、自社のカルチャーを再構築するというマネジメントの根源的な責任を代替することは決してできない。マネジメントが会社の成功はすぐさま自分の手柄にする一方で、業績が悪ければ同じくらいの素早さですぐにワーカーのせいにするようなことをしている限り、米国の製造業とサービス業において、低い生産性を改善する確実な方法などというものを期待することはできない。

日本の大企業は社員を再生可能資源の最たるものと見て大切に遇する。一般社員についても管理者についても、採用・訓練・昇進は総じて会社の責任と考える。最高経営責任者（CEO）でさえ、言外にも明示的にも、解雇するぞという恫喝をちらつかせて部下を動かそうとはしない。むしろ、仕事に対する満足と自己実現という人間的欲求を部下が自ら満たしていくのを助けることによって、皆が共有する会社の目標に向けて共に励むよう慫慂するのがマネジメントの責務であると考え、行動する。

米国でわずか3カ月のうちにある赤字工場を利益の出せる新進企業に変身させた日本人工場長が、私にこう言った。

「単純なことです。米国人ワーカーを人としての自然な欲求と価値観を持つ人間として遇する。そうすれば、相手も人の心をもって応じてくれます」

管理者とワーカーの間の表面的で敵対的な関係がすっかり取り除かれたなら、会社存続という共通の利益を守るため、苦しいときも互いに励まし合えるようになるはずだ。

マネジメントの文化的変革を欠いたまま、米国で狙った効果をQCサークルが生むことはない。一般社員の雇用を守りさえすれば高い生産性と高い製品品質を生み出せると請け合える人もいない。しかしながら、自社のワーカーの個人の安寧と幸福へのマネジメントの深い関与がなければ、社員達の中に会社の生産性と製品の品質への関心を呼び起こすことは不可能だ。雇用を守ろうとすればするほどマネジメントの仕事は困難になるが、それはやりがいのある挑戦でもある。

米国は史上で初めて、資本・原材料・エネルギー源・経営の能力・市場機会の欠乏が同時進行で深刻化するなか、うまく経済を成長させていくという難しい仕事に直面している。産業界と政府の間には緊張した関係があり、マネジメントと一般社員の間には対立的な関係がある。米国が日本の秘密を学ぶのは容易ではない。

第4章 いつ始めるか? どれだけ長くかかるか?

NIKKEI BP CLASSICS / OUT OF THE CRISIS I / W. Edwards Deming/ 1. Chain Reaction: Quality, Productivity, Lower Costs, Capture the Market / 2. Principles for Transformation of Western Management / 3. Diseases and Obstacles / **4. When? How Long?** / 5. Questions to Help Managers / 6. Quality and the Consumer / 7. Quality and Productivity in Service Organizations // NIKKEI BP CLASSICS / OUT OF THE CRISIS II / W. Edwards Deming // 8. Some New Principles of Training and Leadership / 9. Operational Definitions, Conformance, Performance / 10. Standards and Regulations / 11. Common Causes and Special Causes of Improvement. Stable System / 12. More Examples of Improvement Downstream / 13. Some Disappointments in Great Ideas / 14. Two Reports to Management / 15. Plan for Minimum Average Total Cost for Test of Incoming Materials and Final Product / 16. Organization for Improvement of Quality and Productivity / 17. Some Illustrations for Improvement of Living / Appendix: Transformation in Japan

石を切り出す者は石に傷つき／木を割る者は木の難に遭う。

『旧約聖書』コヘレトの言葉10・9

追いつくだけで十分か？

「米国が日本に追いつくには何年かかりますか」と人々は問う。これは漠然とした疑問、感じたままの言葉であろうが、理解の欠如から来ている。誰かが追いついてくるのを日本人が座して待つと思う人がいるだろうか。どんどん速さを増していく相手に、一体どうして追いつけようか。今や、「競争に伍していける」だけでは足りないことをわれわれは知っている。「競争に伍していける」ことだけを願う者は、既にして敗者だ。われわれは何としてもこの危機を克服しなければならないし、克服できる。ただし、数十年はかかる。

これから論じる問題の概説

われわれは、配当・組織・決定・上意下達・対立（勝つか負けるかしかない対立の構造）・国内外の競争相手の殲滅をめざす全面戦争に身を捧げるが如き社会に生きている。情けは無用、どんどん行け。勝者がいれば、必ず敗者がいる。だがこれは、より豊かな物質的生活への道ですらない。

われわれはまた、誰もが右肩上がりの生活水準を期待する時代に生きている。ちょっと計算すればすぐにわかることだが、現実は違う。世界の商品供給が永遠に増え続け、そのおかげで食糧・衣服・住居・物流・その他のサービスの供給が永遠に増え続けるなどということは、起こりようがない。米国で経済的価値観の大転換が生じて我が国の製品が国内外で競争力を持つに至るなら実に喜ばしいが、どうしたらそれを実現できるかを理解するのは困難だ。

自分の製品やサービスが売れないのに、一体どうして他者の製品を買えようか。可能性のある唯一の答えは、より良いデザイン・より良い品質・より良い生産性の中にこそある。

いま求められる改善を実現できるのは、「より良いマネジメント」だけだ。しかし依然として、「それでは、いつまで待てばマネジメントが自分たちの責任を自覚して自ら積極的に行動するようになるのか?」と思うだろう。「マネジメントの姿勢が変わったとして、それがどれくらい長続きするか?」「それによって本当に米国産業が上向きに転じるのか?」「その先に真の再生はあるのか?」といった具合に疑問は尽きない。目指すべきは「再生」ではなく、「トランスフォーメーション」である。個々の問題の解決も最新機器の導入も、答えにはならない。マネジメントにとっての大きな問題は、どのような変化であれ、変化を起こすこと自体が難しいということだ。実際、難しすぎて行き詰まり、万事休すになることもある。

今では、大企業のトップへの報酬と特権付与は四半期ごとの配当に密接にリンクしており、そのせいで、「会社のために正しいことをやる」ことは、個人として報われない仕事であると見做されている。そこで、どの会社でもその気になれば踏み出せる最も重要なステップがある。取締役会が自社の長期的な展望への自らの関心をはっきりと打ち出すことだ。そういう決意をした取締役を社会として守るために、株式公開買付け（TOB）やレバレッジド・バイアウト（LBO）を規制する法案を通す必要があるかもしれない。

トランスフォーメーションを阻むもの

マネジメントは、米国のリーダーシップ再生に立ち塞がる障害物を、直ちに取り除く必要がある。「死に至る病」の行進と大量の「障害物」については、第2章と第3章で説明した。これらはすべて、米国のマネジメントの産物だ。撲滅できるのも米国のマネジメントだけだ。

他にも障害物とされるものはある。真偽のほどがわからないまま、マネジメントの失敗から社会の関心をそらすのに便利なものだ。為替レートへの介入であるとか、貿易の非関税障壁や目に見えない障壁、政府の干渉といったものだ。しかし、この種の「障害物とされるもの」をすべて足しても、米国のマネジメントが自らのために作り出した「障害物」に比べたら小さなものだ。

例えば、マネジメントは、将来の自社製品・サービスを自社の第一義的存在意義と位置づける、一貫性ある目的を打ち出せるだろうか？　さらに、実際に会社を動かし、首尾よくその軌道に載せるまで、自身の職責を確実に果たし続けることができるだろうか？

将来の市場を獲得できる製品・サービスのために今何を為すべきかというプランニングによって事業を継続し、我が国の人々に雇用を提供するという目的の一貫性は、死命を決する重要事である。このことは既に述べた。しかし、この方針を自らの血肉となすのは容易ではない。この道を行く者は、配当に回せたはずのお金を（会社のために）使ったと非難され、解雇されるリスクを負う。その一例がビジネスウィーク誌に載っていた（1982年3月15日号）。ある大企業で、将来のためのプランを主導するためにその職に就き、今まで働いてきた人が、1981年の第4クォーター（四半期）の減配の責任を問われて解雇されたのだ。

配当こそ経営のパフォーマンスを測る物差だと信じ込むよう株主を誘導してきたのはマネ

ジメントである。一部のビジネススクールは学生に「短期的に利益を最大化する」方法を教えている。だが、株主はマネジメントより賢いということもある。株主には産業に投資する年金基金のマネジャーも含まれる。今期の配当よりも、将来の成長と将来の配当にもっと深い関心を寄せる株主がいてもおかしくない。いつになったらマネジメントは「自分たちには投資を（長期的に）保護する道義的な責任がある」と理解するのだろう？

長い道のり

趨勢を変えるには、どれほど時間がかかるだろう。ある広告代理店は、1つの商品に関する国民全体の見方を変えるのに10年かかった。[*1] しかし、広告代理店1社だけで、短期的な利益を求めるこの国の考え方を一新し、マネジメントに新たな見方と目的の一貫性を体得する機会を与えることができるだろうか。可能であるとしても、どれほど時間がかかることか。10年か、20年か。やはり30年は必要だろうか。

経済学者が新たな経済理論を学び、学生に教えられるようになるには、何年かかるだろう。10年あるいは20年か。

政策から来る障害物

「価格競争の力学は、品質とサービスの問題を解決しない」と行政当局が理解するのはいつの日か。サービスを破壊する競争が行政当局による規制の「望ましい」狙いとは思われない。だが、その理解に至るまでには長い年月が必要だ。20年か、30年か。

規制当局はまさに負託の弊害というべきか、規制の仕方が曖昧で、時代遅れ。公共の利益をいかに考慮すべきかも知らない。それゆえ、その間にも産業界が生産性を改善するのを妨げ続けている。司法省反トラスト局は、価格競争は我が国の人々にとって良いことだという信念の下、既に電話通信と輸送のシステムをボロボロにしてしまった。この先、厳しい教訓が待ち受けている。

例えば、フォードとポンティアック（GMのブランドの一つ）とクライスラーの人たちが協力して、自動車の左フロントフェンダー用鋼材の基準の数を15から5くらいに減らそうとすることは許されない。もったいないだけでなく馬鹿げた話だが、そういう規制があるのだ。国民をこれほどまでに規制で縛っておいて、米国産業が一体どうして日本と価格で戦えるだろう。

銀行家や企業オーナー、監督権限を持つ行政当局は、米国産業への真の奉仕という挑戦を引き受ける気持ちになるだろうか。あるいは伝統墨守の儀式を続けるのみか。

この数年を振り返ると、良い意図から生まれた規制が、治すはずの病を一層悪くした例に満ちている（ビジネスウィーク誌社説、1978年7月3日号、112ページ）。

だが、反トラスト法の問題は、変化を続ける環境以上に大きい。法的規制は、そもそも第一に問うべきは何かということをしばしば見えなくしてしまう。われわれはどうしたら米国の生産性を向上させることができるのか？……（中略）……反トラスト法をめぐる問題に対して、われわれはもっと知性を働かせる必要がある（ニューズウィーク誌、レスター・C・サローの寄稿記事、1982年1月18日号、63ページ）。

（生産性向上を阻む）もう1つの要因は政府の規制です。政府は企業にアファーマティブ・アクションや安全衛生などの法令遵守を求めて膨大な経費と工数を負担させている。1976年単年度だけを見ても、米企業の法令遵守のためのコストは約300億ドルと推定されます。

われわれは皆、銀行が監督当局の官僚主義的な仕事の仕方に対応しなければならないことを知っています。1968年貸付真実法がその代表的な例です。また、監督当局の指示に対応するため、大量の法務スタッフを雇わなければなりません（バンク・オブ・アメリカ取締役会長レーランド・S・プラッシャ、1982年1月25日、アトランタで開催された銀行経営協会の会議での発言）。

さらに考察を進める。ある会社のマネジメントが、品質と生産性を良くして競争力を高めるために、真剣に14原則に取り組み始めたとする。だが、船出がうまくいっても、その後すいすいとはいかない。調達部門が新たな仕事を学び、実行して効果を出せるまでには、5年はかかると見なければならない。換言すれば、ⓐ値段の安さのみを追求し、最低価格を提示した者に発注するというやり方から、ⓑ品質と価格の事実に基づいて調達するというやり方にシフトするには5年はかかるということだ。同時並行で、会社は他の改善にも乗り出す。例えば、大量生産型の検査に依存するのを止め、ベンダーを絞り込んだ上で、ベンダーが統計的な品質のエビデンスを添付して納品できるように変えていくといったことである。

マネジメントが優れている会社でも、時間給で働く人々が自分の仕事に誇りを持って働くのを阻んでいる障害物を除去するには5年はかかる。普通は10年かかるものだ。

この他の14原則もまた、じっくり時間をかける必要がある。同じように、目的の一貫性への障害物を既に取り去った会社であっても、第3章の「死に至る病」の治療にはやはり長い時間が必要だ。

いつ?

ここまで見てきた数々の障害物を振り返れば、もはや誰にとっても明らかだが、米国産業にはこの先長い茨の道が待ち受けている。なんとか競争に伍していけるポジションに到達するだけでも、10年から30年はかかる。この先の米国産業の競争ポジションは、生活水準を道連れにして世界2位、あるいは4位まで転落する可能性がある。

そのときまでに、輸出を支えてきた従来の製品は衰退か消滅しているかもしれないが、その一方で、自分たちの未来を信じて資源を投じてきた会社が生み出す新たな製品が次々と花開くようであってほしい。

したがって、問題は「いつ」ではなく、「やるか、やらないか」だ。

農産物はこの数年の我が国の国際収支において、重要な役割を果たしてきた。農産物がなければ、国際収支の赤字は今よりずっと大きかったはずだ。今後とも、土壌と水は持ちこたえられるだろうか。われわれは農業国として生きていくべきなのか。

興味深いことに、農業ビジネスは年々効率的になっている。今日、米国の農産物産出高は、農業従事者1人が自分の他に77人を養えるまでに増えている。農業に従事する人々が、効率を高める可能性のあるやり方や作物を素早く取り入れる機会を決して見逃さなかったということだ。ちなみに、農業における革新は、総じて世界中の農業試験場から来ている。そうした試験場ではいずれも、試験の効率と信頼性を高めるために、統計手法を使っている。

残念なことに、これまでの農業ビジネスは、関税・輸入割当と政府の補助金に頼って、生産だけに集中してきた。今後は、開発と販売を政府に委ねるのではなく、むしろ同じ労力と知恵を、世界中で我が国の農産品の新たな利用を開拓し、市場を広げることに振り向けることもできる。それによって、格段の利益と、新たなフロンティアへの覚醒を米国の農業にもたらすことができるだろう。

農産物価格への政府の支援を止めれば、農業は今まで以上に生産性を上げることができるかもしれない。

適者生存

生き残れるのは誰か？　より良い品質・より良い生産性・より良いサービスを目指す目的の一貫性を自らのものとなし、創造性を発揮して粘り強く取り組む企業は、生き残りへのチャンスを手に入れることができる。もちろん、市場に歓迎される製品やサービスを世に提案できてこそだ。チャールズ・ダーウィンの「適者生存の法則」は、裏を返せば「適応できない者は生き残れない」ということだ。政府の規制から解放された自由企業も、「適者生存」と「自然淘汰」から逃れることはできない。これは残酷な法則であり、競争が終わることはない。

実は、この問題は自ずと解決する。生き残った者だけが、より良い品質・より良い生産性・より良いサービスに向けた目的の一貫性を持った会社であるということなのだから。

第5章 マネジメントの助けとなる質問リスト

NIKKEI BP CLASSICS / OUT OF THE CRISIS I / W. Edwards Deming/ 1. Chain Reaction: Quality, Productivity, Lower Costs, Capture the Market / 2. Principles for Transformation of Western Management / 3. Diseases and Obstacles / 4. When? How Long? / **5. Questions to Help Managers** / 6. Quality and the Consumer / 7. Quality and Productivity in Service Organizations // NIKKEI BP CLASSICS / OUT OF THE CRISIS II / W. Edwards Deming // 8. Some New Principles of Training and Leadership / 9. Operational Definitions, Conformance, Performance / 10. Standards and Regulations / 11. Common Causes and Special Causes of Improvement. Stable System / 12. More Examples of Improvement Downstream / 13. Some Disappointments in Great Ideas / 14. Two Reports to Management / 15. Plan for Minimum Average Total Cost for Test of Incoming Materials and Final Product / 16. Organization for Improvement of Quality and Productivity / 17. Some Illustrations for Improvement of Living / Appendix: Transformation in Japan

わたしは口を閉ざして沈黙し／あまりに黙していたので苦しみがつのり

『旧約聖書』詩編39・3

本章の狙い

本章の狙いは、マネジメントが自らの責任の何たるかを理解する助けとなる質問を提供することにある。

マネジメントに問う

①[a]あなたの会社は「目的の一貫性」を確立したか？

[b]既に確立しているなら、その目的は何か？　まだ確立できていないなら、確立するのを阻むものは何か？

[c]その目的はこの先もずっと変わらぬものか、それとも社長の交代とともに変わるものか？

[d]その「目的の一貫性（自社の存在意義）」をあなたの会社が既に社内で公式に打ち出している

として、そのことをすべての社員が知っているか？

ⓔその目的を深く信じ、その目的が自身の仕事に実際に影響を与えるまでに至った社員は何人いるか？

ⓕあなたの会社の社長は、誰に対して責任を負っているか？　取締役たちは誰に対して責任を負っているか？

②ⓐあなたは、今から5年後、自分のビジネスがどこにいてほしいと考えているか？
ⓑその「5年後に、かくありたいと願う姿」を、あなたはどのようにして達成しようと考えているか？　どのような手段でそこへ到達したいか？（52ページに既述の通り、ウィリアム・A・ゴロムスキーのマネジメントへの問いかけ）

③ⓐ個々の品質特性が（統計的に）安定した「プロセス」あるいは安定した「システム」を持っているか否かを、あなたはいかにして確かめるか？
ⓑそれが安定した「プロセス」あるいは「システム」であるとして、その安定した「プロセス」あるいは「システム」をさらに改善する責任はどこにあるか？　あなたが品質を良くしたいと願い、工場長はじめスタッフ（管理部門や生産技術や保全の人々）、管理者、部門長、現場で実際に仕事をしている人々の誰に訴えても、何一つ良くならないのはなぜか？

ⓒそれが安定した「プロセス」あるいは「システム」でないとするなら、（安定したシステムと比べて）何か違うところはあるか？「システム」が安定していない場合、あなたがやろうとする改善は、安定している「システム」に対する改善と比べて、何がどう違ってくるのか？

④ⓐ第2章の14の各原則および第3章の「死に至る病」と「障害物」に取り組むチームを確立したか？

ⓑ原則14に対して、あなたはどのように取り組んでいるか？進み具合はどうか？

ⓒ調達と生産のチームワークを立ち上げ、育むために、あなたは何をしているか？

⑤ⓐあなたの会社における常習的欠勤は、（統計的に）安定した「プロセス」か？

ⓑ火災はどうか？（統計的に安定した「プロセス」か）

ⓒ事故はどうか？（統計的に安定した「プロセス」か）

ⓓ欠勤や火災や事故が安定した「プロセス」であるなら、その「プロセス」を改善する責任はどこにあるか？（答え：マネジメント）

⑥ⓐ生き残るためにマネジメントの変革が必要なのはなぜか？

ⓑ変化を起こすに足る、十分な人数（クリティカル・マス）の人々がいて、あなたを助けてくれているか？

c 変化を起こすに足る、十分な人数（クリティカル・マス）が必要なのはなぜか？

d マネジメントのすべての階層の人々が皆、その新たな理念を自分のものとして、当事者意識をもって、理解しているか？

e マネジメントの中に、「いや待て、よく検討しようではないか」と言い出す可能性のある人はいるか？ 実際、今もそう言っている人がいるのではないか？

⑦ あなたのビジネスがサービスである場合

a 自分たちはある「製品」を持っていて、その「製品」が「サービス」であると認識している社員の割合はどれほどか？

b 社員1人ひとりに至るまで、皆それぞれ自分の「お客様」を持っていると理解しているか？（訳注：日本で言うところの「後工程はお客様」）

c あなたの会社のサービスの質をどのように定義するか？ そのサービスの質をいかにして測定するか？

d あなたの会社のサービスは1年前よりも良くなっているか？ それはなぜか？ どうすればそれ（1年前に比べて良くなったか、なっていないか）を知ることができるか？

e（良くなっているとして）どう良くなったのか、なぜ良くなったのか？

ⓕ繰り返し性のある購入品のうち、1つの品目に対して複数のベンダーから買っているものはないか?

ⓖ(複数のベンダーから買っているものがあるのなら)その現状はいかなるもので、その理由は何か?

ⓗ既に1品目1ベンダーになっているとして、当該ベンダーとの間に長期的で誠実な関係を築いてきたか?

ⓘ常習的欠勤者の割合は安定しているか?

⑧あなたのビジネスが建設業の場合

ⓐ顧客への建築のサービスは2年前に比べて良くなっているか?

ⓑどのようによくなったのか?

ⓒ建築のサービスをよくしようとして、あなたがしてきたことは何か?

⑨次の人々の間にチームワークを作り出すためにあなたは何をしているか?

ⓐ製品(またはサービス)の設計と生産の間

ⓑ製品(またはサービス)の設計と販売の間

ⓒ製品(またはサービス)の設計と調達の間

⑩製品やサービスの設計と、実際の生産や実際のサービス提供(で起こること)との間のギャッ

プを埋めていくために、あなたは何をしているか？　換言すれば、生産やサービス提供の段階に進む前に、製品設計の試験やサービス設計の試験をもっと良くするためにあなたは何をしているか？

⑪以下のことがらの品質を良くするために、あなたは何をしようとしているか？

ⓐ生産のために納入されてくる原材料や部品

ⓑ工具、設備、生産以外の目的のもの

ⓒ社内のコミュニケーション（社内メール、文書、電話、電信など）

⑫ⓐ調達部門は一番安い価格を提示した者に発注するというやり方に固執しているか？　そうであるなら、それはなぜか？　さらに、そうした調達の方針のせいで、どのようなコストが、どれくらい生じているか？

ⓑ調達したものを実際に使う段階に至って生じるコストを、購入を決める時に考慮に入れているか？　それはどのように、どのくらい行われているか？

⑬ⓐサプライヤーを絞り込むためのあなたの取り組みはいかなるものか？

ⓑ通常の使用・消費量を基に、コモディティや物流等のサービス調達も含めた主な調達品を4つ挙げ、以下の問いに答えてほしい。

c それぞれの品目のサプライヤーは現在何社か？　1年前、2年前、3年前は何社であったか？

d（コモディティや物流等のサービス調達も含めた）サプライヤーとの間に誠実さと信頼に基づく長期的な関係を築いていくために、あなたはどのような取り組みをしているか？

⑭評価のシステムをもっと良いやり方で置き換えるために、あなたは何をしているか？

⑮あなたの会社のマネジメントは、設計変更に伴って生じるコストを理解しているか？　そもそも設計変更がなぜ必要になったのか、その真因は何か？　あなたの会社のエンジニアは、最初から正しく仕事をやるのに十分な時間を持てているか（時間がないせいで「拙い設計」を見逃し、設計変更に繋がっているようなことはないか）？　エンジニアをランク付けする今の評価のやり方に拙さがあるのではないか？　そうであるなら、あなたはそれをどう変えたいか？

⑯社内の仕事や作業の1つひとつに対して、訓練や再訓練をしているか？　しているとして、そうした訓練の中で、「後工程はお客様」であること、その後工程が何を求めているかということを教えているか？

⑰現場で働くワーカーのうち、何割くらいの人が「後工程のお客様が求めているもの（要件）」を理解する機会を持っているか？　なぜ全員が「お客様である後工程」への理解を持てない

のか？

⑱「社員1人ひとりに至るまで、全員が『お客様である後工程』が求める要件を理解する機会を持てていない」ことから来ている損失を把握したいとあなたは思うか、そうであるなら、どうすれば算出できると考えるか？（これは第3章で説明した「死に至る病」の症例の5番目「未知や不可知の数字を考慮しない」の1つである）

⑲日当たりの出来高を作業標準としてノルマのように使うのを止めて、「良い知恵と良いリーダーシップ」で置き換えるために、あなたはどのような取り組みをしているか？（第2章を参照）

⑳ⓐいわゆる「目標管理」をやっているか？　そうであるなら、そうしたマネジメントのあり方のせいで生じているコストはどれほどか？　そのようなやり方の何が悪いのか、あなたは理解しているか？　そうした「拙い目標管理」を「もっとマシなマネジメント」で置き換えるために、あなたは何をしているか？（第2章と第3章を参照）

ⓑいわゆる「数字による経営」（例えば「6％増やせ」あるいは「減らせ」といった具合に、上から降ろした特定の目標数値を使って生産性向上や売上増を求めたり、仕損・人件費・経費の削減を求めたりすること）をやっていないか？（第2章と第3章を参照）

ⓒ上から押し付けられた数字（例えば、工場全体の日当たり出来高目標1200個、セールスマン1人

当たりの1日当たり獲得受注額7200ドル）に対する実績の数字を用いて、今のやり方が「安定した『システム』ではない」（あるいは「安定したシステムである」）ことを証明せよ。そうした実績の数字は、「歯車のように噛み合った数字（人為的な操作のない自然な結果）」、あるいは「恐怖のせいで要求に合うところまでは頑張るが、それ以上はやらないという『調整』の結果の数字」の、いずれであるか、証明を通して示せ。

㉑あなたの会社の中で、少なくともいくつかの部門において、あなたは今までの「監督」のやり方を「良いリーダーシップ」へと変えるべく行動しているか？

㉒ⓐあなたはフォアマン（第一線監督者）をどのように選んでいるか？　換言すれば、あなたの会社のフォアマンは、いかにしてフォアマンになるかということだ。

ⓑあなたの会社のフォアマンは、自身の職務の何たるかについて何を知っているか？

ⓒそのフォアマンらは、自身の部下のなかに「当該『システム』の部分ではない人（統計的に見て、管理限界の外の「悪い方の側」にいる人）」がいるか否か、いるとすればそれは誰で、個別の支援が必要か否かということを、見極める方法を知っているか？

ⓓそのフォアマンは、「当該『システム』の部分ではない、『格段に優れている人』（統計的に見て、管理限界の外の「良い方の側」にいる人）」がいるか否か、それは誰かを見極める方法を知っ

ているか？

㉓次の2つを止めるためのあなたのプランはいかなるものか？

ⓐ出来高払い

ⓑ奨励金

㉔ⓐ毎月、前月の取扱高が平均を超えたディーラーにマネジメントが必ず感謝状を贈っていたとして、それによってディーラーの人々や関係者の士気がいくらかでも高まると思うか？

ⓑどのディーラーが感謝状を受けるべきかを知るには、どうすればよいと思うか？

ⓒ何らかの個別の支援や個別の指示が必要なディーラーを知るには、どうすればよいと思うか？

ⓓ前月の取扱高が平均以下になったディーラーに手紙を送ることを、どう考えるか？

㉕時間給で働くワーカーからワークマンシップの誇りを奪う「障害物」を除去するために、あなたはいかなるプランを描いているか、実行しているものはあるか？

㉖会社の壁にゴールや激励の言葉を貼っているのではないか？　もし貼ってあるとすれば、その手の貼物を、「時間給で働くワーカーからワークマンシップの誇りを奪う『障害物』を減らしていく」というマネジメントの新たな活動で置き換えるために、あなたは何をするか？

㉗書類仕事を減らすために、あなたはどんなステップを踏んで進めているか？

㉘ⓐ出張旅費の精算やベンダーへの支払いなどに必要な署名の数を減らして、1つの署名で済むようにするために、あなたはどんなステップを踏んで進めているか？

ⓑ出張者が立替えた経費を速やかに払い戻すために、あなたはどんなステップを踏んで進めているか？

㉙昨年1年間にペーパーワークのミスによって生じた損失はどれくらいあったか？

㉚ⓐ将来に向けた新たな製品やサービスの開発のために、あなたはどのような取り組みをするつもりか？

ⓑ新しい設計や新しいアイデアの試験のために、あなたはどのようにプランを立てるか？

㉛ⓐ顧客があなたの会社の製品を使用する段階に至って生じる問題について、あなたは何を知っているか？　そうした製品の問題を予測し検証するために、あなたはどのような試験をやっているか？

ⓑ顧客はあなたの会社の製品を競合製品と比較してどう見ているか？　あなたはそれをいかにして知るか？　あなたはそれに関して何らかのデータを持っているか？

ⓒ顧客はなぜあなたの会社の製品を買うのか？　あなたはそれをいかにして知るか？　あな

たはそれに関して何らかのデータを持っているか？

ⓓ顧客はあなたの会社の製品の何が問題で、どういうところが不満だと見ているか？　あなたはそれをいかにして知るか？　あなたはそれに関して何らかのデータを持っているか？

ⓔ顧客は競合製品の何が問題で、どういうところが不満だと見ているか？　あなたはそれをいかにして知るか？　あなたはそれに関して何らかのデータを持っているか？
㉜現在の顧客は1年後も顧客でいてくれるか？　2年後はどうか？
㉝ⓐ顧客はあなたの会社の製品が自分たちの期待に応えていると思っているか？　広告や販売員は顧客をどのような期待に導いているか？　それはあなたが今提供できる以上のものか？　あなたはそれをいかにして知るか？
ⓑ（そうであるとして）顧客は、あなたの会社またはディーラーが提供するサービスに満足しているか？　満足しているなら、何に満足しているのか？　ワークマンシップの質か？　電話1本でサービスマンがすぐに来てくれるからか？　あなたはそれをいかにして知るか？
㉞ⓐ顧客が考える品質と、工場長や作業員が考える品質を、あなたはどのように区別するか？
ⓑ顧客から見たあなたの会社の製品の品質は、あなたが顧客に提供したいと意図している品質にどの程度合致しているか？

㉟ⓐあなたは、自社の製品や自社のサービスの何が悪いかを知るのに、顧客からの苦情を頼りにしているか？

ⓑそれを知るのに、あなたは品質保証コストの実績を頼りにしているか？

㊱ⓐ顧客はなぜ他社に切り替えるのか？

ⓑあなたが利益を得るための主な機会はどこにあるか？（利益は繰り返し買ってくれる顧客から来るものだ）

ⓒ顧客を摑んで離さないために、あなたが為すべきことは何か？

㊲ⓐあなたの会社の製品について「買うか、買わないか」を決めるのは誰か？

ⓑ今後の4年間において、もっと顧客のためになるのは、どのような新設計か？

㊳次のものに対して、あなたの会社はどのような検査、検証をやっているか？

ⓐ納入されてきた原材料や部品

ⓑ仕掛中のもの

ⓒ最終製品

（この質問に対して製品の全品目について答えようとしてはいけない。主要製品のうち3〜4種類とその主要材料・部品について、3〜4本の生産ラインについて、答えるだけでよろしい）

㊴ⓐ前述の各項目の検査の信頼性はどれほどか？　あなたはそれをいかにして知るか？
ⓑ各検査員の信頼性が同程度か否かを証するデータをあなたは持っているか、それはどのようなデータか？
ⓒ検査機器の信頼性はどうか？　むしろ機器の使い方に問題があって信頼性が低いということはないか？　測定または仕分け（訳注：品質特性に応じて対象アイテムを決められたカテゴリに分類していくこと）の「システム」が統計的に管理された状態にあることを示すエビデンスをあなたは示せるか？　視覚的なエビデンスか（管理図など）？　あるいは何らかの機器によって証明するのか？
㊵ⓐ無検査がトータルコストを最小化するはずの環境なのに、検査をやっているケースはないか？（第15章を参照）
ⓑトータルコストを最小化するために全数検査を実施すべき環境なのに、無検査にしているケースはないか？（第15章を参照）
㊶ⓐそうした検査でどのような記録を取っているか？　どのような形式で記録しているか？
ある程度まとめてプロットする管理図か、検査の度に逐次プロットしていくランチャートか？　そうしたことをやっていないなら、それはなぜか？

[b]あなたが保存している記録は他にどのような使途があるか？
[c]記録を保存していないなら、それはなぜか？
[d]社内のどこかに記録を残さないまま検査をやっているところがあったとしたら、なぜその検査を省かないのか？
㊷[a]納期に追われて捨て鉢になった生産の部門長の指示で生産ラインに投入され、使われてしまう材料・部品はどれくらいあるか（それは例外なく材料・部品のムダ、手直しのムダのいずれかまたは両方を生産ラインの中で生む）？（この質問には主な生産ラインの2つか3つについて答えるだけでよろしい）次のようなことにしばしば遭遇しているのではないか。その頻度はどれくらいか？
——仕様に合致している材料・部品なのに、当該プロセスや当該最終製品には合わないということがある
——受入検査が必要と認識されているのに、生産側の強烈な吸引力のせいで検査が急かされたり、省略させられたりする
[b]生産のマネジャーがまったく使えないと判断する「購入品の材料・部品」はどれくらいの量になるか？（これもまた、主な生産ラインの2つか3つについて答えるだけでよろしい）
[c]こうした問題の報告を上げさせ、直していくための仕組みはあるか？　あるとすれば、そ

れはいかなるものか？

㊸ⓐ納入品が統計的に管理された状態にあるということを証明するエビデンス（管理図等）をサプライヤーが添付して納品するように持っていけば、あなたは徐々に検査を減らせる。そのためにあなたはサプライヤーとの間でどのような調整をしているか？

ⓑ自社とサプライヤーが同じ尺度と同じ検査に基づいて話ができるように、あなたは継続的にサプライヤーと協力しているか？　その協力はいかなるものか？

㊹ⓐマネジメントも含め、１人ひとりが皆自分の仕事の中で品質（と生産性）をつくり込めるようにするために、あなたは何をしているか？

ⓑ原材料や部品が入ってくるところから顧客の手元に届くまでの流れのなかで、不良やミスが引き起こしている損失をあなたは知っているか？

㊺モノを売ったり買ったりするために、あなたは今なお軍用規格１０５Ｄやドッジ・ローミッグ表を使って検査しているのではなかろうか？　それはなぜか？（第15章を参照）

㊻コスト全体の中で、前工程から流出した不良の責に帰すべきものが占める割合はいかほどか？

㊼品質と生産性に関する問題のうち、(i)生産のワーカーの責に帰すべきものと、(ii)「システム」

の責に帰すべきもの（マネジメントの責任）はどれくらいの比率か？　あなたはいかにしてそれを知るか？　（主な製品3つか4つについて答えるだけでいい）

㊽ハンドリング・ダメージから生じる損失はどのくらいあるか？　その損失は(i)原材料や部品が入ってくるところから顧客の手元に届くまでの流れの全体で見るとどれくらいになるか、(ii)そのうち梱包・輸送・設置において生じている損失はいかほどか？　あなたはこうした問題に関してどのようなデータを持っているか？　それに対し、あなたは何をしているか？

㊾新入社員への訓練をより良くするために、あなたは何をしているか？　新製品、新たな手順（仕事のやり方）、新たに入れた設備に対応するための再訓練についてはどうか？

㊿ⓐ製品を1つ世に出すとき、あるサービスを1つ世に出すとき、それに関わる仕事の一切は「一期一会」である。それはなぜか？　（計画が一部でも実行段階に至れば、以後の変更は時間もお金も高くつく）。したがって、計画が全面的に動き出したら、改善の機会はほとんどない。

ⓑ学びも「一期一会」だ。仕事のやり方の訓練での学び、新たな仕事に就いてもらうための再訓練での学び、あるいはピアノやバイオリンのレッスンもそうだが、すべてが「一期一会」。それはなぜか？（一旦、身に付けてしまったものを変えるのは誰にとっても難しい）

(51)あなたの会社の中にジョブショップ型の受注生産の工場があるなら、以下の問いに答えよ。

[a]どの顧客もすべて、2年前に比べて、あなたから1件また1件と製品の提供を受ける度に、より大きな満足を得ているか？　それはなぜか？

[b]原材料・部品、設備はどうか？　調達品の1種類につき、サプライヤーを何社抱えているか？

[c]1種類につき複数のサプライヤーを抱えているなら、それはなぜか？　サプライヤーの絞り込みに向けて、あなたはどんなステップを踏もうとしているか？

[d]設備の保全はどうか？　良くなっているか？

[e]仕事のパフォーマンスについてはどうか？　良くなっているか？

[f]離職率はどうか？　良くなっているか？

[g]製品が切り替わっても変わらない、繰り返し性の高い作業は、徐々にパフォーマンスが良くなっているか？　そうした繰り返し性の高い作業において記録を取って管理図をつくっている現場はあるか？

[h]「安定して」生じている問題はあるか？　あるとしたら、それを改善する責任はどこにあるか？（マネジメントの責任において改善すべきだ）

52
[a]あなたの会社で訓練を担当している人々は、社員1人ひとりについて、どの訓練をいつ受

けたか、あるいは受けていないか、ということを把握しているか？

[b]その人たちは、訓練の機会は一度しかない（一期一会）と理解しているか？　ひとたび訓練を受けて「あるやり方」を身に付けてしまった社員は、その後「違うやり方」を教えられても、なかなか身に付かない。訓練担当の人々は、そのことを理解しているだろうか？

53 あなたは生産現場に数値目標を設定するという罪深いことをやっているのではないか？

54 あなたの会社に有能な統計学者がいるとする。あなたはその人の知識と能力を最大限に活かしているか？　その人は統計的な考え方を誰に教えているか？　マネジメント、エンジニア、化学の研究者、物理の研究者、生産のワーカー、フォアマン（第一線監督者）、スーパーバイザー（第二線監督者）、購買の担当者、将来の製品に向けた調査・研究・製品企画を担当する部門の人々に教えているだろうか？　あなたは、その人を統計に関連した学会のミーティングに参加させているか？　その人は、全社にわたって活動して問題を発見し、真因を特定し、その真因を除去する「悪いところを直すための行動（矯正行動）」を取って成果を出しているか？　その人は、あなたが抱えるすべての問題に取り組んでいるか？　即ち、製品そのもの、品質、調達、仕様、検査機器といった問題すべてに取り組んでいるかだ。その人は、社内のあらゆる場所・部門で、問題を見つけてそれに取り組む権限と責任を持っているか？　持っ

ていないなら、それはなぜか？（第16章を参照）

⑤⑤ a あなたは、自社の統計的な活動を、自社にとっての最大の関心事に適うよう位置づけて確立したか？（第16章を参照）

b あなたの会社には、目下のところ、有能な統計学者がいないとしよう。そこで、品質、生産性、調達、製品の更新設計といった領域での問題に取り組むあなたを助けてくれる人を見つけるために、あなたは実際、どのような努力をしているか？

⑤⑥「自分の仕事を自分で改善することを通して、自分自身も成長する」という「セルフ・インプルーブメント」を社員に奨励しているか？　どのくらい奨励しているか？　どんなやり方で？

⑤⑦あなたの会社には、社内で行う教育・訓練のプログラムがあるか？

⑤⑧社員に対し、大学はじめ地元の教育機関が提供している講座に関する情報を提供しているか？

⑤⑨あなたは、「いま目に見える数字」のみに依拠して会社を動かしてはいないか？

a そうであるなら、それはなぜか？

b あなたの会社のマネジメントが未知または不可知の数字の重要性を学ぶために、取るべきステップはいかなるものか？

⑥0あなたの会社は、標準化に関する社外の組織の委員会等に参加しているか？
⑥1あなたの会社は地域社会のためにどのような活動をしているか？
⑥2あなたは、製造現場の「人の問題」から自分自身を解放したくて、EIG（従業員参画のための小集団活動）、EPG（従業員参加のための小集団活動）、QCサークル、QWL（働き方の質を高めるための小集団活動）などを立ち上げ、マネジメントの関与もないままに、そうした活動を放置し、停滞させているようなことはないか？
⑥3ⓐ社内のすべての活動が改善に向けてそれぞれの役割を果たしているか？　停滞している活動はないか？
ⓑあなたはどんなステップを踏んで活動が停滞している領域を見付け出し、その人たちを助けるか？
⑥4ⓐ「安定しているシステム」（統計的に管理された状態にある「システム」）へのあなたの理解はいかなるものか？
ⓑこれまでに、品質問題や生産性が落ちるといった困りごとが、「安定的に」生じることはあったか？　あなたはいかにしてそれを知るか？　そういう困りごとがあったと仮定する。さまざまな問題に対して、あなたは手を打つ。そして、当初はそうした改善活動がよく効いて、

もっと頑張ろうと励みになる。そこで問う。なぜ成果が出て励みになったのか？　やがて品質の「ばらつき」は均され、「安定したシステム」に至る。なぜそうなるのか？（第11章を参照）

ⓒある「プロセス」が安定しているとき、改善のための方法と具体的な行動を考え出し、適用することに責任を持つべき者は誰か？（答え：あなた自身）

㊅あなたは、品質を良くするために、自分自身の責務を放棄して、その代わりにＥＩ、ＥＰＧ、ＱＷＬ、ＱＣサークル、ポスター、激励の言葉といったものに依存したいと思うか？

㊆今後４年のうちにあなたが顧客に提供したい品質に関し、あなたは今、何をしているか？

注　石川馨博士著『日本的品質管理―ＴＱＣとは何か』（日科技連出版社、１９８４年）英語版タイトル *What Is Total Quality Control?* (Prentice-Hall,1985) の１８８ページにデミング賞申請の質問リストが載っている。本章の問いかけに対し、さらに考えを深めるのに役立つと思われる。

第6章

品質と顧客

NIKKEI BP CLASSICS / OUT OF THE CRISIS I / W. Edwards Deming/ 1. Chain Reaction: Quality, Productivity, Lower Costs, Capture the Market / 2. Principles for Transformation of Western Management / 3. Diseases and Obstacles / 4. When? How Long? / 5. Questions to Help Managers / **6. Quality and the Consumer** / 7. Quality and Productivity in Service Organizations // NIKKEI BP CLASSICS / OUT OF THE CRISIS II / W. Edwards Deming // 8. Some New Principles of Training and Leadership / 9. Operational Definitions, Conformance, Performance / 10. Standards and Regulations / 11. Common Causes and Special Causes of Improvement. Stable System / 12. More Examples of Improvement Downstream / 13. Some Disappointments in Great Ideas / 14. Two Reports to Management / 15. Plan for Minimum Average Total Cost for Test of Incoming Materials and Final Product / 16. Organization for Improvement of Quality and Productivity / 17. Some Illustrations for Improvement of Living / Appendix: Transformation in Japan

無声映画から音声付映画が当たり前となっていく時代の転換期、創生期のわれわれのユニットが直面した問題のほとんどは、不適切な演出台本が原因だった。ドイツ語から英語への翻訳だったが、両方の言語に疎い誰かが翻訳したものに違いない。

ワシントン映画撮影技師協会会報、1967年11月号

この産業はいまも発展を続けていますが、消費者の目はますます厳しくなっています。需要が旺盛になればなるほど、品質への要求も高まるのです。

エジプト綿輸出事業者協会・広報担当者、ニューヨークタイムズ1971年1月15日付からの引用

本章の狙い

本章の狙いは、「品質とは何か?」「品質を定義するのは誰か?」「品質を気に掛けるのは誰か?」「あなたの製品を買うか買わないかを決めるのは誰か?」という問いを提起することにある。まずは品質に対する人の考えは、人によって、場合によってさまざまで、時とともに変わりゆくものであることを考察しよう。

続いて、顧客は、いずれその顧客のためになる「将来の製品やサービス」を考える上では良いポジションにいないことを論じる。新しい設計やサービスを創出する上で、消費者よりも生産者のほうが、はるかに良いポジションにいる。1905年に「必要なものは何ですか?」と尋ねられて、「空気入りタイヤをぜひ手に入れたい」と答える自動車オーナーは1人もいなかったはずだ。正確な懐中時計を常に携帯する私が小型電卓付きクォーツ時計を思いつくことができただろうかと言えば、答えはノーだ。

品質はさまざまな顔を持つ

①まずはマネジメントの意思決定だ。部品、最終製品、性能、提供したいサービスの品質特性の仕様に対する決定に、マネジメントはどのように関わっているだろうか。生産に関わる人々は、工場長以下全員が「今日の」製品の心配をしている。彼らは目の前の仕事の何たるかを知らなければならない。

②マネジメントは、「将来の」製品やサービスに向けた計画を前に進めるか否かに対して決定を下す（第2章を参照）

③あなたの会社の製品やサービスに対する消費者の評価。

消費者の評価が定まるには、1年か、それ以上の年月を要す製品やサービスが多い。新車の購入者は購入日から1年経つうちに、その車の品質についてのさまざまな評価をあなたに与えてくれる可能性がある。そうした情報（実際に使用した上での評価、経年変化への評価等々）はその人がその新車を買ったばかりのときに下した評価よりも、あなたにとってずっと役立つ。

ある人が買ったばかりの新型芝刈り機を「これはいいですよ」と熱心に見せびらかしたと

しても、当該芝刈り機の将来の売れ行きへの影響具合は、彼のその熱心さが夏の終わりにどのくらい残っているか次第だ。

品質とは何か?

品質はエージェント(代理人)の観点からのみ定義できるものだ。誰が品質を「判定(ジャッジ)」できようか。

生産現場で働く人の心のうちには、自分の仕事に誇りを持って、良いものをつくっているという自負がある。悪い品質とは、その人にしてみれば「ビジネス上の損失」であり、おそらく「自分の仕事にとっての損失」という意味になる。「品質が良ければ、会社は事業を続けていけるはずだ」とその人は思う。これは製造業だけでなく、サービス業でも同じだ。

工場長にとっての品質とは、数字を出すことであり、仕様を満たすことだ。しかし、当人が知っているか否かに関わらず、「プロセス」そのものを継続的に良くしていくこと、より良いリーダーシップを絶えず追求していくこともまた、工場長の仕事である。

広告に関する鋭い洞察を一つ紹介しよう。私の友人アーウィン・ブロスの著作『デシジョン・メーキング―統計的意思決定入門』犬田充訳、講談社)の1節だ。

消費者の好みを研究する目的は、「製品を公衆に合わせる」ことにある。一方、広告の目的は「公衆を製品に合わせる」ことだ。

品質を定義しようとするときに、ほぼすべての製品で必ず浮上する問題を、皆が尊敬する先生ウォルター・A・シューハートが述べている。*1 品質を定義する上での難しさは、ユーザーの「将来の」ニーズを測定可能な特性に翻訳する（ニーズを特性で代替的に表現する）ことによって、設計可能にすることだ。設計ができるのなら、その製品が、払う価格に見合う満足をユーザーに与えられるか否かを見極めることができると思うだろうが、容易なことではない。この新製品開発はかなりうまくいきそうだという感触を得たとたんに、消費者のニーズが変化したことに気づく。あるいは、競合他社が似たような製品を出してくる。当該新製品に使えそうな新素材は沢山ある。従来のものより良いものもあれば、悪いものもある。従来のものより安いものもあれば、高いものもあるといった具合だ。*2

品質とは何か？　例えば誰かが「靴の品質」と言うとき、何を意味するのだろう？

その人が紳士靴の話をしているとしよう。その人にとっての「良い品質」とは長持ちすることだろうか？　あるいは光沢か？　履き心地が好いことか？　防水性能か？　その人が考える品質が何であれ、品質を考慮に入れた上で「適正な価格」であることは望むだろう。

換言すれば、「顧客が重視する品質特性は何か？」ということだ。

婦人靴の話とすればどうだろう。婦人靴における主な欠点は何か？　インソールの鋲だろうか？　すぐに取れてしまうヒールか？　染みがあることか？　どんな品質（特性）が顧客の心のうちに不満を創り出すのか？　あなたはどうしたらそれを知ることができるだろう？

どの製品の品質にも、どのサービスの品質にも、さまざまな尺度がある。ある製品がある顧客から非常に高く評価されたとしても、それはその顧客の尺度によるものだ。それゆえ同じ製品が別の顧客からは低い評価しかもらえないということが起きる。いま私はこの原稿を紙の上に書いているのだが、この紙も以下のように品質（特性）をいくつも持っている。

①これはサルファイト紙で、５００枚当たり重さ16ポンド（約７・３kg）。
②表面はツルツルではない。鉛筆で書きやすい。インクも同じ。
③裏うつりしないから両面に書ける。
④標準サイズで、私の３穴ノートに合う。
⑤どの文具店でも購入できる。

⑥適正な価格である。

この紙は6つの項目に関してはすべて良い評価を得ている。私はレターヘッド付の便箋も必要だが、レターヘッドは柔らかい紙に（エンボス加工も含めて）印刷しなければならない。そこで私は手書き用に表面がツルツルではないサルファイト紙を10連（5000枚）注文し、便箋用には、柔らかい素材の別の紙を探す。

今日市場に出される製品は、顧客を魅了し沢山売れるのみならず、それ以上のものを求められる。実際に使われる間にも際立った性能と耐久性を発揮しなければならない。本日出荷された製品を購入した顧客の満足は、将来のいずれかの時点で評価されることになる。しかし残念ながら、その時点ではもう遅いのだ。あらゆるものは唯一無二、一期一会である。チャンスは一度しかない（第2章を参照）。

教科書の品質とは、あるいは作家が何らかのメッセージを伝えるために書いた本の品質とは、何であろうか？　印刷屋にとっての品質は、書体・読み易さ・サイズ・紙質・誤植の無さで決まる。作者にとっての品質、また読者にとっての品質には、メッセージの明快さ・重要性が欠かせない。出版社にとっては、事業を継続し、新たな書籍を刊行するために、売れることが大切である。加えて、学びたい読者は閃きを求め、楽しみたい読者は刺激を求める。印刷屋と作者の目には高く評価されても、読者の評価が低ければ売れず、したがって出版社から見た評価も低いということもある。

教育ビデオの品質とは何か？　顧客が価値を認めるのは画質か、内容か？　講義用スライドの制作会社の人にとって、品質とは指示通りの色使いでスライドを作ることだ。赤い背景にオレンジ色の文字と指示されたら、その通りに。その色使いが読みにくかろうと、制作会社の人が心配することではない。だが、講義を聴くために集まる人々にとって、スライドの品質とは「見やすさ」だ（当然だが、スライドの中身はまったくの別物、講師の責任である）。

ワシントン・メトロのエスカレーターや券売機は絶えないイライラの元である。供用開始直前の試運転でうまく機能していたものが、本格稼働に入るや、設計と保全の悪さが浮かび上がって「新しい設備、良い設備」のイメージを塗り替える。ワシントン・メトロのマネジメントは故障中の設備・機器の割合に対し、5・7％という目標を定めていた。マネジメントが決めたこの目標はどこから来たのだろう？　適切な手法の助けを得て継続的に改善していくほうがよいのに、なぜそれをしないのか？　交通当局の考える品質とは何なのだろう？

医療の質

「医療の質の定義はいかにあるべきか」ということは、医療行政に携わる人々やこのテーマを研究する人々の間で長く議論されてきた課題だ。これに挑んだことのない人には、単純に見えるだろう。医療の質はこれまでさまざまな方法で定義されてきた。こうした定義はいずれも特定の種類の問題に着目して改善を促そうとするものだ。

①治療中の患者の安らぎ（いかにして「安らぎ」を測定するか？）
②医療を受けている人々の男女比、年齢別集団の構成比
③（デイケアセンターに適用可能な医療の質の指標として）デイケアセンターで良質な介護を受けられるため、病院や介護施設を出て自宅で生活している人の数
④病理ラボやCTなどの検査施設・設備
⑤公衆衛生
⑥病院等の医療機関から退院した人々の退院時年齢別の平均余命
⑦患者1人に、病院等の医療機関が使っているお金の額

これらのうち互いに矛盾する定義があるのは明らかだ。

例えば、医療を受けている患者の数が多ければ、医療サービスの質が高いことを示してい

るのかもしれない。だが、同じ数字が真逆な状況を示している可能性もある。公衆衛生が良くないせいで患者数が多いのかもしれないし、デイケア施設がまともに機能していないから医療機関のお世話になる患者数が多いという可能性もある。また、介護付居住施設を退所したり、病院を退院したりした後に在宅で医療を受けている患者の割合が高ければ、その人たちが受けている医療が優れていると解釈することもできる。良い治療のおかげで病院等の入院期間が短く、すぐにリハビリに移り、優れたリハビリによって日をおかずに自宅で過ごせるようになっているのかもしれないからだ。一方、逆の解釈も可能だ。病院のマネジメントの方針が、痛みの酷い終末期に至りそうな患者は退院させよというものである可能性もある。その病院が患者1人にいくらお金を使っているかは、実際にどのような医療を提供しているかに関して、ほとんど何も示さない。どのような医療機関がいくつあり、人々が利用できるか否か、といったことは重要事ではあるが、いかにしてそれを有効に使うかはまた別の話である。

あるとき私は、医療に関するある国際会議に参加し、今日提供されている医療についての論文発表を聴いた。医療用検査装置という観点から医療の質を測ろうとする医師もいれば、医師と看護師の教育という観点から医療の質を測ろうとする医師もいた。

この他にも、私が欧州のある街に着くや、出迎えてくれた人たちが持ち出した「医療の質の測り方」もあった。彼らはその国の医療行政に携わる人々だ。ある1つの問題を抱えているという。その国には非常に優れた医療施設がいくつもあり、世界有数の医大で学んだ医師もいるのに、国民は総じてこうした医療施設を利用していない。病を放置すれば悪化する恐れがある。誰もがわかっている話なのに、実際、人々は医療機関にかかろうとしないのだという。そこで、その医療行政の人たちは、全国的な調査を実施して、なぜ人々は医療施設を利用しないのか、どうしたら人々が医療機関を訪れ、検査を受けるようになるかを学ぼうとしていた。即ち、当地の医療の質は、施設と医療従事者という観点からは優れているものの、医療サービスに関する当国中枢の人の判定では、「サービスの提供」という観点から「よろしくない」ということだ。

この例は医療の質を定義する難しさを描いているに過ぎない。

次の一文は、医療の質の定義の困難さをさらに如実に描き出す。（デービッド・オーウェン「歯科医の知られざる生活」からの引用。ハーパース誌1983年3月）。

> 端的に言って、歯科医のうち、崇高な使命感を持って優れた治療をやっている人はどれくらいいるのか。そうでない歯科医の割合はどれほどか。

この問いに答えるのは不可能である。理由は単純だ。歯科医療の質に関する決定的な研究はこれまでになく、今後もありそうにないからだ。その理由の1つは、歯科医は単独で治療することが多く、他者から評価を受けることはもちろん、観察されるという考えにさえ抵抗感を持つからだ。それに、たとえ歯の治療が下手だったとしても、それが露見するのは何年も先のことで、系統立った情報に基づいて評価を下すに足る人数の患者が1カ所にずっといるなどということはまずない。

教育の質への短評

あなたは教育の質をどのように定義するか？　良い教師をいかにして定義するか？　ここでは高等教育に限定して私見を述べる。良い教師の第1要件は、教えるに値する何かを持っていることだ。良い教師がめざすべきは、さらなる研究に向けての閃きと方向性を学生に与えることである。そのためには、教師は当該分野に関して十分な知識をもっていなければならない。教える上で必須の知識を「オペレーショナル・デフィニション」（具体的な行動の仕方）として定めるなら、唯一の定義は「研究」である。研究は何も「世界が驚く大発見」である必要はない。既存の知識や原則から新たに派生したものでも構わない。権威ある学術誌に独自の研究論文が掲載されたなら業績の指標になる。不完全な尺度ではあるが、もっと良い尺度はまだ見つかっていない。

筆者の実体験から例を挙げよう。ある教師が、間違ったことを教えているのに、150人の学生を魅了してやまないのを見たことがある。彼の学生たちは彼を偉大な教師と評価していた。対照的に、私が「偉大な大学教師」と考える2人は、評価の局面では常に低い評価しかもらえなかった。それならなぜ、世界中から私も含め多くの人々が彼らの下で学びたいと集まって来たのだろう？　理由はシンプルだ。教えるべきものを彼らが持っていたからである。彼らは自分の学生を啓発し、更なる研究へと駆り立てた。2人は思索のリーダーであった。その2人とは、ユニバーシティ・カレッジ（ケンブリッジ大学）のロナルド・フィッシャー卿と、天文学者（特に月の理論）のイェール大学のアーネスト・ブラウン卿である。彼らの業績は何世紀も古典として学ばれ続けるであろう。教え子たちは、偉大な教師が何を考え、いかにして新たな知識への道を切り開いたかを観察する機会に恵まれた。

教科書出版の例

また別のある出版社が、広範に使われていた教科書シリーズ（小学生向け）の新版を準備していた。われわれ（ベッテルハイムとゼラン）の1人が助言を求められ、ストーリーのつまらなさを詳しく指摘して刊行に反対した。すると、その出版社の教科書担当の副社長はこう打ち明けた。「私自身も、若い読者には退屈だろうと思うのです。しかし、教科書を買うのは子供たちでもなければ先生方でもありません。どの教科書を使うかは教育委員会と教育長が決めます。私はそのことを胸に刻みつけておかねばなりません」[*3]。

手遅れだった評価

1972年頃のことだ。当時ニューヨーク大学ビジネススクールの学長だったウィリアム・R・ディルが私を招き、5年以上前の卒業生で住所が判明している学生のその後について一緒に研究することになった。彼らは今どうしているか。成功に至る学びの経歴の特徴を何か見出すことができるか。彼らへの質問の1つはこうだ。

「当大学で、あなたの人生に影響を与えた教師はいたか？」

「いたのなら、その教師の名前は？」

この質問への回答から分かったことがある。「自分の人生に影響を与えた教師はいたか？」に「はい」と答えた学生は全員が特定の6人の教師のいずれかのコースを選択していた。さらに、「はい」と回答した学生の全員が、その教師の名前を覚えていた。この6人以外の教師の名を挙げた学生はほとんどいなかった。

不幸なことに、この評価は手遅れだった。この6人は研究機関を有名にするタイプの教師であったのに、大学当局はその人たちを手放さないようにするための特別な取り組みは何もしていなかった。それに、その6人の教師のうち誰1人として学生団体から「今年の偉大なる教師賞」を貰ったことはなかった。

消費者は生産ラインの最も重要な部分

顧客は生産ラインのなかの最も重要な部分である。自分たちの製品を買ってくれる人がいなければ、工場全体が閉鎖に追い込まれる。しかし、顧客は何を求めているのか？

顧客の役に立つために、われわれはいかにあるべきか？　顧客は自分自身が何を求めていると考えているか？　顧客はそれに対してお金を払うか？　これらの問いにすべて答えられる人はいない。だが、幸い、良いマネジメントは必ずしもすべての答えを持っている必要はない。

消費者ニーズを研究すること、そして製品に適切なサービスを付与することの必要性は、品質の最重要原則の一つである。これこそが1950年以降に日本のマネジメントが得た最大の学びであった。

第一に取り組むべき原則は、消費者研究の目的だ。顧客のニーズと、まだ形になっていない願望を理解し、その顧客が来るべき将来により良い暮らしを送るのに役立つ製品やサービスを設計することを消費者研究の目的としなければならない。

2番目に来るべき原則は、不満を持った顧客から生じる将来の事業損失を予想することは誰にもできないということだ。生産ラインの中で不良品を良品に置き換えるコストを推計するのは比較的容易だが、一旦市場に出て顧客の手元に届いた不良品のコストは測り知れない。

1947年の米国材料試験協会E－11委員会の会議で、「顧客は不満を口に出さない。二度と買わなくなるだけだ」と述べたのは、オリバー・ベックウィズだ。私の友人ロバート・W・ピーチは同じことを小売り大手のシアーズ・ローバックに対し、次のように訴えた。

商品は戻ってくるが、顧客は戻ってこない。

顧客は誰か？

製品に満足して代金を払う人が顧客であり、その顧客は満足を得てしかるべき存在であると考える人もいるだろう。あるいは、その製品を使用する個人や企業が顧客であり、その顧客は満足を得てしかるべき存在であると考える。だが、これには興味深い例外がある。ここで3つ紹介する。この例から読者は他のケースを容易に思い浮かべることができると思う。

1つ目の例は、コピー機のセレンドラムだ。セレンドラムの顧客は保守専門のテクニシャン（サービスマン）である。その人は要請に応じてコピー機を修理したり、定期メンテナンスを行ったりする。彼はセレンドラムの品質の良否を判定する人だ。ドラムの端にわずかな傷や凹みがある程度では、機能に影響が出ることはまずない。それでも、そのテクニシャンは当該ドラムを拒絶するか、他社製品に切り換えるかもしれない。コピー機のユーザーも、コピー機の使用料や保守料を払う人も、この決定に関与することはない。

2つ目はラベルだ。店頭の牛肉のパックに貼られたラベルの品質の良否を判定するのは誰か？　牛肉を買う人ではない。購入者はラベルの品質など気にしない。価格が読めればいい。だが、店の店長にとっては、ラベルの陰になってその部分だけ牛肉の色が暗く見えてしまうのが気になる。その牛肉パックを買う人がその「暗い色に見える部分」を見ることはなく、したがってそれを気にすることもない。何しろ、ラップを取ってしまえば、「暗い色に見える部分」も消えてしまうのだから。

このように、セレンドラムのメーカーはテクニシャンを満足させなければならず、牛肉のためのラベルメーカーは小売店の店長を満足させる必要がある。

3つ目の例は眼鏡レンズのメーカーである。あなたが掛けている眼鏡レンズを研磨したレンズ研磨職人があなたと接することはなかったはずだ。つまり、そのレンズ研磨職人の顧客は、あなたが自分の眼鏡の処方箋を渡した眼鏡店の店員なのである。

われわれは既に361ページでもう1つの例を見たのを読者はご記憶と思う。

相互作用の三角形

1つの製品を決められた仕様通りに正しい手順でつくり、その製品を研究室や性能試験施設で試験したとしても、それだけでその製品の品質がいかなるものか、実際にどれほどうまく機能・性能を発揮できるか、あるいはどれくらい人々に受け容れられるかを解き明かすことはできない。品質は、図8に示すように、次の三者の間の相互作用によって測定されなければならない。

①製品そのもの

②ユーザー自身と、そのユーザーがその製品をどのように使うか、どのように設置するか、どれくらいその製品の面倒をみるか（例：「ローラーベアリングの中に埃が入り込んでも気にせず、放置するような顧客である」といったこと）、その顧客は何を期待するよう（宣伝によって）誘導されていたか。

③その製品の使い方をどう教えているか。顧客へのトレーニング、修理を担当する人へのトレーニングはいかなるものか。修理に対してどのようなサービスが提供されるか、保守部品の入手容易性はどうか。

この三角形の個々の頂点が単独で品質を決めるのではない。この三角形を見るにつけ、私は日

図8　三角形の頂点のそれぞれに「品質」がある

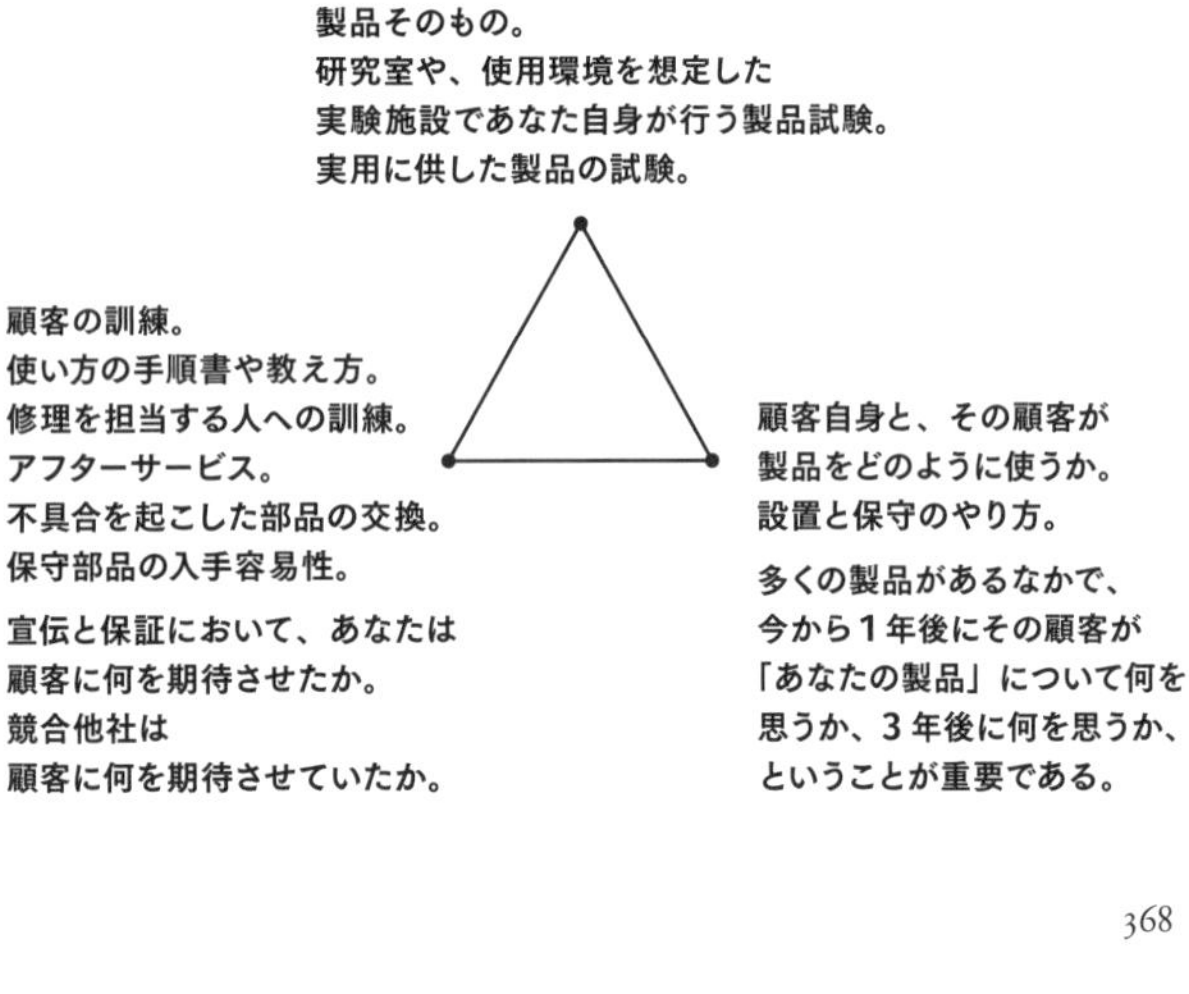

製品そのもの。
研究室や、使用環境を想定した
実験施設であなた自身が行う製品試験。
実用に供した製品の試験。

顧客の訓練。
使い方の手順書や教え方。
修理を担当する人への訓練。
アフターサービス。
不具合を起こした部品の交換。
保守部品の入手容易性。

宣伝と保証において、あなたは
顧客に何を期待させたか。
競合他社は
顧客に何を期待させていたか。

顧客自身と、その顧客が
製品をどのように使うか。
設置と保守のやり方。

多くの製品があるなかで、
今から１年後にその顧客が
「あなたの製品」について何を
思うか、３年後に何を思うか、
ということが重要である。

本で古くから伝えられてきた教えを思い出す。*4

鐘が鳴るかや
撞木（しゅもく）が鳴るか
鐘と撞木のあいが鳴る

禅語の1つ。音を出しているのは鐘だろうか。それとも鐘を衝く撞木だろうか。いや、両者が出合った相互作用で音が生まれるのだ。

顧客から学ぶ

消費者調査は、消費者の反応を、上流に遡って製品設計に入れ込むためにこそ使われるべきだ。その結果、マネジメントは変化する需要と要件を予測できるようになり、生産能力や実際の生産計画の数量を、その予測に沿って、できるだけムダを抑えた水準に設定することができる。消費者調査とは、顧客の反応と需要の脈を取り、調査を通して得た事実をいかに解釈するかを追求するものだ。

消費者調査は、メーカーと、今の製品のユーザー、そして潜在的な将来のユーザーとの間のコミュニケーションの1つのプロセスであり、下図のように描ける。

このコミュニケーションのプロセスは、いまでは適切な統計的手法に基づいてデザインされたサンプル抽出手順と試験方法のおかげで高い信頼性と経済性をもって実施できる。このコミュニケーション・プロセスを通して、メーカーは、自らの製品が実用に供されたときに、自分たちが狙った機能・性能をどのくらい発揮できるか、人々がその製品をどう思うか、その製品を買う人はなぜそれを買うのか、買わない人はなぜ買わないのか、再び買おうとしないのはなぜか、といったことを発見する。こうしてこそ、メーカーは製品設計を変えることができるようになり、自らの製品をより良くしていくことができる。ここで、「製品をより良くする」とは、品質と「ばらつき」のなさ（均一性）を、エンドユーザーにぴったりくるようにすると共に、

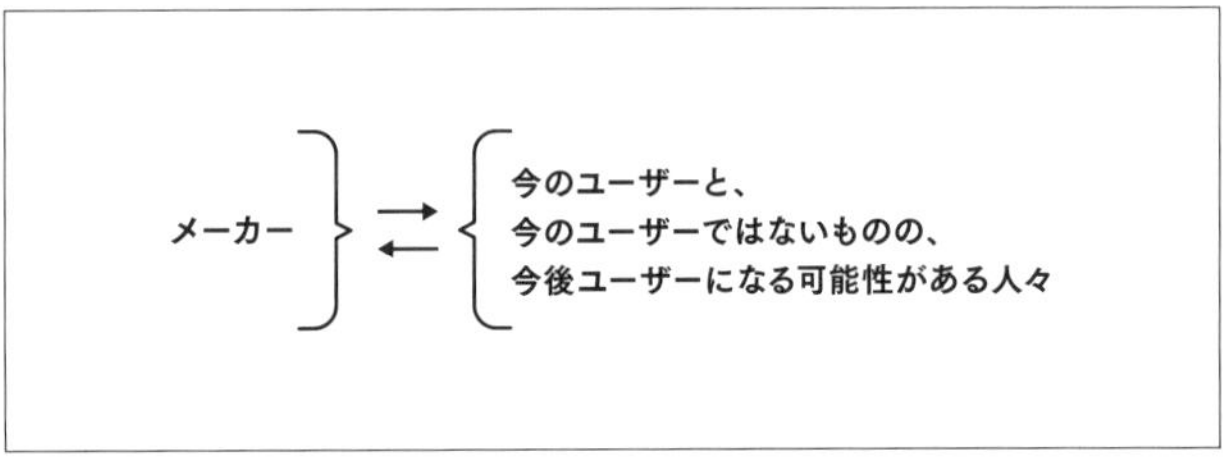

メーカー ⇄ 今のユーザーと、今のユーザーではないものの、今後ユーザーになる可能性がある人々

消費者が払える値段で提供できるようにすることだ。その実現のために、品質特性（及び「ばらつき」）を測定するのだ。

サービスの品質

『『サービスの品質』とは何か？」というのは、もっともな問いだ。サービスとは、例えばクリーニングやドライクリーニング、銀行、郵便、自動車の整備といったものだ。

次章でわれわれは、サービスの品質特性の中には、メーカーがつくる製品の品質特性と同様、定量化し測定するのが容易なものがあることを見ていく。メーカーがつくる製品と同じように、顧客の満足を決める相互作用と力学が存在しているのに、あまり理解されていないことについても論じるつもりだ。

どのようなサービスに対しても、顧客の満足と不満足に通じる「力学と相互作用の三角形」を描くことができる。図8の三角形に似たものだ。次章では、こうした見方と原則をさらに追求する。

不満が届いたときには手遅れ

第3章（294ページ）で見たように、単に満足した顧客を持っているだけでは十分ではない。アンハッピーな顧客が他社の製品に切り換えることはあろうし、ただ満足しているだけの顧客の中にも他社製品に切り換える人はいる。利益はリピーター客から来るものだ。彼らこそその製品やサービスを周囲に自慢してくれる人々である。

顧客が不満を訴えたときには、品質は既につくり込まれた後だ。苦情をよく調べることは必要ではあるが、同時に苦情の研究は、製品やサービスのパフォーマンスに関する、ある種の偏見を与えることもあると心得たい。当然ながら品質保証コストの分析にも同じような欠点がある。こうした原則は、サービスにも、ものづくりにも、等しく当てはまる。

従来のやり方と、新しいやり方

ずっと昔、産業革命以前の時代なら、衣服の仕立職人、大工、靴職人、牛乳配達人、鍛冶屋といった人々には皆々自分の顧客がいて、顧客の名前を知っていた。[*5] 彼らは自分の顧客が満足しているか否かを知っており、自分の製品の評価を高めるために為すべきことを知っていた。

昔の食料雑貨店の店主は、自分の店で扱うチーズにこだわりを持っていた。その頃、チェダーチーズは数百もの小さな工場で生産され、沢山の小さな店で販売されていた。工場主はそれぞれが特定の顧客を抱えており、チーズは食料雑貨店主の注文に応じて手で切り分けられ、店に送り出される。店主は、自分の店のお得意さんが安価なチーズ、パイチーズ、米国のチーズ、外国のチーズ等々に何を求めているかを正確に把握していた。風味の強いチーズが好きな人もいれば、黄色みがかったチーズが好みの客もいた。アニシード入りチーズを愛する人もいれば、キャラウェイ入りチーズが好物の人もいた。

（フィリップ・ワイリー「科学は私の夕食を台無しにした」（アトランティック誌、1954年4月）

産業が発展するにつれ、顧客との間のこうした個人的な関係は容易に失われていく。卸売業者、仲買人、小売業者が台頭し、ものをつくる人と最終消費者の間に、事実上の壁が築かれた。だが、新たな科学であるサンプル抽出法が登場し、この壁に穴を開けた。

かつてメーカーは「製造」といえば図9aに示す3段階を踏むものと考えてきた。成功は推測次第。つまり、売れそうな製品のタイプやデザインはどういうものかを推測し、それをいくらでつくれるかを推計し、当たれば成功するというものだった。こうした古いやり方においては、図9aの3段階はそれぞれ独立している。

新しいやり方では、マネジメントが通常は消費者調査の助けを得て4段階を踏んで進めていく（図9bを参照）。

①製品を設計する

②その製品をつくる。生産ラインのなかでも、実験室でも、試験を行う

③その製品を市場に出す

④現実に使用されているその製品を試

図9a　今までのやり方

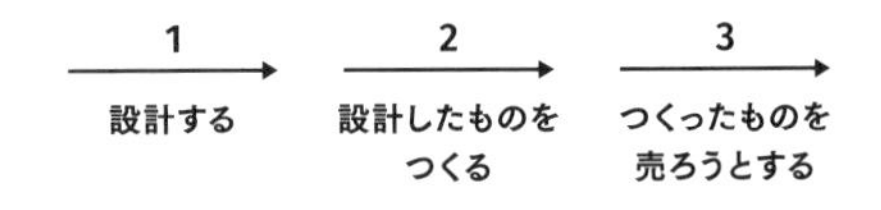

図9b　新しいやり方

製品の実用試験に4段階法を導入する

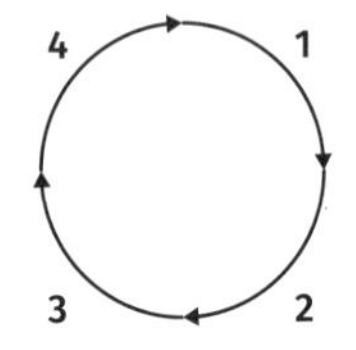

験する。ユーザーがその製品をどう思っているかを知り、まだその製品を買っていない人々はなぜそれを買わないのか、その理由を知る。

この4段階をずっと続けていくことで、消費者の満足を段々と高めるとともにコストも着実に小さくしていく、螺旋状の継続的改善に繋がる(図10を参照)。

ものづくりに携わる人々はこれまでも常にユーザーおよび潜在的ユーザーのニーズと反応を見出すことに関心を寄せてきたが、近代的統計手法が登場するまで、メーカーの人たちは、そうしたことを調べるための経済的で信頼性の高い方法を持てずにいた。

図10　螺旋状の継続的改善

このサイクルをずっと回していく。

品質をより良くし、コストをより小さくしていく改善に終わりはない。

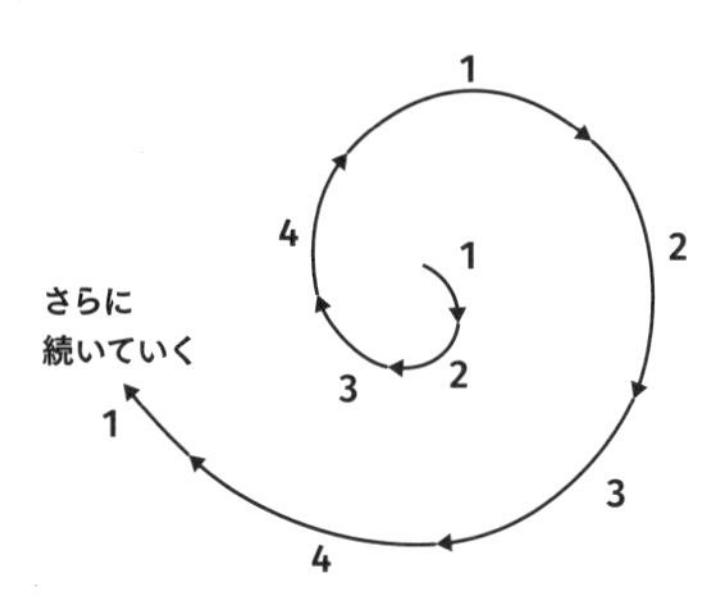

新旧いずれのやり方も最初の3段階は同じだと見做してはならない。例えば、図9と図10の第1段階の「設計する」を考察してみよう。今日の正しい設計というものは、色、形状、サイズ、硬度、強度、出来栄えに注意するだけでは足りない。適度な均一性（「ばらつき」のなさ）にも気を配らなければならない。逆説的と見えるかもしれないが、消費者調査に導かれて品質を改善していくことを通して、最終的には、より良い品質のみならず、より安くそれをつくり、競争力を高めることに繋がるのである。

メーカーと、ユーザー及び潜在的ユーザーとがコミュニケーションをもつことによって、製品設計やサービス提供の面でのユーザーの要望が伝わる。顧客のニーズにピッタリくる、より良い製品、より良いサービスを、より安く、顧客にもたらすのは、そうしたコミュニケーションなのだ。言うなれば、産業における「デモクラシー」である。

消費者調査について一言

ここで注意を喚起したいことがある。いい加減な消費者調査に基づいて見掛け倒しのデザインを容認したり、中途半端なワークマンシップを容認したりすることによってコストを浮かそうというあらゆる試みは必ずや計り知れない損失に繋がる。誤った情報から来る損失、あるいはエラーと限界が正しく認識されていない情報から来る損失は、予測できない。残念ながら、マーケティング研究の講座の多くが以下の事柄の違いをはっきりさせることができずにいる。

[a]問題発見のための調査。例えば不満の理由を見つけ出す調査。

[b]定量化のための調査。そうした問題を抱えている家庭ないし他のユーザーの数・割合を推計する方法、ユーザータイプ別の市場シェアを推計する方法。

[c]製品にある変更を加えたときの消費者の反応を予測するための基礎となる情報を得るための調査。例えば、パッケージのサイズや色を変えるだけで顧客がどのような反応をするか。

[a]と[c]は分析的問題であり、[b]は枚挙型問題である（276ページを参照）。

新製品、新サービス

今の時点で、「3年後、10年後に、いかなる新製品、新サービスが求められ、役立つか」を明言できる消費者はまずいない。新しい製品や新たなタイプのサービスは、消費者に問うことによって生み出されるのではない。むしろ生産者側の知識・想像力・イノベーション・リスク・試行錯誤によって生み出されるのであり、そのためには新製品や新たなサービスを開発し、端境期の間も事業を続け、持ちこたえられるだけの十分な資本の後押しが要る。

新しい製品やサービスを生み出すイノベーションは、私の経験ではいずれの場合も、革新的な着想と知識を駆使することによって達成されてきた。

第7章 サービス業における品質と生産性

NIKKEI BP CLASSICS / OUT OF THE CRISIS I / W. Edwards Deming/ 1. Chain Reaction: Quality, Productivity, Lower Costs, Capture the Market / 2. Principles for Transformation of Western Management / 3. Diseases and Obstacles / 4. When? How Long? / 5. Questions to Help Managers / 6. Quality and the Consumer / **7. Quality and Productivity in Service Organizations** // NIKKEI BP CLASSICS / OUT OF THE CRISIS II / W. Edwards Deming // 8. Some New Principles of Training and Leadership / 9. Operational Definitions, Conformance, Performance / 10. Standards and Regulations / 11. Common Causes and Special Causes of Improvement. Stable System / 12. More Examples of Improvement Downstream / 13. Some Disappointments in Great Ideas / 14. Two Reports to Management / 15. Plan for Minimum Average Total Cost for Test of Incoming Materials and Final Product / 16. Organization for Improvement of Quality and Productivity / 17. Some Illustrations for Improvement of Living /

これほど人気のある駐米英公使はいなかった。これまでずっと、彼の才能の凡庸さが、彼の成功の主要因の1つであり続けた。

第6代合衆国大統領ジョン・クインシー・アダムズの日記より。英国から派遣された駐米英公使チャールズ・バゴット卿が1819年に離任した際の所感

本章の狙い

14原則とマネジメントの病について学んだことはすべて、ものづくりと同様に、サービス組織にも当てはまる。本章ではサービス組織に焦点を当てる。

サービス産業についての考察

改善を求めるべきは誰か?

品質を良くする「システム」は、誰にとっても助けになる。製品をつくる人、その製品を実用に供するためのサービスに関わっている人、あるいは研究開発に関わっている人、自分の仕事の質を高めつつ、同時により少ない労力、より小さなコストで自身のアウトプットを増やしたいと願う人の誰にとっても、品質を良くする「システム」は役立つはずだ。

サービスにも、ものづくりと同じように改善が必要なのである。

米国でホテルに宿泊したことのある人なら皆、私のこの主張に頷いてくれると思う。製造と同じように、サービス組織における効率の悪さこそ、消費者の払う対価を引き上げ、消費者の生活水準を引き下げている元凶なのである。改善のための原則と手法はサービスでも製造と同じだ。もちろん、製品が違えば実際の応用の仕方が異なるのと同じで、サービスのタイプが違えばやはり応用方法は異なる。どのようなメーカーであれ、会社が違えば関心事も異なるのと同じで、サービス組織の関心事もそれぞれに異なるだろう。

サービス産業における雇用は社会経済上の重要事だ

サービス組織とは何か？　すべてを網羅できるとは思わないが、例をいくつか挙げよう。

- レストラン
- ホテル
- 銀行
- 医療サービス。病院や介護施設など
- 託児所、成人・老人のためのデイケアセンター

- あらゆる行政サービス。郵便、地方自治体が提供するサービスなど
- 教育――国公立学校、宗教系学校、私立学校
- 卸売業、小売業
- あらゆる形態の旅客輸送、貨物輸送
- 保険会社
- 会計サービス
- 塗装業（住宅、ビル、家具）
- 印刷業
- ニュース配信
- ソフトウェア
- 宗教の教区組織
- 通信（電話、電信、音声やデータの伝送）
- 不動産事業
- ビルのメンテナンス
- 配管業、電気機器修理業

●警備業
●電力会社（売電・送電）
●建設
●クリーニング業（水洗い、ドライクリーニング）

国勢調査局が公開している数字によると、国民が100人いればそのうち75人がサービス組織に雇用されていることがわかる。製造業のなかでサービスの業務に従事している人を加えると、100人のうち86人がサービスの仕事に就いている。われわれは例えば車を運転したり、何かの製品を使ったり、あるいは間違った使い方をしたり、落としたり壊したりすることがあるけれども、100人のうち残りの14人がそうした「モノ」を実際につくっている。しかも、この14人には農業従事者、つまり食糧、果物、綿、煙草などの生産者も含まれているのである。*1

製造業と農業に従事する人の数は相対的に少ないにも関わらず、米国の貿易収支に対する責任の大半は彼らにある。

以上のデータから明らかなのは、米国ではかくも大勢の人々がサービス業で働いているがゆえに、我が国の生活水準の向上は、ひとえにサービス分野における品質と生産性の改善にかかっているということだ。生活のコストが高いとすれば、それはわれわれが得るものに対して必要以上に多くを払っているから高いのである。これは純粋なインフレーションだ。

サービスの品質（377ページからの続き）

顧客の満足は、1つの「分布」を成す。顧客がその折々に遭遇したサービスなり製品なりに対して、どのような尺度であれ、何らかの「言いたいこと」を持つとするなら、その満足の程度は「最低・最悪」から「最高・大満足」まで広い範囲に分布するはずだ。

買ったレモンが酸っぱ過ぎると店に文句を言う人はいるかもしれないが、同じ人がクリーニング屋の仕上がりや、（米国の）郵便事業の質の低下には、何も感じないということがあり得る。実際、郵便配達は50年前よりも遅く、配達の頻度も減っているにも関わらず、そうしたことは気にならないらしい。

われわれはコピー機を使っていろいろなものを複写する。内容はともかく、コピー機から出てきた複写の仕上がりに満足する人は多い。コピーはコピーだ。

友人のエルバート・T・マグルーダーが興味深い話を教えてくれた。私は彼と一緒にワシントンDCのチェサピーク・アンド・ポトマック電話会社の仕事をしたことがある。その彼が実見した話だ。

彼は、電話加入者の中からサンプル抽出した人を訪問する。電話線が擦り切れそうになっていたり、受話器が割れていたり、ダイヤルが歪んでいたり、電話機本体に亀裂が入っていても、悪いところがあると思っている人は1人もいなかった。「電話は話ができればそれでいい。電話機は正常に動いている」というわけだ。しかし、顧客満足の分布を反対方向に向かって見ていくと、その最先端には、かすかな傷でも交換を求める顧客がいる。

貨物輸送の顧客の多くは、輸送時間とか、空の貨車がやって来て積込みの準備ができるまでに何時間かかるかとか、貨車に貨物を積み込んでから貨車を入れ換えるための機関車がやってきて、当該貨車を引き出して積載場所を空けるまでに何時間かかるかといったことは、ほとんど気にしない。一方、顧客満足の分布を反対方向に向かって見ていくと、その最先端には、ありとあらゆる時間を細かく調べたい顧客がいる（435ページと449ページを参照）。

サービスの品質特性のなかには、製品の品質特性のように、容易に定量化し、測定できる特性もある。ペーパーワークの正確さであるとか、スピード、その仕事にかかる時間がどれくらい当てになるか、荷扱いや輸送中にどれくらい気をつけているかといったことは、サービスの重要な品質特性であり、しかも容易に測定できる。クリーニングなら、汚れがすべて落ちているか否か。クリーニングから戻ってきたそのシャツは着用に適しているか否か。スーツも同じだ。

顧客が「これは良いサービスだ」あるいは「悪いサービスだ」と感じるものに出会うと、その反応は通常は即座に現れる。一方、「モノ」、つまり製品の品質への反応は、遅れてやってくることがある。1年後、2年後に、顧客が製品やサービスをどのように評価するかを、現時点で予測することはできない。消費者の判定は、製品と同じく、提供される個々のサービスに応じて変化する。顧客自身のニーズも変わっていく。製品と同じように、サービスでも市場に新たな選択肢が登場してくる。さらに言えば、サービスは退化することがある。製品は、潜在的な欠陥が後日表面化することがある。

セールスマンの問題

セールスマンとのミーティングを通して分かったことがある。担当している製品やサービスの種類を問わず、セールスマンが抱えている問題は皆同じだ。

● 自分たちが売ろうとしている製品やサービスの品質がそもそも良くない

●計数のミス
●注文を受ける際の間違い、発注の間違い
●納品・サービス提供が遅い

顧客が求める要件に合致しない品質の製品やサービスを売るのは難しい。セールスマンの誇りに合致しないものを売れと言われても、そんなことはしたくない。だが、ときにセールスマンは無理な納期を約束してまで、顧客のニーズに合わせようとし、また競争によって生まれたさまざまな約束事を守ろうとする。

貿易収支の改善に貢献できるサービス業もある

輸入の支払いのためには輸出が欠かせない。したがって、われわれはまず、輸出に向けた製造業及び農業やその他の1次産品（石炭、木材、小麦、綿など）に目を向けなければならない。だが、サービス産業のなかには、良い経営が行われていれば、工業製品や諸産品の生産コスト削減に寄与できるものがあるし、その結果、国内外における米国産品の競争力強化に繋がる可能性もある。

ホテルが新たな商品を創出して市場に出すことはないかもしれないが、サービスを良くしてコストを下げることによって、自社の事業コストを減らせるし、それを通して米国産業の競争力向上に貢献できる。スイスやユーゴスラビアのような国々では、ホテルとさまざまな施設が旅行客を惹きつけ、外貨獲得に力を発揮している。

輸送の品質を良くすれば、運賃を下げることができる。そうすれば最終製品をつくるメーカーのコストを減らせるし、米国製品にとっての、より良い市場づくりに貢献できる。

銀行が短期的利益ばかり追うのをやめて、長期的なキャピタルゲインに焦点を当て、第2章で述べた14原則をうまく活かしている企業に融資するよう行動するなら、米国産業の力になれる。そう、日本の銀行が日本企業を助けているように。

データ・音声・文書・写真・動画などの保存と伝送は、非常に安く、また鮮明にできるようになった。数年前には夢のような話だったが、これもまた、製造業のコスト低減に貢献するサービスの1つである。製造業のコストを下げることで貿易収支の改善を助けている。電話番号さえ知っていれば世界のどこへでも電話をかけることができる。電話をかければわずか数秒で相手の電話の呼び出し音が鳴る。音声は非常に明瞭だ。これもまた数年前には夢物語だった。

国内郵便や国際郵便も貿易収支に寄与している。より良いサービスを提供できるなら、料金が高くなったとしても、その料金以上に貢献できる。米国には「メッセンジャーサービス」があり、1つの都市圏のなかで、あるいは都市間で、メッセージや荷物を届けている。外国の街の人々との間でメッセージや荷物をやり取りするサービスもある。こうしたサービスもまたそれぞれ貿易収支に寄与している。

国立標準局や国立衛生研究所が実施・公表している調査も産業に貢献するサービスの例だ。長期にわたって実施され、貿易収支に寄与している。

サービス業と製造業には違いもあるが、似たところも

重要な違いの1つは、製造業で働いている人はただその職に就いているというだけでなく、世の中の誰かが見て、感じて、何らかの方法で使う何物かをつくるために、自身が役割を果たしているという意識を持てることだ。第2章で縷々述べたように幾多の問題が存在するのにも関わらず、製造業で働くその人は自分の仕事がいかなるものであるかについて自分の考えを持っており、最終製品の品質についても考えを持っている。最終顧客を思い描き、自分の組織がつくる製品に対しその顧客が満足してくれるだろうかと気にかけ、顧客に満足してもらえるよう自身の仕事に励もうと考える。

対照的に、サービス業の現場で働いている人は、その職に就いているという意識しか持てないということがしばしばある。サービスの第一線で働いている人は「自分たちも製品を持っている。その製品とは、サービスだ。良いサービスを提供して顧客に満足してもらってこそ自分たちのビジネスを続けていけるし、その結果、雇用も守れる。不満を感じた顧客はビジネスに損失をもたらし、自分たちの職も危うくする」という意識を持てずにいることが多い（キャロライン・A・エミによる）。

もう1つの違いは、両者の組織の成り立ちにある。サービス会社は、大抵は買い手に選択の余地がない市場を持っている。サービス会社が海外企業と直接角を突き合わせて競わなければならないということは、ほとんどない。レストラン、クリーニング、移動手段、郵便など、われわれはサービス会社を選ぶことができるが、選択肢は限られている。

サービス業と製造業の間には、他にも違いがある。サービス会社が何か新たなモノを創出して世界市場に送り出すことはない。例えば、貨物輸送業者は誰か他の人がつくったモノを運ぶことしかできない。運ぶべきモノを貨物輸送で働く人がつくることはできないのだ。貨物輸送で働く人にとって、不況の中で成功する唯一の道は、自分の得意先を競争相手から遠ざけることだけだが、それには顧客を奪い合う熾烈な闘いの始まりという危険が伴う。貨物輸送を生業とする人にとって、もっと良いやり方は、サービスの質を高め、コストを下げることだ。こうして節約したコストは、メーカーや他のサービス産業のコスト節減として反映され、米国製品の流通をよくするという面で、米国産業全体を助けることになる。さらに巡り巡って、いずれ運送事業者自身に新たなビジネスをもたらすことになろう。

サービス業の多くで、次のようなことがどこでも見られる。

①非常に多くの人々との直接の取引。非常に多くの人々とは、直接的な顧客の場合もあれば、世帯主、預金者、被保険者、納税者であったり、お金やモノを借りる人であったり、消費者や、モノを出荷する人、モノの荷受人であったりする。乗客ということもあろうし、何かを請求する人であったり、あるいは他の金融機関であったりする。

②膨大な取引件数。販売、融資、販売奨励金や上乗せ金利、預金、税金、手数料、利息といった基幹業務において大量の取引決済が求められる。

③基幹業務に伴って生じる大量の書類。例えば、売上伝票、請求書、小切手、クレジ

ットカード、売掛金勘定、請求明細、税務書類、郵便物など。

④大量の事務処理。例えば、転記、コーディング、輸送費の計算、部門別売上の計算、支払利息の計算、穿孔、集計表の作成、表を集めて資料を作る等々。

⑤膨大な件数の少額取引。ただし、なかには高額な取引もある（銀行間送金や大口預金など）。私が仕事をしたことのある、さる電話会社は80万ドルの請求書を受け取ったが、それは他社に行くべき請求書であった。私がその会社にいる時にこの目で見たことだ。

⑥どこでも、ミスを犯す機会がいくらでもある。

⑦小さなモノや、細かい情報に何度も触り、「触っては置き、触っては置き」をどこまでも繰り返す。コミュニケーションにおいてもかくの如し。郵便はもとより、連邦政府でも州政府でも市役所でもそうだ。あなたの会社の給与計算の部門や購買部門も右に同じ。

製造事業者と、さまざまなサービス組織に共通するのは、ミスや不良は高くつくということだ。ミスが正されないまま先へ進めば進むほど、そのミスを修正するコストが大きくなる。消費者や受取人に不良品や不適切なサービスが届いてしまったら、コストは最大化すると思われるが、（他の章で述べたように）そのコストが実際どれくらいになるのかは誰にもわからない（第3章の「未知・不可知の数字」）。

例えば、エアラインで働く人に、「乗客の預け荷物が1つ、紛失する事態が発生したとき、当該荷物を見つけ出してその乗客の元に届けたり一時的に保管したりするコストはいくらか」と訊いてみればよい。預かった荷物が乗客と一緒に到着できない主な原因は、従業員の怠惰な仕事振りではない。むしろ、フライトの遅延のせいで荷物を乗継便に載せ換えるのに失敗したことから生じている。西海岸の大きな空港に何百万ドルもの巨費を投じて建設された施設があるのだが、国際線の到着便から国内便に乗り継ぐ際、預けた荷物を転送するのに手間がかかる。乗客はかなりの不便を強いられる。航空会社のコスト負担も巨額だろう。これもまた第2章の「唯一無二、一期一会」の問題だ。

デパートが顧客宛に送った請求書にミスがあったら、訂正するのにどれくらいコストがかかるか。あるいは、間違った商品を送ってしまったときのコストはいかほどか。それを知っている人がいるなら、聞いてみるがよい。直接的なコストだけでも驚きの金額になるだろう。将来のビジネスにとってどれほどの損失になるかを測定することはできないが、直接的なコストよりもずっと大きな損失になるかもしれない。

「150ドル以下の差異は無視する」というルールを持つ企業は多い。発出側と受け取り側の双方にとって、差異を精査するコストが150ドルを上回ると考えられているからだ。もちろん、似たような差異が繰り返し生じているのなら、精査されてしかるべきだ。

銀行送金で仕向先の銀行や企業を取り違えても、いずれは正されることになる。何が起きたのかを特定するためのコストに加え、間違いがすっかり正されるまでの間に、誤送金されたお金に対して発生する金利も、銀行は払わなければならない。これもまたコストの1つだ。

「顧客の口座が資金不足で小切手を決済できない」という誤った報告をして顧客を当惑させるような銀行があったとしたら、当該事態の収拾に相当なコストをかけなければならないのはもちろん、顧客とビジネスをも失いかねない。

給与支払いの小切手のうち、金額が間違っていたり、違う人の手に渡ってしまったりすることが実際どれくらいあるのだろう。実に興味深い。ミスはかなりあるだろうと思われるのに、支払いの総額はほぼ正確なのである。こうしたミスをすっかり正すためのコストは小さくはないし、そのミスがいかにして起きたかを解き明かすコストより大きくなることさえある。

あるとき、セミナーの参加者の中に司法省の職員がいて、私に次のような話をしてくれた。

その人は、譲渡された不動産の所有権を州政府が保証するというサービスを提供する職場で働いているらしい。所有権移転証書の申請のうち、4割に何らかの間違いがあって困るという。手続きは非常に厳格で、やり直しを求めるのだ（証書自体の修正を求めるのではなく、証書を裏付ける書類に対しての修正要求）。こうした手戻り、やり直しがコストを引き上げ、誰もがそれを懸念している。さらには、この手直しが証書の完成を遅らせているというのだ。

多くのミスが決して発見されず、埋もれたままになっている。われわれは既に74ページでそれを見た。そこでは、自動車権利証書の申請のうち、間違いが発見されるのは7件に1件だけだった。

サービス業には、製造業にあるような、はっきりと定められた手順がないと見る人もいる。だが、ほとんどのサービス会社において、「手順は十分明確に定められているし、よく守られている」という暗黙の了解が存在する。これは、彼らにとっては、あまりにも明白なことであるらしく、われわれがそれに言及するのが憚られるほどだ。しかし実際には、手順がきちんと定義され、守られている会社に出会うことはまずない。手順を常に更新して最新の状態に保っている会社もほとんどない。製造業を見ても、製品をつくることに対してはしっかり手順を定めているメーカーでも、販売部門において受注情報の伝え方や入力の仕方のガイドラインを定めているとは限らない。受注情報を社内に展開する際に生じる間違いをなんとかしたいなら、販売部門が手順を定める必要がある。私はこれまでサービスを中心に据えた仕事のやり方を沢山見てきたが、ほとんどはこうした手順を欠いたまま仕事をやっているのであった。（ウィリアム・J・ラッコの一文）

手順の書き起こしは、いつも簡単にできるとは限らない。ものづくりにおいてさえ、不良1つをオペレーショナルに（実際に「動ける言葉で」）定義するのが難しい場合はある。そして、同種の問題に悩まされるサービス組織があるのだ。コーディングにおける「正しいコード」と「間違い」をオペレーショナルに定義するのは難しい。これに関しては多くの研究があり、靴のメーカーの生産ラインにおいて不良1つをオペレーショナルに定義するのと同じくらい難しいとされている。

国勢調査局や他の行政機関において「職業コーディング（職業分類）」や「産業コーディング（産業分類）」のために雇用された人々には、数カ月にわたる講義が必要だ。それでもなお、作業をする人々の間で、個々のケースにどのコードを当てるかについて、意見が一致しない場合がある。そのコーディングをした人と、そのコーディングを検証する人の間で判断の不一致が生じるのは、双方ともきちんとした教育を受けた者であるだけに、学術的に見て「誠実な相違」である可能性がある。*2

農産物や商品といった「コモディティ」に対するコードの解釈の不一致は、例えば、2つの鉄道路線を乗り継ぐ貨物輸送において、2つの路線のそれぞれで部門別売上を計算する係員2人の間の「誠実な相違」に繋がることがある。

直接、顧客と接する

ものづくりを専らとするビジネスなら、顧客に接するのはセールスマンやサービスマンだけである。装置であれ設備であれ、あるいはさまざまな道具・機器、自動車、トラック、鉄道車両、機関車など、すべて同じだ。セールスマンやサービスマンは、自身が売ったり、修理したり、メンテナンスをしている製品そのものをつくっているのではない。彼らはサービス組織の中にいるのだ。そのサービス組織は独立した企業の場合もあれば、メーカーの傘下にある組織という場合もある。

銀行では大勢の人が働いている。役職者と窓口係が直に顧客と接する。その他の銀行員が顧客と直に接することはない。デパートでもレストランでも、ホテル、鉄道、トラック輸送、バス運行でも、顧客と接するのは一部の人だけだ。

顧客と直に接するか否かに関わらず、誰もが、自分たちがつくる製品、自分たちが提供するサービスに品質をつくり込む機会を持っているし、また、そうすべきだ。しかし、顧客に直に接する人々は大切な役割を担っている。それは、監督者からもマネジメントからも通常は評価されることがないけれども、非常に大切な役割だ。顧客の多くは、自身が直接会う人々との接触だけからその製品やサービスに対する考えを形成する。つまり、顧客がまずは連絡をとる相手（セールスマンやサービスマンであることが多い）が、顧客にどのような接し方をしているかが顧客の判断に大きな影響を与える。

企業の事業継続は顧客あればこそだ。製造でもサービスでも変わりはない。

良きマネジメントたらんとするなら、顧客に喜んでもらう能力こそ、採用と訓練の最重要事と位置付けねばならない。私見ながら、レストラン・ホテル・エレベータ・銀行・病院において直に顧客に奉仕している人々の様子を見ていると、「顧客がやってきて同僚とのおしゃべりを中断されなければ、もっと仕事が楽しいだろうに」とでも言いたげな態度である。ワシントンのバスの運転手なら、運転がうまいのも、担当路線を熟知しているのも当然だ。乗客は乗ったり降りたりする。乗り降りするだけならまだしも、「どこそこを通りますか？」と訊かれたり、何かの助けが必要だったりする乗客は面倒だ。そんな面倒な客がいなかったら、自分の仕事はどんなに楽しいだろうとでも思っているように見える。

実のところ、その面倒な仕事は、この運転手にとって喜ばしいものであったかもしれない。「どこそこを通りますか？」とか「このバスに乗ればそこへ行けますか？」と訊いてくる乗客のうち、かなりの数の人々がこのバス会社にとって将来の潜在的収入源という可能性がある。事業をしっかり続けて、今後とも自分の職を守るのに自分自身が貢献できるのだと運転手が理解していれば、やりがいをもって働けるはずだ。

同じように、ホテル、小売店、レストラン、銀行、鉄道、その他さまざまな店やサービスにおいて、直に顧客に接する人々は、マーケティング部門の人と見るべきだ。だが、その人たちはこのことを理解しているだろうか？　バス会社のマネジメントは、運転手に「皆さんは単なるドライバーではありません。むしろ、お得意様を増やす、潜在的影響力を持つ人として働いてもらいたい」と教えているだろうか？　その職に応募してきた人々を選考する際、この役割にうまく適応できるか否かを、どのように評価しているだろうか？

デパートのエレベータには、エレベータを操作し、買い物客を案内する専門職の女性が乗っている場合がある。彼女は、このデパートが販売しているあらゆるものの品質に対する顧客の考えを形成する上で、非常に重要な役割を担っている。日本人はこのことを理解している。日本のデパートでエレベータ操作の仕事に就く女性は、2カ月にわたる訓練を受ける。お客様をうまく誘導する方法、質問への答え方、エレベータが混んできたときにお客様にどう接するかといったことを身に付けるためだ。日本では、こうした「おもてなしの態度」は、もとより家庭のなかで躾けられているのだが、その上にさらに訓練をする。

自動車貨物輸送におけるサービス

ロードウェイ・エクスプレス社のボルティモア・ターミナルでは、ドライバーが担当するトラックに向かって階段を下りるときに、全身を映せる鏡が自然に目に入るように設置されている。ドライバーは階段を下りるたびに、自ずと鏡の中に自分の姿を見る。そして、その鏡にはこう書かれている。

「いまあなたが見ているのは、この会社で唯一の、お客様に直に接する人です」

これは無益なお題目ではない（「14原則の原点」の10番目。144ページから154ページを参照）。これを目にしたドライバーは、不愉快な態度や無頼漢のような身なりのせいでビジネスを失うことがあるのだと思い起こす。基本的な礼儀作法をもって顧客に接しようとするかもしれない。自分は事業継続の役に立つことができると実感するはずだ。一方で、このドライバーは、自身がその中で働いている「システム」そのものを変えることはできない（例えば、メンテナンス不良から来る遅れや、ターミナルの荷捌き場で生じる間違いは、システム自体の問題だ）。

ここで、ウィニペグ（カナダ）のライマー・エクスプレス・ラインにおける、マネジメントの優れた事例を紹介したい。ドナルド・S・ライマーとジョン・W・ペリー両氏からの事例提供に感謝する。

この会社のマネジャーが、ある時期、管理者としての自らのパフォーマンスを良くしたいと考えて、ある1カ所のターミナルに所属する、市内輸送担当ドライバー35人に小さな質問票を配った。質問は単純で、「われわれがやっているビジネスを1行で言うなら、何と説明しますか？」とだけ書かれている。35人のドライバーの回答は32種類あったが、マネジメントが考える「自分たちがやっているビジネス」まで深く掘り下げた回答は1つもなかった。ここでドライバーからの回答を2つ、ライマー氏のコメント付きで紹介しよう。

「トラック・ビジネス」——この表現では「われわれはトラックを売ったり買ったりするビジネスをしている」という意味にも取れる。われわれのビジネスはサービスであり、そのビジネスに当てはまる要件や標準を示唆するものが何もない。

「輸送ビジネス」——これでは、列車、バス、飛行機などで乗客を運ぶビジネスか、あるいはバスを販売するビジネスという意味にも受け取られかねない。

ライマー氏からの手紙は続く。

ドライバーとのQ&Aセッションで掘り下げを始めるや、私は彼らに、サービスを1つの「プロセス」として説いていった。一連のサービスを完遂するためには、われわれは、活動のさまざまなセグメントも併せて完遂しなければならないが、それは、このプロセスを確実に成し遂げるのに必要だからだ。例えば、「われわれは運送便のビジネスをやっています。どうぞご愛顧を」とだけ言って、カナダの東部と西部の間を結ぶサービスに言及しないままだとしたら、実に的外れと言うしかない。

社員1人ひとりが事業活動全体の重要な一部であり、その事業活動とはサービスであるということを社員が自ら理解できるよう手助けすることは、ひとえにマネジメントにかかっている。そこで、われわれはカナダ東部で、ドライバーと一緒に、彼らのピックアップトラックが貨物を引き取って長距離輸送便に繋げるところまでの仕事のやり方、さらに長距離輸送便が西部へ向かって1500マイルから4000マイル離れた街々に届けるところまでの仕事のやり方を、数週間かけトラックに同乗したり同行したりして、実地に調べた。

それまで、ドライバーはさまざまな問題に対してフラストレーションが募っていた。しかし、われわれが「プロセス」そのものを良くしていくにつれ、そうしたフラストレーションが解消していくのを目にした。以前は本当の原因を取り除かず、表面的な現象をなんとかしようとすることから来るフラストレーションを受け容れざるを得なかった。今回は、それと対照的な「プロセス」自体を改善する取り組みだった。ここで、小さな例を1つ、あなたに提供したい。

最近、バンクーバーのわれわれのターミナルのマネジャーが、日替わりで毎日違うドライバーと一緒に輸送ルートを回っている。ある日、彼が興奮して私を呼び出し、ある1人のドライバーについて話してくれた。そのドライバーについては、もう何カ月もの間、そのマネジャーも、仕事を割り振る配車係も、生産性が悪すぎてどうしようもないと見ていた。ドライバーと街を回っているうちに、無線機の調子が良くないことにマネジャーが気づく。バンクーバーはとりわけ起伏が多い。このドライバーは、谷間に点在する沢山の顧客にサービスを提供している。谷間では無線機が電波を受信しにくいか、受信不能となる。これをマネジャーがさらに調べていくうちに、このドライバーがそれまでに何度か当該地域担当のスーパーバイザーに無線機について不満を述べていたことがわかった。しかし、われわれマネジメントはそんな話は何も聞いていなかった。ドライバーは、しばしば山や丘の陰から出て電波を受信できる場所を求め、本来のルートを外れて何マイルも走らなければならない。そうして、ようやくのことで集荷や配送の問題をディスパッチャーに報告したり、連絡を取ったりできるようになる。つまり、ドライバーの生産性の悪さは、個人の責に帰すべき問題ではなかったのだ。

トラック輸送業において運賃の請求にかかるコストを増やすには

輸送業者は荷送人に対し、出荷ごとに貨物運賃請求書を送付する。請求額を決めるのは運賃係だ。顧客からの発送注文書の通りに、運ぶモノの種類、重さ、どこからどこへ運ぶのかを記載し、これに基づいて、あらかじめ決められている運賃表を参照する。さらに、運送量に応じた割引率や割増率にもあらかじめ決められた数字があるため、それを参照して当てはめ、ようやく請求額が決まる。

運賃係は間違いを犯す。請求間違いがあると、荷送人はその請求書を監査法人に送ることになる。監査法人は、過大請求をいくら発見したかに基づいて手数料を受け取るというやり方で仕事をしている。輸送業者は、過大請求と指摘され、確定した分の金額を、それがいくらであれ、返金する義務を負っている。この監査に対して輸送業者にできるのは、お金を失うことだけだ。

一方、逆のケースも考えられる。輸送業者は、請求書の写しを、自社が雇った監査法人に送って、過小請求を発見してもらうこともできる。この場合もやはり発見した金額に応じて手数料を監査法人に払うしくみだ。輸送業者が荷送人に差額分の請求書を送ることがあるかもしれない。だが、大抵はそんなことはしない。そのような請求書を受け取って、差額を払ってくれる荷送人もいるかもしれないが、払わない荷送人もいるからだ。

輸送業者にとって、これは一種のコイン投げのようなもので、表が出れば勝ち、裏が出れば負けである。

このような損失を輸送業者が免れる唯一の方法は、本書で説明する諸原則と手順によって、請求書作成において頻繁に起きる間違いを減らすことだ。監査法人が旨味を感じなくなるレベルまで減らすよう励みたい。換言すれば、監査法人をビジネスから追い出せということだ。

顧客が助けてくれる

第Ⅱ巻第12章の244ページの「提案」に見る通り、輸送業者がミスを減らすのを顧客が助けてくれることがある。

ここで、デトロイトのコモンウェルス・インダストリーズが複数の顧客に送った手紙を紹介したい（1984年1月10日付）。この手紙は、自社の悪いところを説明し、自社がフォードなど顧客に対してより良いサービスを提供するために、顧客にどのように支援してもらえるとありがたいかを述べたものだ。コモンウェルス・インダストリーズはファスナー（締結部品）の熱処理をやっている。この手紙の提案は、不合格の判定を受けて顧客から戻された3万5000

**コモンウェルス・インダストリーズの責に帰すべき
パフォーマンス上の（発見された）問題**

- 温度制御の拙さ
- 当該処理に求められる温度選択を誤った
- 顧客からの要請で急いで製造することになり、
  まずいスケジューリングをしてしまった
- 過負荷
- 設備の故障

お客様に起因する問題

- 仕様として定められた硬度の許容範囲が狭すぎる
  ――プロセスの能力を超えている
- 鋼材加熱の指定温度はモノによってそれぞれ違うが、一定期間に発注される
  モノの設定温度が様々に異なっているために、次々と切り替えることが難しい
- 使用する鋼材はモノによってそれぞれ違うが、
  注文ごとに変わるため、次々と切り替えることが難しい
- 指定された鋼材のマンガン含有量のばらつきが大きいために、
  加熱工程で問題が生じる
- 鋼材の識別表示の誤り、あるいは識別の表示がない
- 所定の部品または所定の仕様に対して、鋼材の選択を誤った
- 扱うべき鋼材の低温側における化学的特性変化を把握していなかった

フォードにおける管理的な業務への応用
(ウィリアム・W・シェルケンバッハ)

組織	応用の例
中央研究所	顧客(研究所の外部)からのリクエストを処理する時間 研究所の間違いの件数(監査ベース)
パワートレイン及びシャーシー開発	サプライヤーからフォード側の問題を聞きとる時間 月当たりの不具合件数
保守部品・サービス	ディーラーからの注文に応じて部品を供給する際の間違いの件数
経理	出張費の処理時間
トラクター・オペレーションズ・エンジニアリング	設計変更にかけている時間
生産スタッフ、生産技術、システム開発	フォードの各拠点から送られてくる生産性レポートの評価にかけている時間
コンピュータ・グラフィクス(CADなど)	ディスク使用時間のばらつき
製品開発	コンピュータを使いたい時にビジー信号が出た回数 情報を取り出すためにファイル(キャビネット)が使われた回数
技術管理	文書の更新回数のランチャート ミーティングの遅れによって無駄になった工数
監査	サプライヤーへの支払いの遅れにつながった、買掛金計上ミスの件数
サリーン工場	スケジューリングのミス・拙さに起因するコスト
購買、物流、車両運行管理	部品工場から組立工場へ鉄道で運ぶのに要した時間
トランスミッション、シャーシー製造	組立工場への部品出荷における間違いの件数(数量、品目)

ロットを分析した結果に基づくものだ。408ページのリストは手紙の原本を基にした簡略版だが、ここでの説明には十分と思う。

建設業での実話

あるドライバーがゲートからトラックを後ろ向きに入れてビルの建設現場に向かった。はて、カーゴをどこに降ろせばよいのだろうと彼は思う。彼は動き続けなければならない。動かなければ利益はない。正しい答えを持っている人は誰もいなかったが、男性が2人、ドライバーがカーゴを降ろすのを助けてくれた。どこに降ろしてもいいらしかった。

翌日、建設現場のフォアマンがやってきて、自分のチームが作業をしなければならない、まさにその場所にカーゴが置かれているのに気づく。フォアマンと部下の作業員はそのカーゴを移動させた。その後も同じことが少なくとも3回は繰り返された。そうしてようやくカーゴは収まるべき場所を得て、あらかじめ決められた場所に降ろされるようになった。こうしたムダの積み重ねがコストを増やす。（マーガレット・ミラーが提供してくれた事例）

行政サービスは効率性だけでなく、公正さで評価されるべきだ

ここで、筆者との対談でオスカー・A・オーナティが語った言葉を紹介したい。

深く埋め込まれた「レッセ - フェール・イデオロギー（自由放任がベストという考え方）」が、これまで、この国に生産性の重要性を間違って教えてきた。その間違いは、非常に狭い、機械論的な定義から来たものだ。政府の機能というものは、効率よりも公正さを志向すべきものなのに、われわれはそれをすっかり忘れてしまった。官・民いずれのセクターでも同じやり方で「効率的」であるべきという観念は、人々を惑わす。行政においては、効率は公正さに包摂されなければならない。

パブリックセクターの最前線で公正さを保てないなら、われわれは、いずれ社会を自ら壊すことになる。不幸なことに、われわれは「マネジメントの専門家」を無闇に高く評価する傾向がある。その専門家はパブリックセクターにやってきて、民間セクターのマネジメントの手法を声高に言い立てる。

そうした手法の中には優れたものも多くあるが、パブリックセクターのマネジメントのやり方を「民営化」することには危険がある。公正さを志向する必要性と、ア

カウンタビリティ（説明責任）を果たす過程が民間とは異なるという現実をわれわれが忘れてしまえば、「民営化」が独り歩きする危険がある。実際は、両方ともが必要なのだ。

パブリックセクターは、民間セクターのマネジメントの手法の中からパブリックセクターの目的に適うものを探し出し、それを応用して自らの成果分析と評価を改善しなければならない。

一方で、民間セクターの方針の中には、「郊外移転」のように、その企業にとって短期的な利益を生み出すかもしれないが、長期的には社会にもその企業にも負の効果をもたらしかねない方針もある。*3

医療サービスのための14原則

第2章の14原則は、ほぼそのままサービス組織に当てはめることができる。例えば、友人のポール・B・バタルデンとローレン・ヴォーリッキーの両氏は、ミネアポリスの医療サービス研究センターのドクターで、「医療サービスのための14原則」を次のように書いている。

①より良いサービスの実現に向かって目的の一貫性を確立せよ

[a]「患者へのサービス」とは何を意味するのかということを、オペレーショナル・ターム（業務として具体的に動ける言葉）で定義せよ。

[b]1年後、5年後に、到達したいサービスの標準を明確に定めよ。

[c]あなたが奉仕しようとしている相手である「患者」を定義せよ。いま目の前にいる患者、今後、あなたが奉仕する患者、一度だけ診察を受けたことのある患者は、どのような人か。

[d]目的の一貫性が革新をもたらす。

[e]所与のコストでより良いサービスを実現すべく、創造性を発揮して革新をなせ。

即ち、将来に向けてのプランニングにおいて、そこで働く人々が獲得すべき新たなスキルはどのようなもので、いかなる訓練ないし再訓練が必要となるか、めざすべき患者の満足とはどのようなものか、そのために必要な新たな患者との接し方、治療方法はいかなるものか、といったことを明らかにしなければならない。

[f]メンテナンスにリソース（人・時間・モノ・お金）を投入せよ。設備・家具・調度の保全をしっかりやるということだ。オフィスの生産性を上げる新たなジョブ・エイド（仕事を

助けるさまざまなツール）づくりにもリソースを惜しまず投入せよ。

g アドミニストレーター（病院事務方のトップ）とチェアマン（病院理事会会長、経営トップ）は誰に対して責任を負うのか、目的に向かって一貫性をもって前進するという彼らトップの責任をいかにして果たすのかを定義せよ。

h あなたがめざす「より良いサービスの実現に向けての目的の一貫性」とは、患者にとってはどのようなものか、地域社会にとってはどのようなものか、具体的に描き出せ。

i 役員会（病院の理事会）は、その目的の実現に徹底的にこだわり、ぶれずに励め。

② この新たな考え方を自らのものとなせ。われわれは経済新時代に生きている。これまでは一般に許されてきた水準の間違い、その仕事の要件に合致しないモノ、自身の仕事の何たるかを知らないのに怖くて質問できない人々、自身の責務を理解できていないマネジメント、現場での時代遅れの訓練方法、不適切で実効性のない監督の仕方を、われわれはもはや容認してはならない。役員会はこの新たな考え方の具現化にこそリソースを積極的に投入し、サービスの実務の中で人を育てることに深く関与せよ。

③ a 外部から調達する、薬剤、血清、設備といった「モノの品質」に関し、統計的エビデンスを（サプライヤーに）要求せよ。受入検査は解ではない。届いてから検査するのでは

遅すぎる上に信頼できない。その品質は既につくり込まれてしまっている。代金も払った後だ。

ⓑ医療機関におけるあらゆる業務に対し、適時・適切・即座に間違いを正す行動を求めよ。請求書作成や入院登録手続など、すべての領域にわたってだ。あなたが提供するサービスに対して患者が満足しているか、患者自身からのフィードバックを得るきちんとしたプログラムを創設し、厳格に運用せよ。

ⓒ手直しや不良の真因を追求せよ。請求の間違い、患者登録の間違い、中途半端な患者登録といった「不良」が「手直し」に繋がり、そうしたものが積み重なって結果的にコストを増やしているのである。増えたコストの数字ばかり見るのではなく、その真因を見つけ出せ。

④管理された状態にあることを統計的に示すエビデンスを提出できるベンダーと取引せよ。これは、今まで習い性の如く続けてきた「一番安い値段を提示したベンダーから調達する」というやり方を、自ら検証することを求める。

　サービスの調達において「新たなベンダーを採用する」とは即ち、新たな「同僚」、共に働く仲間になってもらうということだ。そこでわれわれは、新たな「同僚」の候補たるベンダーについて、もっと鋭く問わなければならない。そのベンダーを採用すると患者との関係にいかなる影響があるか、既存の「同僚（協業者）」との関係にどのような影響があるか、これまでの記録も含め、よく検討する必要がある。

サービスの質を正しく測れないままでは、サービスの価格には何の意味もないということを、われわれは明確に打ち出さなければならない。サービスの質を厳正に測定するという姿勢を明確に打ち出さなければ、取引は最安値を提示した者に流れ着く。質が悪く、結果的にコストが高くつくことになるのを避けられない。こうしたことは米国の産業と行政サービスのいたるところで見られるが、総じて「最も安い価格を提示した者が受注を獲得する」というルールから来ている。

モノの品質やサービスの質を正しく評価するためには、おそらくベンダーの数を絞り込む必要がある。ここでの課題は自分たちのクオリティの統計的エビデンスを提示できるベンダーを見つけることだ。われわれがベンダーと協力し合ってこそ、そのベンダーが不良を減らすためにどのような「手順」を使っているかを理解することができる。

⑤「システム」そのものを、一貫性をもってどこまでも改善し続けよ。生産もサービスもこれは同じだ。

⑥訓練を再構築せよ。

[a]「チューター」という考え方を育め。

[b]サービスの実務の中での人の育成を増やせ。

[c]自分の仕事に統計的管理手法をどのように活かすかを従業員に教えよ。

[d]あらゆる業務に対してオペレーショナル・デフィニションを定められるようにせよ。

[e]指導を受けて育ちゆく人々の仕事ぶりが「統計的に管理された状態」に達するまで、訓練せよ。当人が自ら「統計的に管理された状態」を実現できるように助けていくのがあるべき指導の姿である。そこに焦点を当てよ。

⑦監督の仕方を改善せよ。「監督」は「システム」に属す。良い監督の実現はマネジメントの責務である。

[a]監督者は第一線で働く人々を助けるのが仕事だ。そのための時間を監督者が持てるようにせよ。

[b]監督者は、部下の1人ひとりに、組織全体の「目的の一貫性」を分かりやすく説かなければならない。そのための良いやり方を監督者が自ら見つけ出せるようにせよ。

[c]監督者は部下の助けとするための統計的手法について、基本的な訓練を受けている必

要がある。この訓練は間違いや手直しのうち、特殊要因から生じているものを発見し、その真因を除去するという狙いで行うものだ。監督者は、現象に囚われて不確かな推測を重ねるのではなく、問題の真因を特定しなければならない。そのためには、監督者には事実に基づく情報が要る。正しい情報があればこそ、良い対策が打てるのであり、そうした情報を共有することで対策の良し悪しを関係者に理解してもらえる。対策を取るに際して共有すべき必要な情報は、過去の出来高の水準であるとか、不良件数といった数字だけではない。

ⓓ監督の時間を「統計的に管理された状態の外側にいる人々」に集中させよ。単純に「パフォーマンスが低い部下」に焦点を当ててはならない。その集団の成員が実際には皆「統計的に管理された状態」にある場合は、平均よりも高いパフォーマンスの人と低いパフォーマンスの人がいるのが自然なのであり、個々の成員の責に帰すべきものではないからだ。

ⓔ患者サーベイの結果をどう活かすかを監督者に教えよ。

⑧恐怖を一掃せよ。同じ組織に属する人々を職種によって階級分けするようなやり方を打破しなければならない。医師・医師以外の人・その他の医療従事者と、医療従事者以外

の人たちの間で処遇が違ったり、医師と医師の間でも差がつけられていたりはしないか。他人の悪口を言うな。「システム」自体に起因する問題を従業員のせいにして責めるのを止めよ。「システム」の欠陥に責任を負うべきはマネジメントだ。働く人々が恐れることなく安心して提案できるようにせよ。マネジメントは下から上がってくる提案に正面から向き合い、採用するにせよしないにせよ、最後まできっちりフォローしなければならない。自分たちがやっている仕事の目的について口に出して深く問うことができずにいたら、あるいは、「システム」自体を単純にしたり、改善したりする提案を口に出せずにいるのなら、人はその仕事をうまく成し遂げることはできない。

⑨部門間の壁を打ち破れ。それぞれの部門が抱える問題を学べ。人事異動を通して関連する部門の間で人の交流を促すのも1つの方法だ。

⑩数値目標、スローガン、ポスターを廃止せよ。そういうものを使って従業員にどうかもっとよく働いて下さいと頼んでいるつもりだろうが、まったく逆の効果しかない。そういうものに代えて、従業員が自分で自分のパフォーマンスを良くしていくのを助けるというマネジメントの役割をはっきりさせ、実際にマネジメントがそのために何をやったかを皆に見えるように貼り出せ。働く人々は、本書の14原則に対してマネジメントが何

をどのようにやっているのかを知りたいはずだし、実際にそうあるべきだ。

⑪ノルマを課すための「仕事の標準」を廃止せよ。いわゆる「出来高払い」のことだ。仕事の標準とはクオリティをつくり込むためのものであって、量の達成のみをめざすものではない。手直し・間違い・不良に狙いを定め、実際にその仕事をやっている人がより良い仕事をやれるように助けることに焦点を当てよ。そこでは、働く人1人ひとりが組織の目的を理解し、自分の仕事が組織の目的にどのように関係しているのかを理解することが不可欠だ。

⑫統計的手法に関する骨太の全社的訓練プログラムをつくれ。統計的手法を1人ひとりの仕事のレベルにまで持ち込み、その仕事をする当人がシステマティックなやり方で自分の仕事の特質に関する情報を集めるのを助けよ。この種の「サービスの実務の中での人の育成」は、組織の人事労務管理の一環としての人材育成よりもむしろ、マネジメントの働きと一体となって具現化されなければならない。

⑬いまいる従業員に新たなスキルを獲得してもらうための活気ある「再訓練」プログラムをつくれ。人々が自分たちの将来の職について心配することなく、安心して働けるようにしなければならない。そのためには、新たなスキルの獲得が雇用を守ることに繋がる

のだと当人らに理解してもらうことが不可欠だ。

⑭トップマネジメントの中に1つの「構造(しくみ)」を創出せよ。その「構造」が、ここまでの13の原則を日々推進していくのだ。トップマネジメントが実行に権限と責任を持つタスクフォースを立ち上げるのもよい。このタスクフォースが経験豊かなコンサルタントから指導を受けることになるが、実行の責任はマネジメントだけが果たすことができるものであって、コンサルタントがそれを担うことはできない。

病院のパフォーマンス研究への提案

ランチャートは、分布を示すものでもある。以下に示すパフォーマンスの特性のいずれにおいてもランチャートは一種の分布を表わし、再訓練や特別な支援を必要としているのはどこか、「システム」に何か変更を加えたとして、それがうまくいっているか否かをマネジメントに教えてくれる。*4

- 臨床検査結果の転送遅れ。患者ごとのチャートにする
- 不適切な投薬

●間違った薬剤の投与
●不適切な薬剤管理
●薬剤治療中の患者観察が不十分であった
●投薬に対し副反応が見られたケースの件数
●指示されたのに行われなかった臨床検査の件数
●治療記録が不完全なケースの件数
●不必要だったにもかかわらず実行された外科的処置の件数
●実行された外科的処置の総数
●外科的処置において合併症が生じた件数
●トータルの死亡率
●手術中の死亡率
●救急救命室における死亡率
●種類別外科手術件数
●輸血件数
●輸血副反応件数（血液バッグの表示が読みにくかったために誤って別の患者に輸血してしまっ

たといったことにより引き起こされたもの）
●手術前と手術後の患者の状態の矛盾（内科医や外科医によってなされた診断が病理医の組織検査の結果と食い違うなど）
●火災や化学物質漏洩、病理ラボにおけるその他の事故などの発生件数
●治験薬の消費量
●患者からの苦情
●平均入院日数
●隔離されている患者の数、週平均
●指示されたX線検査の件数
●指示された病理検査の件数
●放射線治療の件数
●脳波検査の件数、心電図検査の件数
●患者に関する依頼書や報告書のうち判読不能であったものの件数
●病理ラボにおけるエラーの件数
●病理ラボにおける手戻り（やり直し）の割合

- 検体採取から病理ラボが受け取るまでの時間
- 病理ラボが受け取った検体が不適切であった件数
  - 不適切な容器
  - 検体量不足（QNS）
  - 患者名が欠落している、あるいは判読不能
  - 指示書と容器の患者名が不一致
  - 容器の破損または検体漏出
  - 検体を長く放置し過ぎた
- 品目別欠品回数
- 品目別過剰在庫
- コンピュータのダウンタイム、タイムアウトの長さごとの分布
- 試薬や培養基が使用期限切れとなった件数
- 残業時間、病欠者の数、休暇取得状況
  - 常勤職員
  - ボランティア

航空会社のパフォーマンス研究への提案

記録収集のための様式を工夫して記録を取り、蓄積していけば、運航便ごと、発着地ごと、週ごとといった具合にランチャートと分布を描くことができる。分布がわかれば特殊要因の存在を検知することができ、また「システム」をどう変えればいかなる効果を得られるかを予測し、それを実施して効果を測定することもできる。エアライン事業において着目したい特性を以下に挙げる。

●フライトごとの空席待ち客の数
●フライトごとの搭乗拒否客の数（オーバーブッキングなどによるもの）
●有償搭乗率
●到着時刻と遅延時間の分布
●ニアミス件数
●乗客がカウンターで費やす時間の分布
　チケットの購入
　荷物のチェックイン（荷物を預ける）

●預り荷物を乗客に渡すのにかかる時間の分布
●預り荷物が紛失、行方不明、遅延となった件数

ホテルのパフォーマンス研究への提案

●ルームサービスによって料理が客室に届けられてから空になった食器を回収するまでの平均時間
●光熱費
●ランドリーのコスト
●窃盗
●法務コスト、訴訟件数
●予約の間違い
●オーバーブッキングの発生頻度
●管理職の離職者数（率）
●管理職以外の従業員の離職者数（率）

事例と提案

国勢調査局への適用

最も早い時期に、1つの大きな組織において品質と生産性を良くするために組織全体にわたって仕事の流れのすべての段階で改善に取り組み、大成功したケースの1つは、国勢調査局でモリス・H・ハンセンのリーダーシップの下に1937年頃に始まった活動が起源だ。国勢調査の「生産ライン」上には、ⓐフィールド調査員が集めたり郵便で返送されてくる回答に始まり、ⓑ最終的に集計された報告書が発行されるまでのあいだに、無数の作業が並んでいる。

国勢調査局によって実施される月次及び四半期ごとのサーベイは、失業、住宅着工件数、商品卸売動向、疾病率、その他にも人とビジネスのさまざまな特性について行われている。こうしたサーベイは、民間セクターの事業目的のためにも、行政のプランニングのためにも、第一義的に重要なものだ。こうしたサーベイは最大限有効に使われるべくしてなされるのであるから、その精度に疑問を持たれるようなことがあってはならない。

もちろん速さは必要だ。そうでなければ、どの数字もすぐに過去のものになってしまう。しかし、精度を犠牲にしてはならない。これまでスピードと精度を共に改善し続けてくることができたのは、統計的手法の助けを得て、訓練と監督の新たなやり方を工夫してきたからだ。

モリス・H・ハンセンと彼の仲間が書いたり監修したりした重要な論文と書籍がいくつもある。標本抽出そのものを改善して非標本誤差を減らす方法を追求した研究、あるいは標本誤差と非標本誤差の間の経済的バランスを追求した研究だ。１９３９年から１９５５年までの国勢調査を源とする彼らの論文と書籍の概要をここで説明しようというのではない。モリス・H・ハンセン、ウィリアム・ハーウィッツ、ウィリアム・G・マドウの共著 *Sampling Survey Methods and Theory*（『標本調査の手法と理論』）Vol.1, 2（Wiley, 1953）を挙げれば十分と思う。

国勢調査局のトップマネジメントとアドバイザーらのリーダーシップとサポートがなければ、我が国の国勢調査が品質と生産性の向上に貢献することはなかっただろう。実際、この物語は、フィリップ・M・ハウザー、J・C・キャプト、カルバート・L・デドリック、フレデリック・フランクリン・スティーブン、サミュエル・A・スタウファー、その他にもまだいるが、こうした人々が力を合わせて実現したものだ。

世界各地の国勢調査関係者は親密な関係にあり、長い間相互に学んできた。そのなかで我が国の国勢調査局は世界中の国勢調査の品質と生産性を改善する上で、重要な役割を果たした。

各国の国勢調査局がサービス組織であり、同時に行政機関であるという事実は、注目に値する。

関税局の品質と生産性

我が国の関税局は、輸入されてきた羊毛やタバコ、レーヨンといった貨物の重さを測る。だが、実際に計量するのは小さな標本だけで、標本抽出法と比率推定、その他の統計的手法を活用して積載貨物の全重量を計算する。関税局はまた、羊毛の場合であれば、標本抽出した羊毛のベイルに管を突き刺してコアサンプルを抜き取り、それを検査することで混じりけのないウールであることを推計し、支払われるべき関税額を計算する。標本抽出によって総重量を推計することで、すべてのベイルの重量を1つひとつ計量するのに比べて、重量計測のコストを大幅に減らし、数日早く通関を終えることができる。実際、統計的手法を適用する以前には1つずつ計量していた。利益は関税局で時間とコストを節約できることだけではない。荷送り側の会社にとって船の停泊料の節約額は何千ドルにもなるし、輸入ウールの重量と純度の精度が良くなるという利点もある。

管理が良くなり、測定方法への貢献もあったというのに、関税局はいまだに入国者1人ひとりに申告書の紙を渡してフルネームを書いてくださいと言う。しかも、その様式が「ラストネーム」「ファーストネーム」「ミドルネームのイニシャル」の順序になっている。アングロサクソン世界の人口の3分の1は、ファーストネームをイニシャルで書いて、ミドルネーム、ラストネームと続けて書くのが普通だ。例えばH. Herbert Hoover, C. Calvin Coolidge, J. Edgar Hooverというふうに書く。改善が望まれる。

ある給与課の問題

ある会社が「給与計算のためのタイムカード」に関する問題を抱えていた。給与支払いの対象者は900人。毎日1500件ものミスが発生していた（これでも悪くはない数字だ）。ミスが多すぎるため、給与課は週次の締め日の4日後に給与小切手を従業員に手渡すだけで精一杯だ。このような負担を軽くすることはできないものか？　同社のタイムカードを図11に示す。

当人とフォアマン（監督者）、2人の署名が必要だ。なぜ2人の署名が要るのだろう？　このカードの正確性に責任を負うのは誰なのか？　2人に署名させるということは、誰も責任を負わないに等しい。トラブルの発生を保証するようなものだ。

そこで私は次の提案をした。

①当人の署名だけを求めよ。自分のカードの正確さの責任は当人に担わせるべし。

図11　給与を計算するための日次のタイムカード
必要とされる署名も、社員が計算しなければならない項目も多すぎる。

日付　＿＿＿日　＿＿＿月　＿＿＿年

＿＿＿社員ID　＿＿＿署名

時刻		入から出までの時間		ジョブ・コード（仕事の種類）	ペイコード（給与区分）	給与額
入	出					
この日の給与総額						

＿＿＿フォアマンの署名

②当日の合計時間の記録も計算も、当人がやらずに済むようにせよ。計算は給与課がやればよろしい。

私は3週間くらいかかるだろうと思っていたが、実際には1週間で問題は解消した。

購買部門の事務処理における問題

別の事務処理の例を挙げよう。その会社の購買部門は、自分たちが要求部門から受け取る購入要求書の4分の3が不完全または不正確だと常々不満を述べていた。例えば、品目番号が間違っている、旧版の品目番号が書かれている、該当するベンダーがない、ベンダー名のスペルが間違っている、購入要求発行者の署名がないといったこと。他にもトラブルの元が大量にあった。私からの提案は「購入要求書に何か問題があったら、購入要求を出した者に直ちに送り返せ」である。この問題の解消には3週間かかるだろうと思っていたが、実際には購入要求書の欠陥は急減し、2週間で100分の3になった。残された問題の大半は、きちんと「監督」すればなくせるものだ。例えば、購入要求を出す人に最新の情報を提供すれば解消するはずだ。

出張費の精算における問題

ワシントンにある教育省のマネジメントが、出張費精算の書類にいくつも署名が要ることに目を向けた。*5 署名したら、誰だってすぐに自分の手元から次へ送り出したい。必要な署名を求めて精算書類は次々と手渡されていく。

この手続きに単純な変更を加えたことによって、ほとんどの問題が解消され、精算処理も速くなった。

①精算書の作成要領をわかりやすく改訂。

②出張者当人が省いたのが明らかな数字に対し、管理部門が訂正してあげるのをやめる。その代わり、「情報に不備があると、払い戻しが遅れます」というメモを添えて出張者に精算書を送り返し、訂正させる。

すべての問題が短期間のうちに解消した。噂はすぐに広まる。

ペーパーワークはどの組織にも大量にある。同じような問題で困っている企業は多い。こうした問題への私からの提案は、出張費精算であれ小口現金の管理であれ、1件1件に「もう少しだけ」注意を払うこと、そして、50件に1件くらいの割合でサンプルを抜き取って徹底的に調査することだ。サンプル調査とはいえ、不正の疑いがあるものについては、全数調べるものとする。サンプル調査はその「システム」がどう機能しているかを教えてくれる。それでも依然としてミスはいくつか生じるであろうが、何階層にもわたる承認者の作業を価値あるものに転換させる経済性に比べたら、ミスから生じる正味の影響はごく小さなものになるはずだ。

会計処理――工場及び棚卸資産の現在価値評価

現在の会計処理においては、監査レポートに工場と事業用資産及び棚卸の評価を含める必要がある。大企業には、統計的標本抽出法を用いて精度を担保した現在価値評価も認められている。この推計方法は、[a]工場内のあらゆる物理的資産の状態を推計し、[b]それぞれを新たにもう一度つくったらいくらかかるかを計算して、両者を掛け合わせて現在価値を算出するというものだ。実務上、相対的に少ない数の品目を詳しく調べればいいだけなので、資産評価のためのコストを大幅に節約できる。

例えば、イリノイ州のベル電話会社のような、新造した場合の推計値から減価分を差し引いて、20億ドルにもなるプラントであっても、実際に詳しく調べるのは4000品目で済む。その程度の仕事なら、しかるべきスキルを持った人が調べれば、数週間でやれる。有意標本抽出を用いると、雑な推量に終わるだけということもあるから、ここでは注意が必要だ。

得られた情報に基づいて、新造した場合の推計値から減価分を差し引くというやり方で現在資産価値を推計するなら、当該工場のどの資産に対しても今後5年間の修理や交換の費用を予測するのに、その情報をいくらでも使える。この予測は部門長が上げてくる報告よりも、はるかに客観的だ。部門長は総じて、設備の修理や交換にかかる経費は声を限りに大騒ぎしてようやく手に入れることができると思っているから、設備の劣化を大げさに言いがちだ。地下の配管スペースは使われていないが、ダクトのサイズで資産価値を推計されるなら、一種のボーナスだ。

運搬の時間を分析して在庫を減らす

米国では自動車部品は国内やカナダのあちこちで生産され、鉄道やトラックで顧客向けに出荷される。[*6] 工場から顧客への運搬にかかっている時間を研究することによって、運送途上でトラックが故障して修理したために遅れたといった突発的な特殊要因を除けば統計的に管理された、極めて良好な状態の運搬経路があるとわかる。通常の輸送時間の上方管理限界も簡単な計算で算出できる。

例えば、ニューヨーク州バッファローからミズーリ州カンザスシティまでの運搬経路だ。

カンザスシティの顧客側の工場の在庫に輸送中の在庫を加えたものが「改善対象の棚卸」である。カンザスシティの在庫要件はそれまでは最大5日分だった。だが、この上限は、輸送時間が統計的に十分管理された状態にある（車両故障を除く）と判断される場合には4・2日で十分だとわかった。その差は0・8日しかないが、この計算に関係する部品に対して、年間50万ドルの節約に相当する。

このケース（50万ドル）と他の類似の運搬経路の部品の在庫節減を合計すると2500万ドルになった。現行金利で計算すれば、日当たり約1万ドルの金利負担の節約になる。

鉄道貨車の主な修理に要する時間が24時間以内ということは滅多にない。運搬経路の途上で突発的に起こる、ありとあらゆる故障によって生じる欠品を完全にカバーするのに十分な在庫を持とうとすれば高くつく。だが、この問題には別の対処方法が存在する。鉄道に備え付けの電信機能を使って、貨車の1台1台が経路上のどこにいるかをすべて本社が常時把握しておくようにするのだ。貨車が故障したら、代替のトラックを急行させるなり、あるいは他の工場から部品を回すなり、すぐに対策を打てる。これをやった上で、貨車の故障によって生じると推測されるギャップを埋める分だけ部品の在庫を持っておくというのは、実務的にうまいやり方だ。

ホテル

第2章で強調したように、ほぼすべてのものは「唯一無二で一期一会」だ。たとえプランの一部であっても、ひとたび実行段階に至れば、品質をつくり込むにはもう遅い。

その代表例がホテルである。ホテルはまず建物が出来て、暖房や空調やエレベータといった設備が設置される。その後に家具が運び込まれる（少なくとも米国では）。昨今は旧いホテルの改築がずいぶん進んだが、それ以前はひどいものだった。多くのホテルでベッドを置く唯一の場所がエアコンの吹き出し口のすぐ近くなのだ。温風や冷風がベッドに直接吹きかかる。ホテルの家具調度には100万ドルはかかると思われるが、どの部屋にも机と呼べるようなものはない。

あるとき、筆者がセミナーを行った新築ホテルでのことだ。エレベータは乗降客をさばくのに必要な分の半分程度の能力しかない。しかも、ものすごく遅い。これではエレベータのメーカーが自社名の銘板をカーゴに貼り付けていないのも不思議ではない。

宿泊客は「部屋を出るときは灯りを消してください」と要請される。この要請をきちんと実行するには、オンになっている室内灯の場所までいちいち行ってスイッチがどこにあるか探し、どうしたらオフになるかと確かめて、ようやく消せる。ホテルの照明器具はどれもパズルのようだ。そんな中で、世界に2人、頭を使うことを知る建築家が現れた（おそらく、どこかのホテルに宿泊した後だと思う）。トロントのコンステレーション・ホテルの部屋には、ドア近くにマスター・スイッチがある。シンガポールのマンダリン・ホテルでは、部屋に出入りすると照明が自動的にオン・オフする。

ホテルは改善を続けているだろうか？　この度完成したホテルは、どれも1年前に完成したホテルよりも、良くなっているだろうか？　（115〜116ページ）。

ホテルのマネジャーにはどうすることもできない。彼は失敗作の相続人なのだ。もし彼がホテルのオーナーに「家具をオークションで売り、そのお金でもっと機能的な家具を購入しましょう」と提案したら、彼に何が起きるだろう？　おそらく、翌日解雇される。彼が「空調ダクトの工事のやり直しや室内電気配線の変更やエレベータの増設といったことはマネジメントの仕事ですから、ぜひやりましょう」と提案したとしても、同じ運命が待ち受けている。どうにもならない。彼にできるのは、宿泊客が部屋の不都合を忘れて、バーやサービスや音楽が素晴らしいと認めてくれるように努めることだけだ。

ホテルにとって、客室に実用的なコートハンガーを備えておくのは簡単なことだ。宿泊客からも大いに喜ばれる。実際にそうしているホテルもある。例えば、ミズーリ州コロンビアのブロードウェイ・インやアリゾナ州フェニックス近くのロウズ・パラダイス・イン、ニュージーランドのトラベロッジ、ロンドンのドルリーレーン・ホテル、東京の帝国ホテルなどだ。

統計的に計画された基盤の上に立って観察すれば、マネジメントは次のようなパフォーマンスの特性に関して継続的に情報を得られる。

- 到着客の受付（チェックイン）よりも前に、宿泊客を迎え入れる準備ができていた部屋の割合
- 部屋が空室になってから、新たな宿泊客を迎え入れる準備を整えるまでに要す時間の分布。その時間は統計的な分布を成しているか、異常値はないか？
- 異常値があったとして、その原因は何か？　原因除去は経済的に見合うか？
- これまで提供したことのない机を求めた宿泊客の割合
- 机にしかるべき照明器具がない部屋の割合
- 文房具がしかるべく補充されていない部屋の割合
- 電話機に不具合がある部屋の割合
- 空調がうるさいと苦情を寄せた宿泊客の割合

読者の皆さんもホテルにおける問題を新たに加えることができると思う。[*7]

「安定した1つの『システム』」は、管理図（ランチャート）を見ればすぐにわかる。その「システム」を改善する責任はひとえにマネジメントにある（第1章と第11章）。

郵便サービス

米国で最高レベルの郵便サービスは、先進国を見渡せば最低のサービスである。なぜそうなのかと思う人もいるだろう。だが、同時に世界で最も効率的と言ってもよい。われわれの郵便サービスの貧弱さが我が国の産業に与えている損失は甚大で、実に嘆かわしい。より良いサービスの実現のためには郵便料金の値上げが必要だというのは当然のことのように思われる。

メッセンジャーサービスは昔からある職業で、封筒に入った文書やコンピュータから出力された紙の束などを事業所から受け取り、別の事業所へと運ぶサービスだ。同一市内のサービスもあれば、ニューヨークとフィラデルフィア間のように、都市をまたぐサービスもある。米国郵便公社が怠けていたせいで、最近の米国ではメッセンジャーサービスが成長産業になっている。

当然だが、問題は郵便公社のマネジメントにある。郵便公社はこれまで、ファーストクラスの郵便サービスとはいかなるものであるべきかを決める権限を持てずに来た。ファーストクラスの郵便サービスとは、遅くて頻度も低いがとにかく安いサービスか、それとも、値段は高いがもっと速く、頻繁に届けてくれるサービスか。値段に応じてサービスレベルを変える「システム」にすれば、両方のサービスを並行して実現することも可能だ。

オーバーブッキング

オーバーブッキングをしきたりとして日常的にやっている航空会社が利得を最適化して損失を最小にしたいなら、統計的なガイダンスが欠かせない。オーバーブッキングに起因する損失は、さまざまなところで生まれる。ペナルティもその1つだ。ここで考えるべき損失は2種類ある。

①空席のまま飛ぶこと。これは収入が減ることを意味する。
②オーバーブッキング。オーバーブッキングのせいで搭乗できなかったお客全員にペナルティを払うことになる。

ペナルティは別の航空会社のフライトに無料で振り替え搭乗できるという形をとることもあり、そこに若干のお詫び金が添えられる（ホテルのオーバーブッキングはエアラインほど大事には至らない。ホテルのマネジャーは、大抵は通り向こうの別のホテルに部屋を見つけることができる）。

ここでの統計的な課題は、2種類の起きうる「間違い」から生じる正味の損失を最小にすることだ。1つは、「実際の座席数よりも多く乗客を獲得してしまったという間違い」に対してのペナルティであり、もう1つは、「実際の座席数よりも少ない乗客しか獲得できなかったという間違い」から来る損失である。そもそも、[a]オーバーブッキングをしなければ、[b]ペナルティを払うこともないから、そう決めて、予約情報をきっちり更新し、定員に達したらそれ以上は予約を受けなければいい。それなら統計理論など要らないはずだ、と考える人もいるだろう。

　優れたマネジメントなら、両方のタイプの不測の事態が起こることを想定し、乗客が予約したはずの座席を提供できなかったことに対するペナルティも含めて、両者の正味の損失を最小化するために、統計理論に裏打ちされた合理的なプランを持っていてしかるべきだ。

　最初のステップは、フライトごとの需要の時系列の記録である。これを週次で見たり、あるいはもっと違うサイクルで見たりすることで、数日前に合理的な予測を立てるための基盤とすることができるし、そこには信頼限界も付いてくる。これにより、利益を最大化するには、実際のキャパシティを超えていくつ予約を獲得すべきかという最適な数を算出できる。

コピー機

コピー機のメンテナンスサービスの記録を正しく分析すれば、設置やメンテナンスのサービスが必要な他の装置や機械と同じように、例えば[a]顧客がサービスの要請をしてから、[b]サービスマンが到着するまでにかかっている時間がわかる。こうした分析は、特殊要因によって遅れたことを示すシグナルを与えてくれたり、意味のある言葉で（即ち、統計的に管理された状態にあるか否かといった意味で）サービス部門のパフォーマンスを教えてくれたりする。正しくデザインされた分析であれば、このサービス会社は、次の事柄ごとに、トラブルがどれくらい起きているかを把握することができる。

- コピー機ごとのトラブルの件数、特定の部品ごとのトラブルの件数
- 顧客ごとのトラブルの件数（要因別）
- リペアマン（修理担当者）ごとのトラブルの件数（要因別）

さらなる訓練が必要なリペアマンはいるか、それは誰か、他の仕事に配置転換すべきか？　コピー機の場合、粗末なマシンでも満足する顧客はいるものだ。だがその一方で、コピーの仕上がりにほんの些細な汚れがあるだけで、サービスマンを呼びつける顧客もいる。サービスマンが継続して記録をつけていれば、個々の顧客がどういうタイプに属す人かがわかってくるし、製品設計においてどこをどう変えたら良くなるかもその記録が教えてくれる。サービスの記録はまた、顧客がコピー機に期待すべきものについて、顧客への教育が必要か否かも教えてくれ

るし、コピー機の使い方や手入れの仕方について、顧客に対してもっと良い教え方をする必要があるか否かも示してくれる。いま使用中のものより高価格帯の機種を使ったほうがいいと思われる顧客は誰か、それほど高くない機種でもよいはずの顧客は誰か、ということも記録の分析から推定できる。*8

レストラン

私はレストランでしばしば、座ったまま次の料理を待っているだけの時間があって、なぜ待たせるのだろうと考える。あるいは、同じくらい頻繁に、席が空くのを待っている人の列を見て、早く会計を済ませて席を空けてあげようと思い、勘定書きを持ってきてもらおうとするのだが、給仕係がなかなかテーブルに来てくれず、もどかしい思いをすることがある。そのレストランは、監督の拙さのせいで、本来のキャパシティをどれほど失っていることか。

（急がせるのではなく）てきぱきと顧客が奉仕されていたなら、また勘定書きの準備が整い次第、すぐにテーブルに届くようになっていたら、その顧客は次のお客のためにテーブルを空けることができたはずで、そうすると店の生産性が良くなり、キャパシティも増えて、かなりの利益に繋がったはずだ。顧客にも、もっと満足してもらえただろう。

テーブルについているお客のなかで、一体、何人が給仕係にむなしくサインを送っているだろう？　まさにそのとき、すぐ近くにいながら、ぼんやり中空を見つめている給仕係は何人いるか？　10分前にテーブルに届けられる状態になっていた料理は、まさにそのときが食べ頃だった。今となっては拒否されるために準備されたような状態だ。そういうことはどれくらいあるだろう？　半分しか食べてもらえなかった料理はどのような種類のものか？　ティペットの「スナップ読み取り」と「乱数表」を使えば、あまりコストをかけずに答えを得られる。*9

メニューに書かれた料理の中でよく注文される料理は何か？　ほとんど注文されない料理はどれか？　損失の原因になっている料理は？　そうした料理をメニューから外すと、大切な常連客がごっそり減るという恐れはないか。そうならないようにその料理をメニューから外せるか？　毎日提供すればわずかな利益ないし赤字になるが、週に1回の提供なら相応の利益が出る料理はどれか？

さまざまなコストのうち、最も重いコストは何か？　どうすればそのコストを減らせるか？　国立気象局の予報を基に、猛暑や猛吹雪を見越して、料理とサービスを変えるといったことも、やろうと思えばできる。

都市の公共交通システム

適切な統計的観察計画に基づいて調べれば、公共のニーズに適う商機がどこにあり、1日のうちでどの時間帯にその商機があるかもわかる。各停留所に掲示された時刻表と、その時刻表通りの厳格な定時運行は、新たなビジネスを生み出す。米国のサービスを改善するために何ができるかを知りたければ、欧州のどこかの都市を訪れるだけで足りる。

米国の公共交通システムは、最も安い価格を提示した者に受注を与えようとする要件に縛られ、改善を妨げられている（第2章で考察した通り）。

自動車貨物輸送の例をさらに挙げる

米国やカナダで、一般的な貨物輸送業者が発行した運賃請求書の中から、確率論に基づいた手続きによって（単位コスト当たりの情報量が最大になるように）サンプルを抽出して調べれば、以下に示すような公共性の高い目的に対し、役立つ情報を提供できる。

- 州際通商委員会の事前ヒアリングのため。こうしたヒアリングは、運賃を値上げしたい、あるいは、貨物重量と輸送距離に応じて運賃表を全面改訂したい輸送業者からの求めに応じて開催される。同じデータはまた、荷送人との間の、案件ごとの貨物重量と輸送距離に応じた運賃の交渉の叩き台にもなる。

●民間セクターのビジネスに活かすため。輸送業者は、こうした継続的な研究の結果から、路線や重量、輸送距離、輸送の種類（一般的な輸送、温度や振動に対して特別な要件がある輸送などの区分）、貨物の中身（どのくらいの価値があるかというクラス分け、あるいは単なるコモディティ）といった特性のそれぞれについて、どういうものが不採算事業に繋がり、どういうものが儲かるビジネスに繋がるのかを看取できるかもしれない。

ここまで詳しく、正確で、加えてタイムリーにビジネスの目的に活かせる、あるいは、価格交渉の合理的な基盤として使える情報を持っている産業は他にはない。

輸送の動態に関するこうした継続的な調査は、筆者が策定し、見守ってきた統計的な手順に従って、（行政機関ではなく）輸送業者が自ら行っている。

この他にもさまざまな調査・研究があり、いろいろな間違いの削減に結実している。例えば、積載時の間違いや、集荷及び配送における間違い、輸送中の損傷とその損傷に対する賠償請求、運賃請求の間違いの削減の力になっている。

また別の研究は、燃料消費の削減に狙いを定めたさまざまな方法を実地に調べて、実効性の有無、効き目の程度を提示している。例えば、積載重量をもっと大きくしたら燃費はどうなるか、ファンクラッチの燃費への効果はいかほどか、定期的な整備にはどのような効果があるか（定期的整備ではなく、不定期に、故障したら直すというやり方もあるが、費用対効果が高いのはどちらか）、都市間を結ぶ長距離輸送において経済速度を遵守するよう規制したら燃料消費をどの程度節約できるか、といったことだ。

鉄道

適切にデザインされた統計的プランによって得られるデータの研究は、次の目的に資する情報を提供できるはずだ。

①異なる路線を跨ぐ乗り継ぎにおいて、路線間で収益を分け合う計算の間違いを減らすため。同一の路線区域内の運賃請求における間違いの削減についても同様。

②貨車の空き時間を短縮するため。貨車の空き時間は、その貨車が使われていたなら支払ってもらえるはずの賃貸料の分だけ、鉄道会社にとっての収入減になるからだ。一方、

顧客にとっては、自らの貨物を積むために空の貨車を要求したら、遅滞なく即座に届くほうが望ましい。

③輸送の遅延が「1つの統計的なシステム」を成しているか否かを判別するため。管理限界を超えた輸送の遅れがあるとしたら、その遅れの原因は何か？　管理限界を超えるほどの異常な後れが見つかったのに、なぜ、その原因を除去しようとしないのか？（すぐに原因を除去すべきだ）

輸送時間の「ばらつき」を小さくするために、なし得ることは何か？「ばらつき」を減らすとは、信頼性の高い、安定したパフォーマンスの実現を通して、顧客により良いサービスを提供すると同時に鉄道会社にとってのコスト節減を達成せよという意味になる。これについては既に435～436ページに一例を挙げた。

鉄道会社は、鉄道車両や貨車が修理工場で過ごす時間の分布を調べ、活用しているだろうか？　その分布を、修理の種類ごとに層別して研究しているだろうか？　鉄道会社は、当該鉄道車両や貨車の所有者が誰であれ、修理中の鉄道車両や貨車に対しても、時間当たりいくらと決められた賃借料を払っている。鉄道会社は修理の記録を持っている。手元になくても取り寄せることができるはずだ。

主なターミナル駅の中から任意に1つを選び、顧客が「荷物をn台の貨車に積み込む準備ができました」と鉄道会社に連絡を入れてから、n台の空の貨車がその顧客に届けられるまでに要した時間の分布を調べてみるといい。その際、顧客に届けられたn台の空の貨車のうち、顧客の要求に適う正しいタイプの貨車は何台であったか？　汚ない貨車が何台あったか？　貨車への積載が終わって出発する準備が出来てから、実際に貨車が引いて行かれるまでに要した時間はどのように分布しているか？

確率抽出の理論に基づく方法を使えば、稼働している設備のサンプル試験を定期的に実施し、劣化して修理が必要なもの、即時交換の必要があるものの割合と数を見極め、翌年度に行われるべき保全や交換の費用を見積もることができる。稼働している設備とは、例えば、信号機であるとか、倉庫の中やドックに設置されている設備、車載機器といった、さまざまな設備や機器のことだ。同じように統計的手法で選び出したいくつかの地点でレールの摩耗具合、路盤の状態、レールの等級を実地に検査すれば、どのような修理がどれくらい必要かということに関して情報を与えることができる。こうした研究に使われている確率抽出法は、運営管理のためのパワフルなツールだ。

顧客は提供されたサービスのことを気にするものだろうか？　たとえ顧客が気にしないと

しても、パフォーマンスを改善すれば、現有の設備と鉄路からより多くの利益をあげ、能力が高まったために余剰となった現有設備を売却してもなお顧客へのサービスをもっとよくするということができるようになるはずだ。

私自身がある鉄道会社で指揮した調査のなかで判明したのだが、その会社の整備士は、自分の時間のうち4分の3にもなる長い時間を、列に並んで部品を待つのに費やしていた。

電話会社におけるオペレーションの研究

電話会社でこれまでに行われてきた取り組みを列挙する。

①適切な統計的デザインによって、回線と伝送系通信機器の使用状況を推定せよ。回線と伝送系通信機器が音声通話のために使われている時間の割合、報道機関のために使われている時間の割合、データ伝送のために使われている時間の割合、民間あるいは公用の電信用のために使われている時間の割合等々はどれほどであるかを推計するということだ。[*10] この結果は、多岐にわたるサービスに対して料金を決めていくための基盤として使われる。

②適切な統計的デザインによって、局用交換機及び交換機系の諸設備の使用状況を推定せ

よ。交換機は、域内の電話サービスを区域外の有料サービスに繋ぐためにある。この結果は、区域内電話サービスと区域外サービスの間で部門別に収入額を確定するための基盤として使われ、最終的にはサービスに対して料金を決めていくための基盤としても使われる。

③適切な統計的デザインによって、設備の物理的劣化状況（減価）を推定せよ。対象となる設備は、局用交換機、中継装置、構内電話交換機、地下埋設の一般通信ケーブル、地下埋設の基幹通信用ケーブル、電話会社の地域オフィス、ダクト、装荷コイル、電柱、架空ケーブル、電柱及び建物内の端子盤、電話機、信号装置等。

④コストを削減すると共に請求書のミスを削減せよ。

⑤工場・事業所の記録を検証せよ。しかるべき情報が正しく記録されているか？　修正すべき間違いの種類はいかなるものか？　その間違いが起きている領域はどこか？

⑥電柱などの資産の共同利用を調整・推進せよ。電話会社と電力会社がそれぞれ別に電柱を所有していることもあろうし、1本の電柱を両者が50対50の比率、あるいは別の比率で共同所有することもあるだろう。両者は電柱の賃借料を互いに支払う。一方の会社が多く払い過ぎていることはないだろうか？　適切な統計的デザインによって調査を行な

えば、実証可能な精度で答えを得られる。継続的な調査によって支払いを適正なバランスに保つことができる。（当該の仕事の規模が大きいため、完璧な調整は不可能だ。それをやろうと試みたところで、まったく新たなエラーの連鎖を生み、行き着くところは当初の状況よりも悪くなる）

⑦長距離通話の収入を急激に増やすための宣伝広告の実効性を研究せよ。

⑧電話局のシミュレーションを実施せよ。仕事の質とやりがいを高めるために、これまで社内の心理学者は「オペレータのさらなる巻き込み」の施策をいくつか提案していた。提案された変化のなかには、生産性の向上に大きな効果があると思われるものがあったため、同社の調査グループはシミュレーションを経て1つのモデルをつくり、実行し得るいくつかの変化を研究した。

⑨さまざまな通話を実際に取り扱っているのはオペレータである。人々が「もっと頑張って働く」のではなく、「より賢く働く」ことによって作業の時間を短縮できるようにするための研究を指揮せよ。無線遅延の研究を行うために注意深くデザインされた標本抽出手順を使って分析を機械化すれば、継続的に結果を提供できる。

⑩1つの大都市圏内にある電話会社の複数の事業所の間を結んでいるメッセンジャーサービスの最適ルートを研究せよ。電話会社は、紙の社内文書のやり取りのために、1つな

いし複数のハブを持つ集配システムを持っているものだ。社内文書の集配のルートは無数にあり、集配地点の数も非常に多い。ベル研は、集配ルートの数と、各ルート上に設置すべき集配場所の数を共に最適化するのを支援する完璧なアルゴリズムを開発した。

⑪新たな設備（主として電子交換機）を導入する際の最適な場所を決定せよ。オペレーティングコストの節減は、電気機械式交換機（クロスバー交換機）を電子式交換機に置き換えることによって実現できる。全面的な置換とまではいかなくても、クロスバー交換機の増設の必要があるときに、クロスバー式の代わりに電子交換機を新規導入して徐々に置き換えていくというやり方もある。ベル研は、どこに、いつ、電子交換機を設置すべきかの決定を支援する非線形アルゴリズムを開発した。この他にも、電話会社の研究者は、使いやすいソフトウェアをいくつも開発して財務分析の新たな手法の中にそうしたソフトウェアを埋め込んだ。

⑫主として基幹回線系の設備をうまく共用するために、費用配賦と使用状況について継続的な調査分析を実施せよ。その際は、AT&Tのロバート・J・ブルソー博士によってデザインされた統計手順に従い、他の電話会社と協力して、基幹回線の収益と費用負担の取り決め・決済の基盤を形成するよう努めよ。

⑬在庫の現物と、技術部門の記録と経理の記録との照合を研究せよ。例えば、地下ケーブル、中継器、架空ケーブルその他の機器の在庫について調べよということだ。顧客の敷地内における配線や設置工事に関連するものも含めた電話関連機器（現地に設置済みの設備）についても同じ。

⑭電話局をまたぐ連絡・連携のためのモノと工数の単位コストを推計せよ。

⑮オペレータを訓練するための教材や補助器具を開発せよ。

⑯従業員の歯科医療のコストを推計せよ。

⑰電話料金の請求を決済せずにどこかへ移転してしまう人がいる一方で、電話会社には、そうした人々に提供したサービスの対価を回収できないというリスクがある。そうしたリスクを減らすための研究を実施せよ（この損失はイリノイ・ベル電話会社だけでも年間数百万ドルに上る）。

⑱イエローページ（職業別電話帳）の利用状況を推計し、もっと役立ててもらうにはどうすべきかを研究せよ。

⑲電話料金の請求書はわかりにくいと常々指摘されている。顧客が請求書を読み解くのにどんな問題で苦労しているのかを研究せよ。狙いは請求書の様式を改善することだ。

デパート

顧客が接客を待つ時間と、接客を受けられずに立ち去る人の数をデパートが観察すれば、損失関数を使う基本的な情報を得られる。損失関数は、サービスの過不足、どこで、いつ、どのようなサービスをどれくらい増やしたらそれに見合う利益が得られるかをマネジメントが判断する助けとなる。

こうした目的に損失関数を用いるには、大きな課題が1つある。接客を受けられず諦めて立ち去った人々の悪感情がそのデパートにもたらす損失は誰にもわからない。アンハッピーな顧客の中には、他者に大きな影響を与える人もいる。ハッピーな顧客もそうだ。以下に関して日頃から目配りを欠かさず、よく研究したいものだ。

- ●店員が顧客に近づいていく時の態度、接客中の店員の態度
- ●顧客が店員に近づいてくる時の態度、接客中の顧客の態度

自動車と顧客

ここでしばし立ち止まり、幅広く応用できるやり方を短く述べる。ある大きな自動車メーカー

の話である。

そのメーカーは車の購入者がどのような問題でお困りかを理解する必要があると考え、購入日から1年後に、各購入者に質問票を送っている。「どのようなことでお困りですか?」「どのような経験をされましたか?」と問うものだ。

送られた質問票のうち半分が戻ってくる。残りの半分は戻らない。今では統計学者なら皆知っていることだが、たとえ90%が戻ってきたとしても、全数ではない回答結果に基づいて結論を描くことには危険がある。その結論が傾向についてだけのものであるなら、そういう危険は小さいだろうという議論は希望的観測に過ぎず、根拠に乏しいのであって、拒否すべきだ。

そこで、このやり方に単純な変更を加えると、随分良くなることが知られている。[*11] 標本として適切な選び方で抽出した1000人の購入者だけに質問票を送るのだ。そして、回答を返さなかった購入者の1人ひとりと個別に直接会って話を聞き、フォローアップするのである。この変更は、顧客研究のコストを大幅に減らすと同時に、検証可能な信頼度をもって使える結果を与えてくれる。

このやり方は、購入者リストが存在するなら自動車以外のどのような製品であっても応用できる。実際、消費者研究に関与している人なら誰もが知っている通り、既にこれを通常のプラクティスとしてやっている会社もある。

銀行におけるミスの削減

ウィリアム・J・ラツコ

銀行

バンキングビジネスで働いている友人たちは、銀行のマネジメントは、他の産業のマネジメントに比べると、自身の顧客についてあまり知らないと認めている。まずは、1人の顧客が持つ複数の口座を集めて統合的に見られるようにすること（名寄せ）が出発点だ。例えば、小切手用口座、普通預金口座、受託口座、信託口座、借入金口座などである。これは、今ではデータ処理技術によって簡単にやれる。だが、顧客ニーズを知るにはまるで足りないし、銀行がそのニーズを「どれほど満たしていないか」を理解するにはさらに足りない。銀行の顧客が自動車や住宅の購入、住宅リフォームのために、その銀行以外のところからお金を借りるのはなぜか？　そうした事実も理由も記録されていない。消費者調査の中には、この質問に答えることができるものがあるかもしれない。

この他にも、顧客に関して知りたいことはいろいろある。消費者調査は解を与えてくれるだろうか。

1つの大きな間違い

他の産業と同じく、銀行にはミスの削減という積年の課題が存在する。銀行における検査には2つの目的がある。1つは顧客に流出する前にミスを発見すること、もう1つは不正を未然に防ぐことだ。銀行業務において品質を追求するのは新しいことではない。古代まで遡ることができるくらいだ。伝統的に、バンカーというものは品質に関しては「チェックするだけ」であり、これまでずっと「レビューする人」「署名する人」であり続けてきた。なにしろ、検査は銀行の「システム」の中に何層にもわたってがっちり組み込まれているのである。それゆえバンカーは「自分たちにとっての唯一の『高くつくエラー』とは、銀行が顧客に迷惑をかける事態を引き起こすものである」という仮定の下にいる。ミスは災害のようなものであって、今に至るまでずっと、ミスの未然防止のために費やされる作業・時間・お金はすべてビジネスをやっていくためのコストの1つに過ぎないと考えられてきた。いずれにしてもこれらは業務上のコストの中に埋没し、マネジメントの目に触れることはごくたまにしかない。こうしたコストには、次の4つの種類がある。

①仕事の設定、確認、検査に要するコスト。これは伝統的な「検査のシステム」だ。どの銀行でも照合に次ぐ照合をやっているから、そういう仕事に就いている人がものすごく大勢いる。

②内部の失敗コスト。おそらく、業務の流れの中に元凶がある。発覚したミスは修正され、相応の経費がかかっている。

③外部流出の失敗コスト。エラーが流出して顧客に到達してしまったら、調査・調整にお金がかかるのはもちろん、ペナルティの支払いもあろうし、顧客を失うことまである。

④失敗を予防するためのコスト。品質を分析し、品質をシステマティックに制御するためのコストである。論理は単純だ。トラブルを最も早いステージで（つまり発生源で）検知し、異常があればその場ですぐに修正するに尽きる。これによって、以降の業務の流れのすべてのステージで発生するトラブルを減らすことができる。

そうしてこそ品質を良くしてコストを下げることが可能になるのだ。

銀行の業務でも製造でも、いずれの「システム」においても2つのタイプの品質が存在する。1つ目は設計の品質だ。売ることができるサービスや製品を確実に創出する特定のプログラムや方法は存在する。換言すれば、顧客が求めているサービスやモノを創り出すということだ。2つ目はオペレーションの品質、つまり、約束した通りの品質を具現化することである。

品質管理は「製品自体」と「製品設計」の両方に対して機能する。そして、この地点において品質管理は従来型の「システム」から離れ始める。間違いを発見するだけでは十分ではない。間違いの背後にある真因を特定し、以後の間違いを最小化する「システム」を構築することが必要なのだ。

パフォーマンスを良くする

品質改善活動は第一線監督者の階層で行われる。これまでに、品質改善活動は図12に示すような結果をもたらしてきた。こうした活動の結果、実際に働いている人達が、自分達にはどうすることもできない「エラー」のせいで責められることはもうないのだと感じるようになり、モラールも高まった。

コンピュータによって日々の仕事の中で記録を取り、簡単にランチャートをつくれるようになったことも、1人ひとりの能力を高める上でシステマティックに役立っている。つまり、個々の成員のパフォーマンスを集団のパフォーマンスと容易に比較できるようになったということだ。当該集団にとって許容できる範囲の外に出てしまった人がいれば、必要な支援を適時適切に与えることもできる。

従業員の士気

昔は「リジェクト率」が悪化すると、コンピュータの操作員は互いに非難し合ったものだ。前のシフトの人たちが犯した間違いに対応しなければならないのだから、シフト間の対立感情は強く、部門間にも強い対立があった。最後は誰もが「コンピュータのせい」にしようとする。結果は仲違い、不調和、低いモラール（士気）であった。

統計的手法を用いれば、異常なリジェクト率の原因を、どの部門、どのシフト、どのマシン、どの操作員なのかに至るまで自動的に追跡し、最終的な重要事、つまり、何が問題なのかを特定することができる。前述の通り、統計的手法が追求するのは「問題の特定」であって、個人を責めることではない。このような理念あればこそ、誰もが協

図12　品質改善活動の結果
あるテレグラム課（電信の発信・受信を担当する専門部署）におけるタイプミスの時系列推移を示している。今では、深刻な大問題になるずっと以前にミスが検出され、修正されるようになった。

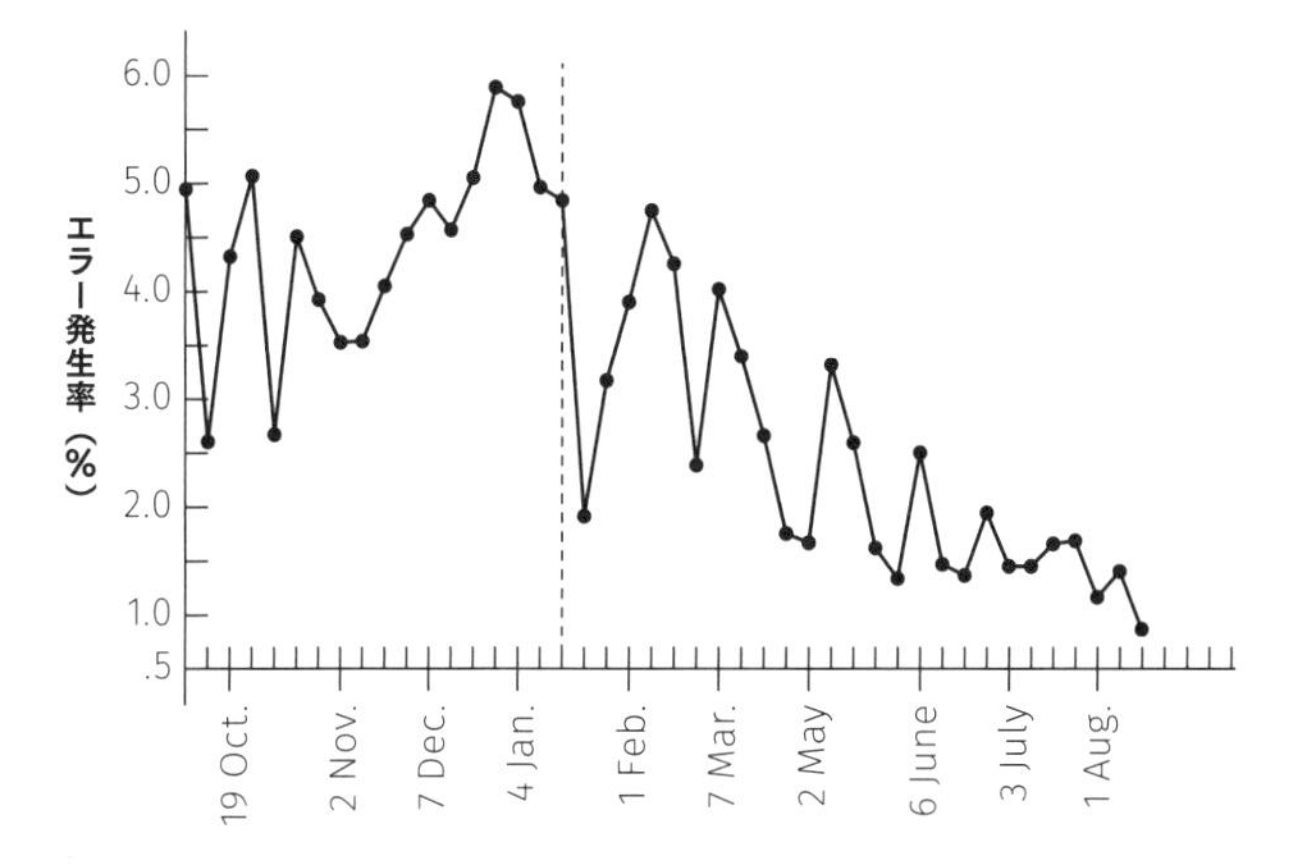

力し、悪さの源は何か、つまり「本物の問題」に取り組めるようになる。

銀行の職員の40~60%は、他の職員がやった仕事を検証する作業に就いていると指摘するバンキングの専門家もいる。統計的手法はミスの発生頻度を減らすのに役立つ。銀行業の将来に、広く、劇的な、良い影響を与えるはずだ。高額案件は必ず検証し、高額ではないその他の処理についてはサンプル抽出で検証する、といった具合に、重要なことがらに絞り込んで集中的に検査することによって、検査件数を減らすのと並行して業務の正確性を獲得できる。

品質改善の活動はどの銀行でもできる。規模の大小を問わない。銀行によってそれぞれニーズは違うだろうが、それに適う活動をすればよろしい。バンキングビジネスの成長のために活動をデザインすることも可能だ。時代と共に新たに登場してくる分野へも適用を広げつつある。

改善活動の対象はオペレータかもしれないし、マシン、あるいは「システム」かもしれないが、いずれにせよ、研究対象の一つひとつのプロセス能力を見極めるためには、一定の期間にわたってそれぞれを観察しなければならない。「プロセス能力」とは、現在のやり方のままで、何をどのくらいやれるかということだ(第11章を参照)。通常なら一つの業務のプロセス能力は3カ月程度で見定めることができる。

当該プロセスの能力が許容範囲にないとマネジメントが判断したなら、その仕事のやり方、あるいはその「システム」に対してマネジメントは何かしかるべきことをしなければならない。品質というものは、その「システム」自体の能力を超えることはできないのだ。どれほど検査しようが、製品やサービスの品質を良くすることはできない。品質は検査するものではなく、つくり込むものだ。（ハロルド・F・ドッジの指摘。第3章を参照）。

銀行における、さらなる継続的研究への提言*12

狙い：経済性の継続的向上とミスの継続的削減

方法：ランチャート、管理図、ティペットの手法

●磁気インク文字認識技術を使った選別機（MICR）を通したときに読み取り不能でリ

ジェクトされる小切手の割合

- MICR装置の保全状態と故障時間
- ベンダーのパフォーマンスの測定――銀行の外部のプリンタで印字された小切手を定期的に評価せよ。即ち、コード化された記号や数字の印字に不具合のある小切手の数と、記号や数字が欠落している小切手の数を調べるといったことだ。
- 例外的な案件を扱うコスト
- 顧客のリクエストを受けてから、対応がなされるまでに要した時間
- 行列に並んで待っているお客様の人数
- 窓口係（テラー）による、取引処理時間の「ばらつき」
- 窓口係の離職率
- 窓口係のエラー発生率
- 格付ごとの貸し倒れ発生率（与信格付システムの質を測る尺度。破綻懸念への警告を早い段階で与えることを期待されている）
- 当銀行の小切手決済契約の名義人が振り出した小切手に関連するエラー発生率
- 小切手決済契約経由の取引の平均処理時間

- 顧客の指摘で発見されたミスの割合。銀行の内部で、何らかの方法で発見されたミスよりも、顧客から指摘されたミスに着目せよ。
- 何らかの不備で当銀行に戻された小切手や手形の件数
- コンピュータの故障時間
- 送金関連のエラー発生率
- 決済期限を過ぎているのに残高不足で決済できない口座の件数
- 高額貸付金残高の期間の平均と分布（この2つをモニタリングすることによって、延滞貸付金の管理に関連する諸々のコストを削減できるかもしれない）
- 主なエラーの種類毎の、エラー修正までに要している時間
- 当銀行によって生み出された価値の総額
- 口座件数
- 貸付金の平均金利：貸付案件ごとの実質利回り（上記3つの項目の測定は金融機関の利益性を反映している）
- 新規口座開設件数
- 新規口座の開設を勧誘するために掛けた電話の回数

●格付されている貸付の総件数と、貸し倒れ償却処理を行った貸付の件数

口座の収益性

①要求払い預金（DDA、普通預金や当座預金）の分析報告書のエラー
②両建て預金残高報告書のエラー
③手数料請求のエラー
④為替や手形のように価値が変動する金融資産の、いわゆる「洗い換え」による差損・差益の金額

調整

①伝票の間に生じた食い違い（差異）
②顧客からの照会要求の件数
③解決できないまま積み残されている差異の件数と金額
④解決できないまま積み残されている顧客からの照会要求の件数
⑤エラーの種類毎、発生源毎の層別

⑥時間軸上で見たエラー解決までの流れ、要した時間の分布
⑦償却した差異の件数・金額・分布

建物

①銀行が所有するビルに入居しているテナントから寄せられる、室内温度、湿度、清潔さ、エレベータサービスなどについての苦情

金融商品の取引

①買い入れ時の取引上のエラー（監視と原債務者への報告）
②設備の故障時間（主にコンピュータのダウンタイム）
③期限を超過した証券のインパクト（単位：ドル）
④取引時のデータ入力やオペレーション上のエラー
⑤保護預かり口座（有価証券）の残高のエラー
⑥対連邦準備銀行の手続き上のエラー
⑦過年度遡及処理を行った取引（金融監督当局の指導による遡及処理）の件数や、連邦準備銀

行の動向によるインパクト

⑧保税輸入に起因する当座貸越

⑨保税輸入遅延の際に必要となる要求払い預金口座残高の調整

事業用資金の貸付

①記帳されている貸付金に対する担保書類がない

②貸付金をシステムに入力しようとしたら「リジェクト」になった

③遡及処理が必要な貸付案件

④企業宛に送付した取引明細書が戻って来てしまった

⑤貸付金の事務処理において、修正が必要なエラーが発見された

コンピュータ・サービス

①クーリエ（配達人）による配送のタイムライン

②コンピュータ・センターから銀行への報告のタイムライン

③銀行からコンピュータ・センターに届くまでのコンピュータ入力のタイムライン

④オンラインシステムのダウン時間
⑤オンラインシステムが使われていなかった時間（どのくらいの時間、待機状態のままであったか）
⑥コンピュータ・センターが提供するサービスを使っているユーザーによる評価

個人口座の事務処理

①取引明細書作成時に紛失していることが発見された小切手や取引計算書の件数
②要求払い預金口座や貯蓄預金口座の開設申込みが拒絶された案件の件数
③偽造された書類に基づいて支払いを行ってしまった案件の内容と件数
④支払停止指図の見落とし
⑤取引明細書作成におけるエラー
⑥取引明細書を作成しようとした時に、設備（コンピュータやプリンタ等）に生じた問題及びその件数

個人向けバンキング

①新規口座情報の入力が時間に間に合わなかったせいで、要求払い預金口座や貯蓄預金口座の新規開設が「拒絶」になってしまった案件の件数
②コンピュータ端末への入力ミス
③ストライキあるいはサボタージュの発生件数
④サービスの質に対する顧客の評価
⑤顧客から寄せられた苦情の解決に要した時間
⑥口座件数の減少
⑦小切手帳の注文におけるエラー

顧客への情報サービス（「勘定系」以外の「情報系」の業務）

①顧客からかかってきた電話のうち、（話し中などで）繋がらなかったものや、（待たせすぎて、切られるなど）顧客が諦めてしまった通話の件数
②顧客情報ファイル（CIF）へ登録しようとしたときに、リジェクトになったケースの数

③氏名や住所の変更に対するエラー
④CIFへの登録や、氏名・住所の変更の際の事務処理のタイムライン
⑤顧客が寄せた苦情・問題に関して、「あれはどうなったか」と照会された案件の内容・件数
⑥電話転送の間違い
⑦オンラインで手続きをしようとしたら、当該顧客がCIFに存在しなかったケースの数
⑧要求払い預金や貯蓄預金の口座取引明細書が銀行に戻って来てしまったケースの数
（送付先住所が間違っていた）

銀行会計（勘定系システム）

①金融情報システム（FIS）の項目に、間違った情報を入力したケースの数
②FISの項目の入力漏れの件数
③伝票処理のタイムライン

法人向け口座業務

①小切手や取引計算書の紛失件数
②口座減少
③（手作業で行った）並べ替えのせいで生じた「リジェクト」の件数
④買掛金や支払うべき債務の見逃し、ARP磁気テープを介した支払処理で生じた問題の件数
⑤偽造された書類に基づいて支払いを行ってしまった案件の内容と件数
⑥支払停止指図の見落とし件数

法人顧客の情報系に関する業務（「勘定系」以外の「情報系」の業務）

①繋がらなかったか、待たされて諦めた顧客からの電話の件数
②顧客情報ファイル（CIF）へ登録しようとした時に、リジェクトになった件数
③CIFへの入力間違い件数
④法人名や住所の変更に関する入力間違い件数
⑤電話転送のエラー件数

⑥要求払い預金口座の取引明細書口座取引明細書が銀行に戻って来てしまった件数（送付先住所が間違っていた）

⑦顧客が寄せた苦情・問題に関して、「あれはどうなったか」と照会された案件の内容・件数

⑧オンラインで手続きをしようとしたら、当該顧客がＣＩＦに存在しなかった件数

個人向け与信

①当座貸越の残高と件数

②貸し倒れ償却処理を行った金額・件数

③当座貸越利息が逆ざやになってしまった分の金額・件数

④銀行側の対応に不満を感じた顧客によって解約されてしまった口座の件数

⑤戻ってくるべき小切手が戻ってこないケースの件数

⑥顧客からの苦情件数

⑦送られてきた警告書の件数

⑧ステイタス情報更新のエラー件数

⑨連邦準備銀行へ預け入れている準備預金残高と総勘定元帳の預金残高の帳尻が合わない事態の発生件数

顧客照会

①住所変更――CIFのデータのエラー件数
②CIFのメンテナンス処理で「リジェクト」が起きた件数
③名称と住所に関する確認作業のタイムライン
④顧客側から通知された住所変更の件数
⑤マイクロフィルム上の署名が欠落または判読不能なケースの数
⑥オンラインで手続きをしようとしたら、当該顧客がCIFに存在しなかったケースの数
⑦要求払い預金口座の口座取引明細書が銀行に戻って来てしまったケースの数（送付先住所が間違っていた）
⑧顧客からの苦情件数

連邦準備銀行（ＦＲＢ）

①高速と低速のリジェクト件数
②ＦＲＢからの「助言」に情報の欠落があるケースの数
③ＦＲＢからの「助言」がない、あるいは誤送信されたケースの数
④貯蓄国債シリーズＥ（売買・譲渡が認められない貯蓄型米国債）で生じる問題の件数
⑤持帰手形交換の遅延発生件数
⑥手形交換における紛失、余剰、誤送付の発生件数
⑦現金送り状の金額・件数の間違い件数

グラフィックサービス（銀行内の複写サービス）

①新規申込書や変更届の処理のタイムライン
②設備のダウン時間
③コピー機でコピーを取った時に、低品質であったコピーの量
④グラフィックサービスが提供するサービスに対するユーザーの認識
⑤コピー、宛名印刷、その他複写に関するリクエストに対するタイムライン

⑥手直しまたはやり直しの件数
⑦利用者からのリクエストに応じられなかった案件の件数

カードローンと電子的処理によるオペレーション

①「リジェクト」になったカードローンのカードの枚数とリクエスト件数
②受け取った送金指示書の不備の件数
③現金自動預払機（ＡＴＭ）を使った取引が不完全だったケースの数
④ＡＴＭのダウン時間
⑤顧客からの苦情の件数

国際会計

①「リジェクト」の件数と伝票のエラーの件数
②記帳や貸付金の入力シートへの書き間違いの件数
③契約上のエラー件数
④銀行間送金の保留発生件数、現在保留中である取引の件数、金額

国際会計のコントロール

①新規の預金受入れや融資において必要な書類が欠けているケースの数
②融資や資産負債管理（ALC）、信用状に関する伝票の不備から生じたリジェクトの件数
③外国為替予約をする際に入力ミスをしてしまい、そのまま予約されてしまったケースの数
④銀行間送金保留発生件数、現在保留中である取引の件数、金額
⑤報告のタイムライン
⑥相互の照合によって外国の銀行への支払い義務が生じた場合の決済のタイムライン

国際金融

①預金の受入れや融資の入力シートへの書き間違いの件数
②新規の預金受入れや融資において必要な書類が欠けているケースの数

国際信用状

①新規取引の入力シートへの書き間違い発生件数

②輸出入書類処理のタイムライン

③コンピュータに入力するための伝票のエラーが元で「リジェクト」になったケースの数

④取扱保留発生件数、現在保留中である取引の件数、金額

国際決済

①事務処理のエラーと、送金・送金受けの指示の誤り発生件数

②送信テレックスに対する不適切なテストの件数

③送信メッセージにおけるエラーの件数

④取扱保留発生件数、現在保留中である取引の件数、金額

⑤銀行間送金が正しく行われなかったケースの数

個々の業務の処理

①さまざまなアイテムの紛失や余剰の件数（伝票、シート、取引明細書、物品等々）
②経理計上において借方と貸方が合わない事態が生じた件数、内容
③優先入場許可証が「リジェクト」された回数（職種別に）
④銀行間で手形や小切手を受け渡す際に、決済する前に紛失してしまったことで生じた損失額
⑤日次の締めで残高が合わない事態の発生件数
⑥現金を誤った宛先へ送ってしまったケースの数
⑦突合のエラー件数
⑧キーボードの打ち間違い発生件数
⑨設備のダウン時間
⑩オフライン処理で生じた「リジェクト」の回数
⑪仕分けの間違い発生件数

郵便配送

①間違った宛先に届いた郵便物の件数。自行内／社外、国内／国際
②郵便配送のタイムライン
③差出人不明の郵便物を受け取った回数、内容
④顧客から寄せられた、郵便に関する苦情件数
⑤戻って来た郵便物の数（住所が違っていた等）

高速磁気インク文字認識（MICR）技術を用いた印字・読み取りの品質管理／予備テスト

①他の銀行が印字した小切手やその他自動読み取り用の印刷物のリジェクト率が2％以上なら、当銀行は当該銀行を「要注意の印刷物を印字する銀行」に分類する。その「要注意の銀行」の数の推移。
②自動読み取り用の新たな様式や小切手帳を発注したが、現物を試験したところ、基準に達しなかった。そうした事態の件数・状況。

送金

①連邦準備銀行（FRB）経由の送金、銀行間電信送金の際に生じたエラーの件数
②電信送金（TWX）の遅延件数、遅延時間
③未決済取引の件数・金額
④設備のダウン時間
⑤FRB通信プログラムと通信回線のダウン時間（FRBに報告するためにモニタリングしている）
⑥送金を電信送金のルートに乗せたところ、「送金情報を再確認してください」というサービスメッセージが返ってきた回数、内容

預金取り扱い以外の業務

①市内の手形交換所や、広域の手形交換所、連邦中央清算機関におけるエラーの件数
②利付債券の計算エラーの件数
③利札（債権の利子分）の支払い保証のための与信を即座に与える必要がある時に、取立手続きの中で変動金利のために生じてくる差異（回数、金額）

④利札の取立に要する平均日数
⑤サービスに対して顧客から寄せられた苦情の件数
⑥未決済取引（対FRB）の発生件数、金額

生産性と品質の分析

①これまでに実施した調査のタイムライン
②マネジメントは（コンサルタントからの）提言をどのくらい受容しているか
③生産性分析と品質分析の報告のタイムライン
④当銀行の全体としての品質レベル
⑤生産性と品質の改善目標に対してどこまで達成できたか（金額で）

事実に基づいて確かめる

①入力したデータや行った作業が証拠に基づいて「リジェクト」された件数、内容
②差異やエラーを検証した回数、内容
③残高不突合（預金）が生じた回数、内容

④日次の締めに間に合わなかった作業の件数、内容
⑤日次の締めのためにしなければならなかった、通常はやらないはずの作業の件数、内容
⑥検証のためにデータを入力する際に生じたエラーの件数、内容（発生源の部門にレポートするため）

調達

①設備のダウン時間（すべての業務の分野にわたって）
②各部門から要求された物品を、倉庫から取り出し、届けるまでのタイムライン

記録サービス

①要求された文書が見つからない事態の発生件数
②これまでに、保存期間が過ぎたために廃棄した記録がどういうものであったか、という廃棄の記録がないといった事態の発生件数
③記録を保管するための準備が不適切であったといったケースの発生件数

④記録を保管するために準備すべきこととして、「どういう記録を保管用の倉庫に入れたか」という記録を残すべきなのに、その記録がないといった事態の発生件数
⑤提供されているサービスに対する利用者の評価

戻って来たもの

①戻って来た物品や書類、取引等々の処理のエラー発生件数
②戻って来たものを処理する際のタイムライン
③顧客から寄せられた苦情の件数

特別なサービス（法人顧客）

①貸金庫や取立サービス、口座まとめに関する処理のエラー発生件数
②データ送信の遅れ発生件数、遅延時間
③特別なサービスを担当する部門が行った作業が「リジェクト」となった件数、内容
④エラーが発生した際の解決までのタイムライン

特別なサービス（個人顧客）

①メール・バンキングに関するエラー発生件数
②出金予定に対して、十分な額の入金がなされていない口座があったなら、その件数、内容
③普通預金口座に関する情報を郵送する際のタイムライン

窓口係（テラー）

①テラーによる（生産性や質の）「ばらつき」
②設備のダウン時間
③サービスや品質に対する顧客の評価
④現金取扱高の制限を超過することが何回あったか
⑤テラーの不適切な配置発生件数
⑥差異分の償却回数、金額
⑦現金計上や伝票の処理の遅れ（発生件数、金額）
⑧現金の入出金伝票や、その他の内部的な伝票（振替伝票等）処理におけるエラーの件数

⑨仕訳の際に伝票上の情報が欠けていたり、読み取れなかったりという事実が判明し、困ってしまった回数、内容

電話を通したコミュニケーション

①代表電話にかかってきた電話を、どこへつなげたらよいかわからなかったケースの数

②顧客から寄せられた苦情（銀行に電話をかけたら、たらい回しにされた等）の件数

信託口座

①新規口座開設のタイムライン

②顧客から寄せられた苦情の件数

③事務処理のエラー発生件数

信託機関としてのサポートサービス

①支払い停止または取り消された署名済の年金小切手

②口座管理と小切手処理のタイムライン

③データ入力を最初からやり直さなければならなかった口座の処理発生件数
④事務処理のエラー発生件数
⑤再実行が必要になった処理の件数、内容

信託口座の入金管理

①入出金管理対象のリストに漏れがあったケースの数
②顧客への債券利払い処理におけるエラー発生件数
③期限付小切手の処理におけるエラー発生件数

信託取引の記録と管理

①データ入力のエラー発生件数
②「リジェクト」された伝票の件数
③報告書配布のタイムライン
④さまざまな情報が不正確であったことから、システムに入力できなかった伝票の数

信託証券

①無記名証券（購入、解約、預入れ・保管、再預入れ・保管）の件数
②伝票のエラー発生件数
③さまざまな情報が不正確であったことから、システムに入力できなかった伝票の数

売買一任勘定の業務

①一任勘定の担当者とテラーの間で金額が合わない事態の発生件数、差異金額
②無効になったり、キャンセルされたりした米国債シリーズEの件数、金額
③記録をマイクロフィルムにするためのカメラのダウン時間
④取扱保留発生件数、現在保留中である取引の件数、金額
⑤米国債シリーズEの処理のタイムライン
⑥米国債シリーズEの残高の不突合が発生する問題の件数、差異金額
⑦外国通貨売買取引の積み残しの件数、金額
⑧フードスタンプの事務処理エラー発生件数
⑨品質に対する顧客の評価

文書処理

①書類作成におけるエラー（タイプミスなど）
②設備のダウン時間
③書類のタイピングを依頼してから出来上がるまでに要した時間
④サービスと品質に対する利用者の評価

ある電力会社への提言

ジョン・フランシス・ハード

電力の発電と送電に関するいくつかの論点

ニューイングランド地方（米国の北東部6州）の、ある先進的な電力会社が、品質と利益の改善活動に乗り出した。よく知られた技法によって、それを推進しようとしている。今後、この会社は、すべての顧客とのあらゆる取引や「やり取り」を、この新たな「システム」を通して行っていくことになる。

発電・送電・配電は、長期にわたるビジネスであると同時に、切れ目のない「1つのプロセス」である。顧客のニーズは、日々、瞬時も欠かさず満たされねばならない。その地域の産業と社会、住民にとって、電力は不可欠だ。生活、生命、健康、安全、豊かな暮らしや企業の発展は電力にかかっていると言ってもよい。

電力会社の事業においては、どんな不具合も、わずかな遅延も、ちょっとしたエラーであっても、その一つひとつが顧客の不満を引き起こし、電力のコスト増の原因になる。

「イシカワ・ダイヤグラム」とも呼ばれる特性要因図は、われわれが自分の道を見つける助けをしてくれる。電力会社の日々のオペレーションにおいて必要な活動は非常に複雑で込み入っている。われわれはそうした中を通り抜けて、自分で自分の道筋を見出さなければならない（228ページに推奨文献として掲載した石川馨博士の書籍を参照）。

電気料金は顧客と地元の公的機関によって精査される。図13に電気料金のコストの内訳を示す。以下の説明が読者の理解を助けると思われる。

●燃料——電力会社は石炭、石油、ガス、核燃料を購入する。これらは費用である。

●発電所設備——設備は年々劣化していく。新たな技術が登場して時代遅れになることもある。したがって、電力会社は設備を更新していくのに十分なだけのお金を稼がなくてはならない。

●資金のコスト——投資家や資金の貸し手がこの電力会社に前もって投じた資金に対して、配当や金利の形でお金が支払われる。

●人件費と管理運営費：電力会社で働く人々に対して、給料を支払わなければならない。

図13　典型的な電力会社（仮）におけるコスト要因の全体像

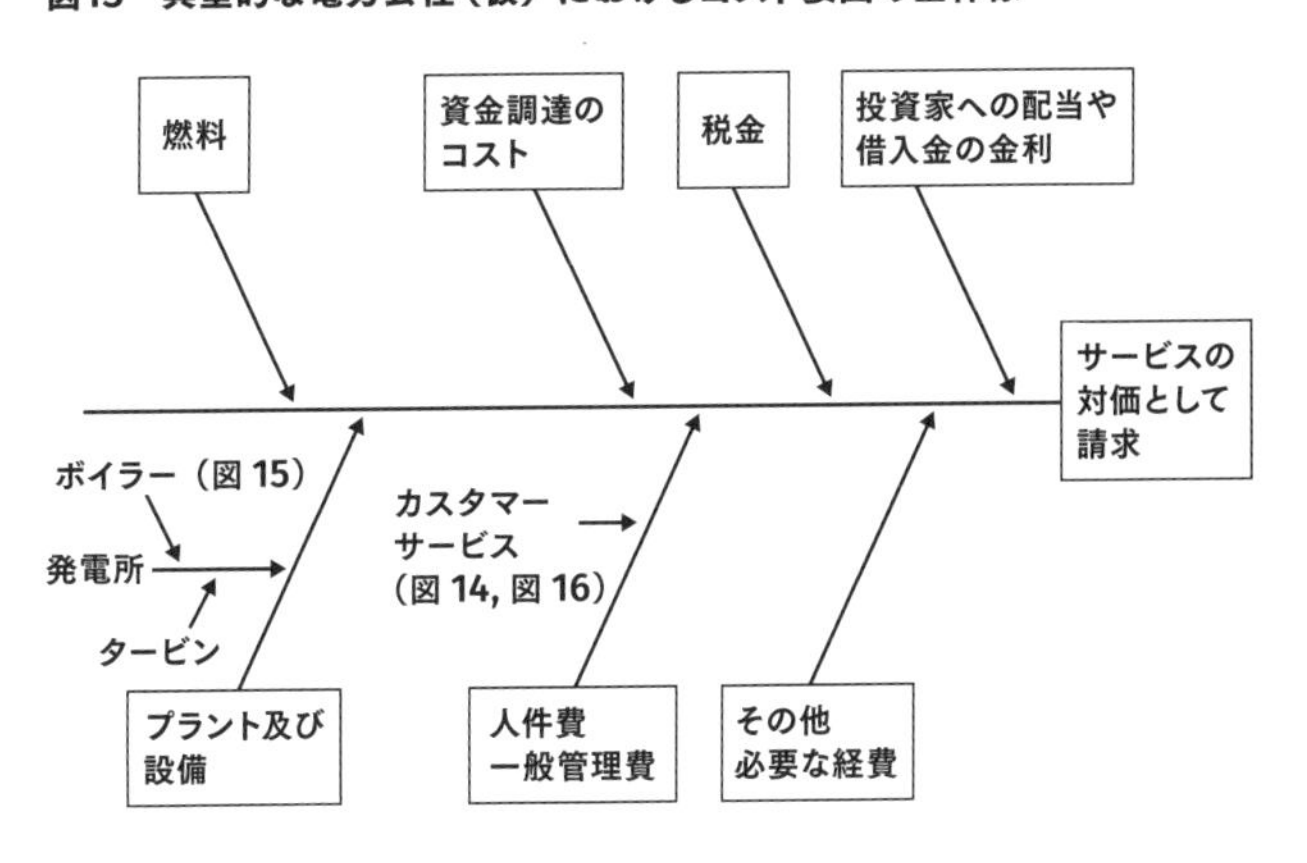

● 税金：行政のために課せられる地方税、州税、連邦税。
● その他の業務のための費用：消耗品、さまざまな物品、外部から調達するサービス。購入済みのもの、注文済みだが未納のもの。

これらのなかには外部の力によって決定されるものもある。ここではそうした要素は論じない。

ビジネスをやっていく上で、自分で変えられるコストの要素はいくつもある。その会社を機能させる構造をつくりあげているのはさまざまな部門だ。そうした組織の中で実際に働いている人々が個々のコストの要素に影響を与えている。こうした個々のコストの要素と実際に働いている人々、そして両者の相互の関係は、自分たちが自ら継続的に観察し、良くしていくことができるものだ。

カスタマーサービス

電力会社の業務の1つが「カスタマーサービス」といわれるものだ（サービスの組織）。この部門は、検針、電気料金の請求と受け取り、電話応対、顧客からの問い合わせや要望に対応するセンターの業務を担っている。通信とコンピュータシステムには最新技術を取り込んでいる。停電が広範囲・長時間に及ぶ間、電力会社は顧客に対する通常のカスタマーサービスを停止し、緊急電話だけを扱う。そして、カスタマーサービスセンターが顧客と電力復旧のために送り出されるチームとの間の一種の「情報交換所」となる。

それぞれの部門で働く人々は、パレート図を使って何が大きな問題であるかを特定し、イシカワ・ダイヤグラム（特性要因図）と統計理論に基づく管理図を使って改善に取り組んでいく。こうした活動がミーティングを通して行われる。

発電所が最小限のイギリス熱単位（Btus）で最大限の電力（ワット・時）を顧客に届けるためには、管理すべき要素が多くある。うまく管理していくためには、発電所内にあるさまざまなシステムの相互作用を研究しなければならない。図14は、顧客に対するサービスのコストの構成を示すイシカワ・ダイヤグラム（特性要因図）だ。図15はボイラー室の管理図、図16はカスタマーサービスの管理図である。

図14　典型的な電力会社（仮）におけるカスタマーサービスのコスト要因

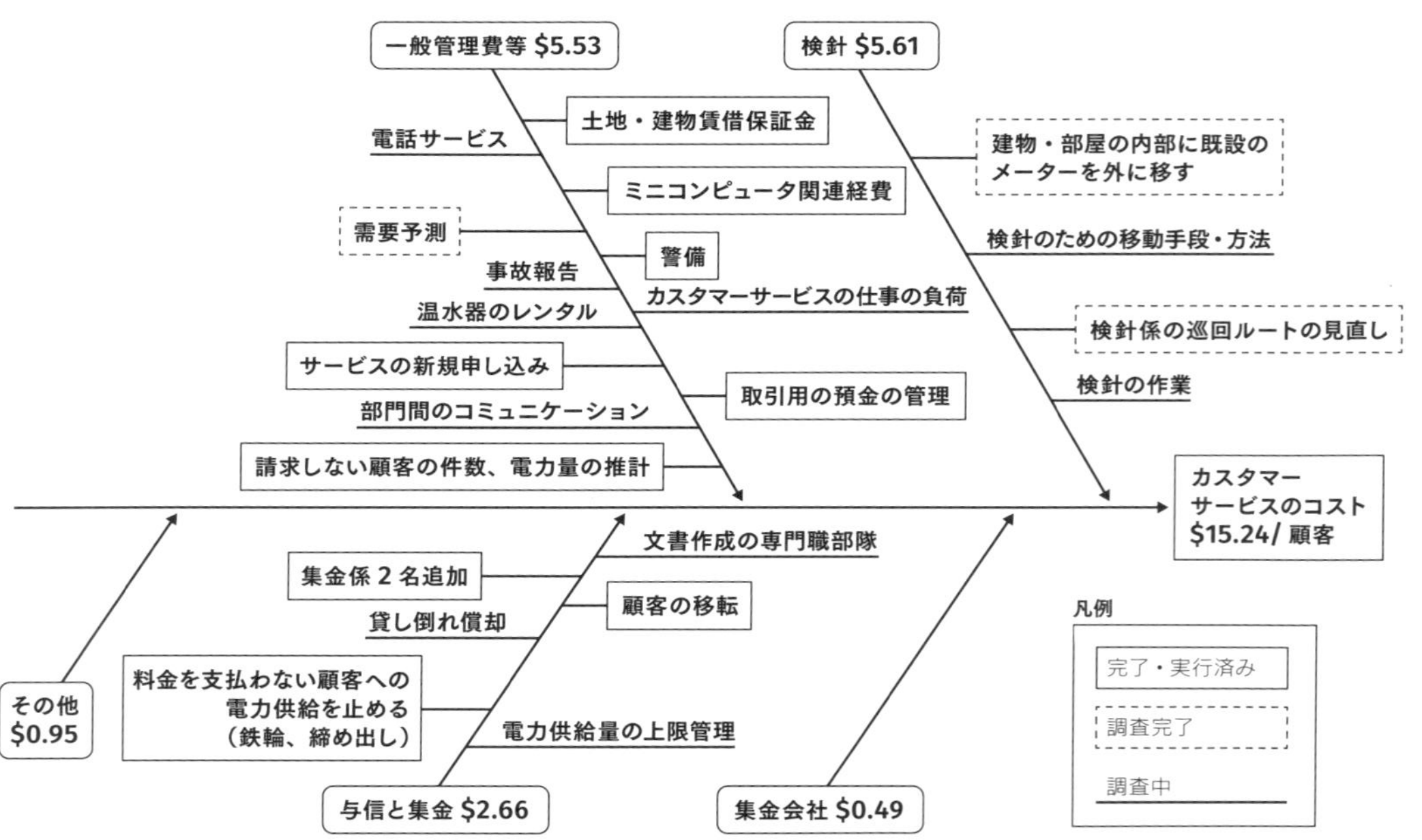

図15　ボイラー3号機の 管理図（1981年7月）
管理限界から外れた点は即座に注意を集めた

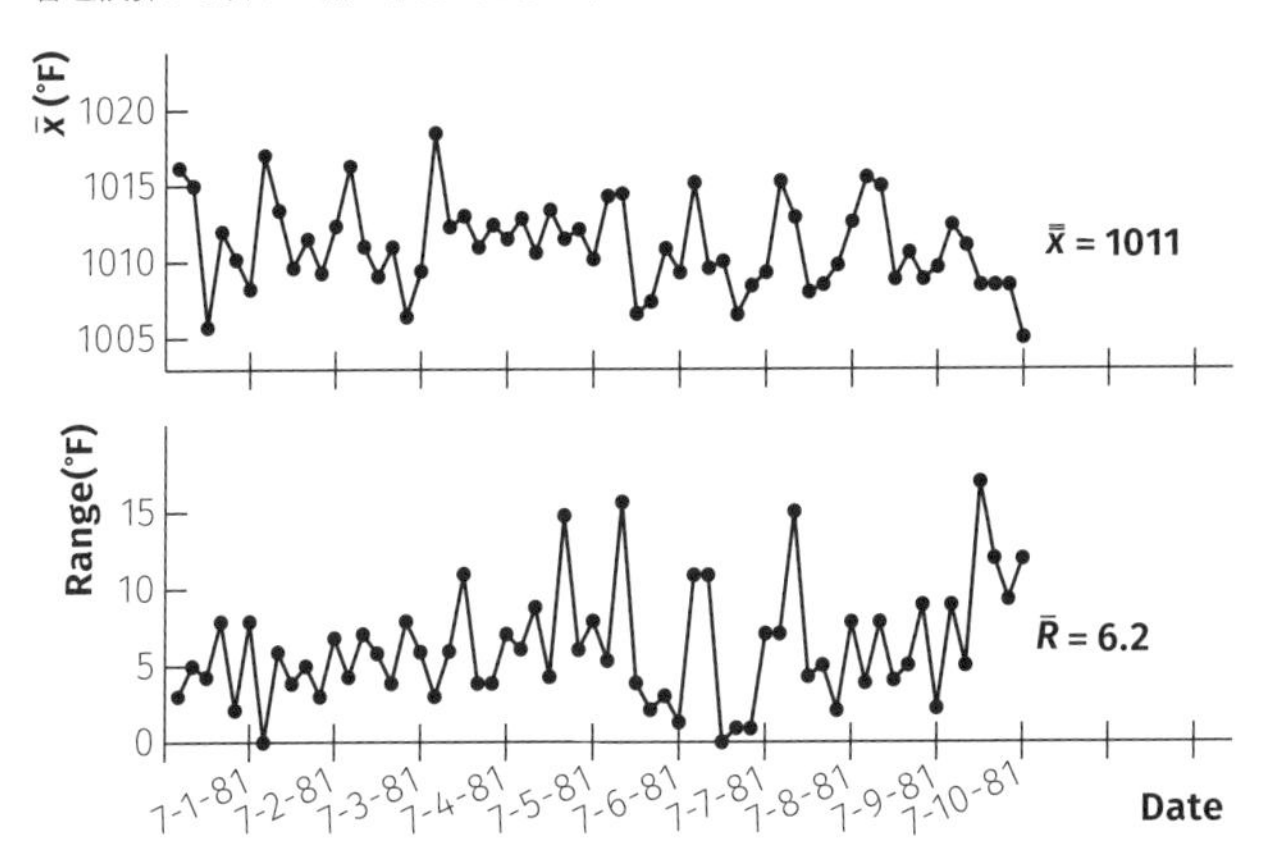

図16　カスタマーサービスの平均コストの推移（ドル／月）
3カ月間の推移は管理限界の算出に使うことができる

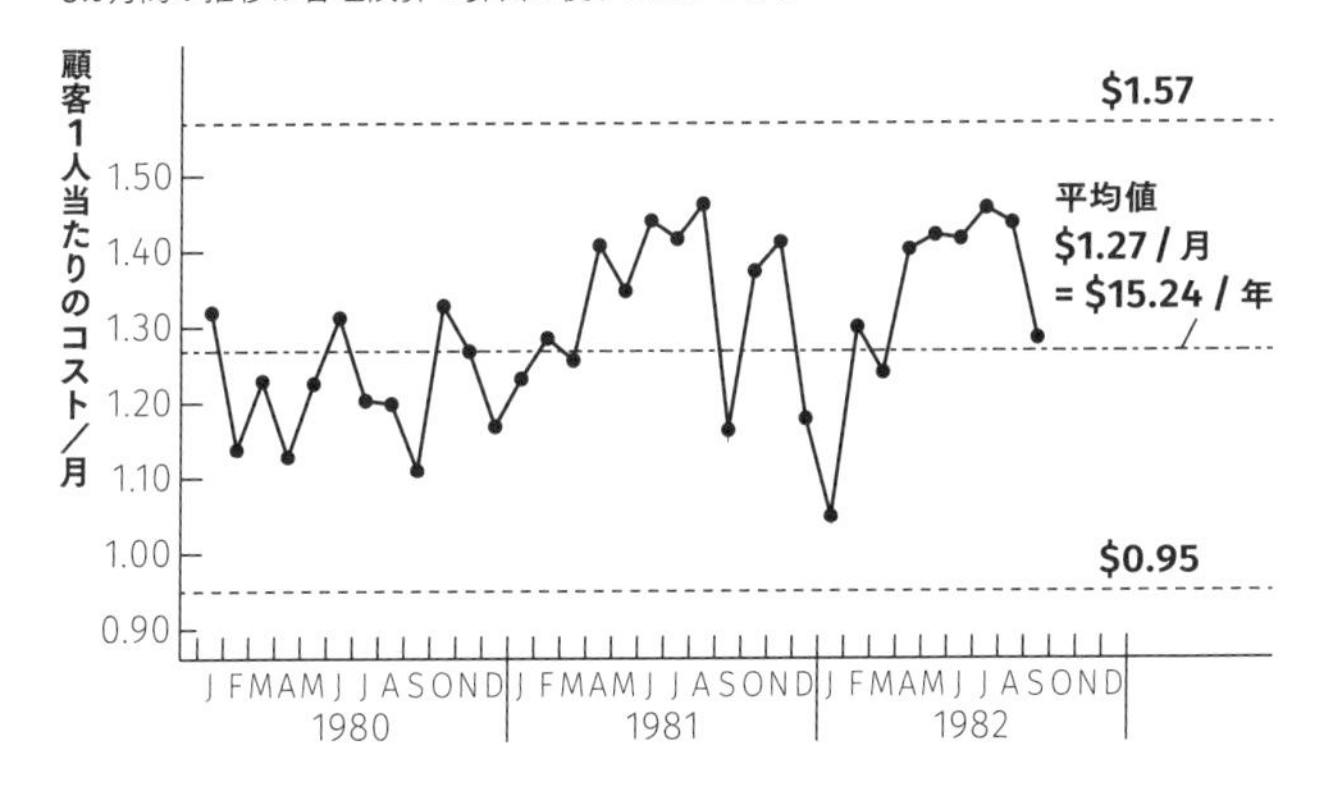

地中送電線の不具合の削減

もう1つの例は地中送電線だ。この電力会社は、11万5000ボルトの地中送電線が敷設から33年経過し、いまでは不具合発生の頻度が高まってきたという、危うい事態に直面していた。「不具合を起こした送電線を修理する」というやり方は高くつくだけでなく、顧客に迷惑をかける。不具合を起こしたルートの既設送電線を交換するのも、別のルートの送電線を交換するのも、費用が高くつくという点では同じだ。

エンジニアリング部門と地中送電線部門のメンバーが協力して1つのQCサークルを立ち上げ、もっとずっと安く、より良いやり方を実現するために、新たなアプローチを開発した。不具合発生を予測する、ある「システム」を構築したのだ。送電線の接合部は、いち早く劣化して不具合を起こす。そこに着目して予測を立てるのである。データを分析してわかったのは、電力サージによって生じる接合部の変形が、冷却と絶縁のためにケーブルの周りを循環させている絶縁油に化学変化を生じさせるということであった。その化学変化の1つが絶縁油内の一酸化炭素の増加だ。さらに、絶縁油の一酸化炭素含有量は先行指標として使えるのみならず、地中チャンバー内のケーブルの亀裂の機械的な生じ具合（亀裂の程度）と強い相関があるとわかった。

この情報は毎年のケーブル更新計画の策定に使われる。不具合が起きる確率が最も高い接合部10カ所を検査し、その10カ所がすべて安全と確認されたら、ケーブル網の保全に必要な予算の配分を均すことができるし、一気に工事するのではないことから、工数も減らすことができる。

技術者2人、送電線工事の担当者8人、検査員6人で構成されていたこのQCサークルは、続いて、マンホール内で接合部をより速く交換できる新たな工法をいくつも開発した。新工法は、従来の工法よりも、はるかにやりやすく、格段に安全な環境で作業できる。彼らの取り組みには、その作業を行うために使われるトラックと関連機器の再設計も含まれていた。

いまでは、送電線接合部の不具合を減らすために、統計的原則に基づいて毎年絶縁油の標本抽出が行われ、化学的に分析されている。過去3年間に発生した不具合は1件だけだ。接合部の交換プログラムのおかげで、電力会社は数十万ドルものお金を節約できた。停電の回数も減って、ゼロになった。

品質と生産性の改善を実現したこの積極的な取り組みは、「始まりと終わりが決まっている、筋書きのあるプログラム」ではなく、むしろ「理念」なのだ。その「理念」が、現有リソースをもっとうまく使って顧客のニーズを満たすよう、この仕事に責任を持つすべての領域・全階層の活動を方向付ける。

自治体の行政サービスを改善する

ウィリアム・G・ハンター

マディソン（ウィスコンシン州）の自動車整備局は、ごみ収集車や警察車両やその他の公用車のメンテナンスを行っている。1984年には、このメンテナンスサービスの品質への苦情が多くあった。整備士の士気が低い、やる気がないと責められていた。市長のジョセフ・センセンブラナーがこの部門のマネジメントを一新すると決意する。「品質を良くする」とは、自動車整備局が「自分たちのお客様」のニーズと期待が何であるかを理解し、それに応えなければならない（願わくは、いまのニーズと期待を超えて、さらに上を行ってもらいたい）ということだ。

そこで、整備士はまず、「自分たちのお客様」から寄せられた具体的な不満と提案に関する情報を集めた。「自分たちのお客様」は誰か――道路行政局や警察など、自動車整備局のメンテナンスサービスに依存している部門の人たちだ。整備士は、こうした部門の意見を代表する人々と直接話したり、また質問票を送って回答を求めたりして情報を集めていく。

大きな不満の1つは、車両のダウンタイム（使いたいのに使えない時間）が長すぎることだ。それならばと、整備士は車両修理の「流れ図」を描く。そして、データを集め、1つひとつの工程を完了するのに必要な時間はどのくらいなのかを見極めていった。こうした調査の結果をよく見て検討し、「車両のダウンタイム」の短縮に向けて何が必要かを考え、実際に変化を起こし始めた。

整備士はコストについても考える。「修理のために、どんなコストがどれくらいかかっているのかという実績」を調べ、「そもそも問題が起きないように未然に防ぐためにはどのようなメンテナンスが必要か、いくらかかるのか」を推計して、両者の比較表をつくった。例えば、あるジープの修理にかかったコストは4200ドル。当時、ジープは冬の間、道路に塩を撒くのに使われていた。その塩が車両の腐食を引き起こしていたのである。簡単なメンテナンス（推定コスト164ドル）をやっていたなら、塩による車両の腐食を防げたはずだ。

集めた情報を分析し、整備士がやがて到達した結論の主たる部分は、包括的なメンテナンス・プログラムを構築することだった。1984年9月14日、市長と市政幹部の前で、整備士たちがこの提言を発表する。提言を裏付ける分析も含めてだ。続いて整備士たちは自ら音頭を取って、目下推進中の具体例を説明して回るツアーを実施した。

後に市長は、ある式典で記念品のペーパーウェイトをプレゼントされた。壊れたアルミピストン（車の部品）でつくられたもので、鋼鉄製排気バルブの先端が斜めに突き刺さっている。市長が「ありがとう」と言って受け取ると、「このペーパーウェイトには3200ドルのコストがかかっています。動かなくなったトラックから壊れたピストンを取り外し、必要な修理を施すのにかかったコストです」と説明された。続いて市長は1・5ドルのバネを見せられる。

「われわれがきちんとした予防保全のプログラムをやっていたら、こうなる前に、エンジンに付いているこの16個のバネを交換していたはずです。しかし、そうであったら、このペーパーウェイトを市長に差し上げることはできなかったでしょう」

市長は、整備士たちの話を聞いて、包括的なメンテナンス・プログラムの必要性を確信し、次のように述べた。

「あなた方は、問題を発見する術を知っていて、どうしたらその問題を解決できるかも知っています。なにより、あなた方は問題を解決したいと強く願っている。われわれはあなた方の進む道の邪魔をしてはならない。具体的に何をどう進めるかは、このチームの皆さんに委ねるべきだと考えます。私は、皆さんが今日見せてくれたものに深く感動しました。当地の市行政に関わる他の部局にも、こうしたやり方をどんどん広めていきましょう。州政府も連邦政府もぜひこのやり方を活かすべきです。やらない理由が見つかりません」

後日談

整備士は労働組合のメンバーである。その彼らがあるとき、ウィスコンシン大学の統計的品質管理の講義に招かれた。自分の時間を使って大学へ来てくれたのだ。彼らはこの他にも自分の時間を使って仕事をすることがある。時間外手当を支払うという市当局からの申し出に、彼らはこう応じたという。

「いいえ、結構です。私たちは実際に面白いから、デミング方式でこれをやっているだけです。そのことが私たちには大切なのです。お金を払ってもらうためにやっているのではありません」

注記

ハンター博士がピーター・ショルテスとマディソン市自動車整備局の協力を得てここに描いた「品質改善のための諸原則」は、自動車やトラックの整備を行っているどんな組織にも応用できる。整備の組織を運営しているのは自治体、デパート、鉄道会社、トラック輸送会社とさまざまだろうが、どこでも同じように応用可能だ。

原注

第1章

［1］これは後述する津田義和博士（立教大学）の手紙から引用したものである。

［2］日本科学技術連盟の活動初期の創設メンバー（特に西堀栄三郎博士）に感謝したい。1950年以降、日本の経営者諸氏との共同作業はさらに有意義なものとなった。JUSEとは日本科学技術連盟の略称である。第18章の補遺を参照されたい。

［3］米国品質管理協会の機関誌 *Quality Progress* (Nobember 1977) に掲載されたA. V. Feigenbaum の論文 "Quality and productivity" から引用した。

第2章

［1］William A. Golomskiによる。

［2］フォードのJames K. Bakkenの発言（1981年1月27日）からの引用。

［3］ウォルター・A・シューハート著『工業製品の経済的品質管理』（原題は *Economic Control of Quality Manufactured Product*、白崎文雄訳、日本規格協会）

［4］本報告書の冊子を提供してくれたペッチャー・マニュファクチャリング・コーポレーションのラルフ・E・スティンソン社長に感謝申し上げる。

［5］田口玄一、呉玉印共著『オフラインの品質管理の方法』（中部品質管理協会、1979年。英語版 *Off-Line Quality Control*）、G. Taguchi, *On-Line Quality Control during Production* (Japanese Standards Association, 1981)。フォード社のPeter T. Jessup, "The value of improved performance"（1983年11月4日、デトロイトで開かれた米国品質管理協会自動車部会の会議で配付された論文）

［6］米原子力規制委員会「認可発電所のパフォーマンスに対するシステマティック・アセスメント」(NUREG-0834, Washington, 20 October 1981)

[7] その昔、ウィリアム・J・ラッコが恐怖の蔓延について語り、恐怖のせいで経済的損失が生じると指摘してくれたことに感謝する。

[8] フィラデルフィアのフィリス・ソボ博士によるこのプランへの協力に感謝する

[9] 図5に示されたサイクルの考え方は、ウォルター・A・シューハート著『品質管理の基礎概念――品質管理の観点からみた統計的方法』（原題 *Statistical Method from the Viewpoint of Quality Control*』坂元平八訳、岩波書店）から引用した。1950年、筆者は日本でこの図を「シューハート・サイクル」と呼んだ。だが、この図はすぐに「デミング・サイクル」という名称で呼ばれるようになり、現在に至っている。

[10] 製品やサービスの大半も唯一無二、一期一会であるという考え方に気づいたのは、友人のウィリアム・A・ゴロムスキーのおかげである。また、本章の例のうち、彼から提供を受けたものがいくつかある。

第3章

[1] シカゴの*Quality*誌(March, 1984)に掲載されたユージン・L・グラントのインタビュー。

[2] Copyright C 1983 by *Harper's* Magazine. All rights reserved. Reprinted from the June 1983 issue by special permission.

[3] フォードのWilliam W. Scherkenbachによる。

[4] William W. Scherkenbach, "Quality in the driver's seat", *Quality Progress*, April 1985, pp. 40-46

[5] フォードのJames K. Bakkenがうまく表現した言葉。

[6] W・エドワーズ・デミング著『標本調査の理論』（原題 *Some Theory of Sampling*』齋藤金一郎訳、培風館）、W・エドワード・デミング著『調査における標本設計』（原題 *Sample Design in Business Research*』齋藤金一郎他訳、日本科学技術連盟）第7章。

[7] Clarence Irving Lewis, *Mind and the World-Order* (Scriber's, 1929, Dover, 1956), Chs. 6-9

[8] このセクションの内容について、フォードのW. Scherkenbachに感謝する。

[9] O. Kempthorne, *An Introduction to Genetic Statistics* (Wily, 1957)

[10] *The Dial* (September 1981)に掲載された霍見博士の記事の要約。霍見博士とダイヤル誌の版元に深く感謝したい。

第4章

［1］Edward Jay Epstein,"Have you ever tried to sell a diamond?" *Atlantic*, February 1982, p23-34

第6章

［1］ウォルター・A・シューハート著『工業製品の経済的品質管理』（白崎文雄訳、日本規格協会）

［2］この点に関し、以下の書籍が興味深い。ユージン・H・マック・ニース著『標準・規格・仕様書』（東秀彦訳、日本規格協会）

［3］Bruno Bettelheim and Karen Zelan "Why children don't like to read"（*Atlantic*, November 1981, p. 27.）

［4］Edward W. Barankin,"Probability and the East", *Annals of Institute of Statistical Mathematics*（Tokyo）, vol. 16（1964）, P. 216からの引用。

［5］このセクションは、大半がウォルター・A・シューハート著『品質管理の基礎概念―品質管理の観点からみた統計的方法』から引用した。

第7章

［1］A. C. Rosander,"A general approach to quality control in the service industries," *Proceedings of the American Society for Quality Control*（Costa Mesa, Calif.）2 October 1976. ここでの86人、14人という数字は、筆者の友人Dr. Marvin E. Mundelから教示を受けたものである。

［2］1940年の国勢調査に関するDr. Philip M. Hauserの個人的意見。

［3］Oscar A. Ornatiへのインタビュー。*Productivity Review*. vol. ons. 1 and 2（March and June 1982）p. 48.

［4］このリストは、ポール・T・ハーツとデブラ・レビン女史の協力を得たものである。

［5］この部分の説明に関し、光栄にもロバート・カッチア、エメット・フレミング、ジョセフ・テレサの各氏の協力を得られたことに深く感謝申し上げる。

［6］この問題に関しては、光栄にもリチャード・ハウプト、チャールズ・リチャーズの両氏およびフォード社のエドワード・ベイカー氏の協力を得られたことに深く感謝申し上げる。

[7] フィリップ・B・クロスビー著『クオリティ・マネジメント――よい品質をタダで手に入れる法』小林宏治監訳、日本能率協会マネジメントセンター）には、ホテル事業での損失の出し方や倒産の仕方が説明されている。

[8] これに関しては、優れた参照文献が2冊ある。Nancy R. Mann, Raymond Schafer,and Nozer D. Singpurwalla, *Methods for Statistical Analysis of Reliability and Life Data* (Wiley, 1974) と、Richard E. Barlow and Frank Proschan, *Statistics Theory of Reliability* (Holt, Rinehart and Winston, 1975)

[9] Marvin E. Mundel, *Motion and Time Studies* (Prentice-Hall, 1950; rev,ed.,1970) p. 128;L. H. C. Tippett,"Ratio-Delay study," *Journal of Textile Institute Transactions* 36, no. 2 (February 1935); R. L. Morrow, Time Study and Motion Economy (Ronald Press, 1946), pp. 176-199; C. L. Brisley,"How you can put work sampling to work," *Factory* 110, no. 7 (July 1952): 84-89, J. S. Pairo,"Using ratio-delay studies to set allowance," *Factory* 106, no. 10 (October 1943): 94.

[10] この部分について、電話会社の友人らに感謝したい。特に、AT&Tのロバート・J・ブルソー博士、イリノイ・ベル電話会社のジェームズ・N・ケネディ氏、Managing statistics and operations research for management（1976年8月、ボストンで開催された米国統計協会の会議で配付された文書）の執筆者J・フランクリン・シャープ博士の各位に深謝申し上げる。筆者は1949年以来長きにわたり、さまざまな研究活動において多くの電話会社から協力をいただいてきた。各社に謝意を表したい。

[11] 標本抽出法や調査手順の教科書では、必ず解説されている。

[12] このリストをポール・T・ハーツとデブラ・レビンから提供され、筆者は大いに啓発された。

19. 隷従への道
フリードリヒ・ハイエク
村井章子［訳］

20. 世界宗教の経済倫理
比較宗教社会学の試み
序論・中間考察
マックス・ウェーバー
中山 元［訳］

21. 情報経済の鉄則
ネットワーク型経済を
生き抜くための戦略ガイド
カール・シャピロ
＋ハル・ヴァリアン
大野 一［訳］

22. 陸と海
世界史的な考察
カール・シュミット
中山 元［訳］

23. パールハーバー
警告と決定
ロバータ・ウォルステッター
北川知子［訳］

24. 貨幣発行自由化論
改訂版
通貨間競争の理論と実行に
関する分析
フリードリヒ・ハイエク
村井章子［訳］

25. 雇用、金利、通貨の
一般理論
ジョン・メイナード・ケインズ
大野 一［訳］

26. 政治神学
主権の学説についての四章
カール・シュミット
中山 元［訳］

27. 危機からの脱出 Ⅰ、Ⅱ
W・エドワーズ・デミング
成沢俊子＋漆嶋稔［訳］

NBP CLASSICS

日 経 B P ク ラ シ ッ ク ス　既 刊

著者略歴

W・エドーワーズ・デミング（W.Edwards Deming）一九〇〇〜一九九三。米国の統計学者。ワイオミング大学で電気工学を学び、イェール大学で物理学と数学の博士号を取得。農務省、国勢調査局に勤務。第二次世界大戦中は工場で統計的プロセス制御を指導。一九四六年からニューヨーク大学で統計学を教える。一九五〇年、占領下の日本を訪れて経営者らに統計的品質管理を教え、日本製品の品質向上の契機となる。一九八〇年、米国企業が日本製品の輸出攻勢に押されていたとき、全米ネットのNBCがテレビ番組「If Japan can...Why can't we」でデミングの日本での活動を取り上げ、一躍知られる。フォードなどに品質管理を指導し、米国経済復活に貢献した。著書に『標本調査の理論』、『調査における標本設計』など。

訳者略歴

成沢俊子（なるさわ・としこ）ピーキューブ代表。トヨタ生産方式の研究者。NEC、金融庁を経て、PEC産業センターで改善を研究。著書に『英語でkaizenトヨタ生産方式』（共著、日刊工業新聞社）、訳書にライカー他『ザ・トヨタウェイサービス業のリーン改革　上・下』（共訳、日経BP社）ほか。

漆嶋稔（うるしま・みのる）翻訳者。1956年生まれ。神戸大学卒業後、三井銀行（現三井住友銀行）を経て独立。訳書にアリソン、ゼリコウ『決定の本質　キューバ・ミサイル危機の分析　第2版　Ⅰ・Ⅱ』、『グリフィス版孫子　戦争の技術』（以上、日経BPクラシックス）、『烈火三国志　上・中・下』（日本能率協会マネジメントセンター）ほか。

危機からの脱出　Ⅰ

二〇二二年七月一一日　第一版第一刷発行

著　者　W・エドワーズ・デミング
訳　者　成沢俊子＋漆嶋稔
発行者　村上広樹
発　行　株式会社日経BP
発　売　株式会社日経BPマーケティング
〒一〇五－八三〇八
東京都港区虎ノ門四－三－一二
https://bookplus.nikkei.com/
装丁・造本設計　祖父江慎＋根本匠（cozfish）
製　作　マーリンクレイン
印刷・製本　中央精版印刷

ISBN978-4-296-00061-6

本書に関するお問い合わせ、ご連絡は左記にて承ります。
https://nkbp.jp/booksQA

『日経BPクラシックス』発刊にあたって

グローバル化、金融危機、新興国の台頭など、今日の世界にはこれまで通用してきた標準的な認識を揺がす出来事が次々と起っている。しかしそもそもそうした認識はなぜ標準として確立したのか、その源流を辿れば、それは古典に行き着く。古典自体は当時の新しい認識の結晶である。著者は新しい時代が生んだ新たな問題を先鋭に捉え、その問題の解決法を模索して古典を誕生させた。解決法が発見できたかどうかは重要ではない。重要なのは彼らの問題の捉え方が卓抜であったために、それに続く伝統が生まれたことである。

世界が変革に直面し、わが国の知的風土が衰亡の危機にある今、古典のもつ発見の精神は、われわれにとりますます大切である。もはや標準とされてきた認識をマニュアルによって学ぶだけでは変革についていけない。ハウツーものは「思考の枠組み（パラダイム）」の転換によってすぐ時代遅れになる。自ら問題を捉え、自ら解決を模索する者。答えを暗記するのではなく、答えを自分の頭で捻り出す者。古典は彼らに貴重なヒントを与えるだろう。新たな問題と格闘した精神の軌跡に触れることこそが、現在、真に求められているのである。

一般教養としての古典ではなく、現実の問題に直面し、その解決を求めるための武器としての古典。それを提供することが本シリーズの目的である。原文に忠実であろうとするあまり、心に迫るものがない無国籍の文体。過去の権威にすがり、何十年にもわたり改められることのなかった翻訳。それをわれわれは一掃しようと考える。著者の精神が直接訴えかけてくる瞬間を読者がページに感じ取られたとしたら、それはわれわれにとり無上の喜びである。